PATROCÍNIO:

TATA

TATA CONSULTANCY SERVICES

APOIO:

Atitude Brasil

Santander

LEI DE INCENTIVO À CULTURA

MINISTÉRIO DA CULTURA

Ediouro

FURACÃO ELIS

REGINA ECHEVERRIA

VERSÃO ATUALIZADA

Preparação de textos: Adriana de Oliveira

Revisão: Ruy Cintra Paiva e Gabriela Semionovas Oliveira

Projeto gráfico, capa e diagramação: Osmane Garcia Filho

Imagens de capa: Foto principal, Abril Imagens; imagens menores, (esquerda) Agência O Globo, (centro e direita) Abril Imagens; quarta capa, Abril Imagens.

Discografia ilustrada e pequisa iconográfica: Ricardo Lélis do Prado

Dados Internacionais de Catalogação na Publicação (CIP)
(Câmara Brasileira do Livro, SP, Brasil)

Echeverria, Regina
Furacão Elis / Regina Echeverria ; [discografia ilustrada e pesquisa iconográfica Ricardo Lélis do Prado]. — São Paulo : Ediouro, 2007.

ISBN 978-85-00-02167-1

1. Regina, Elis, 1945-1982 2. Cantores - Brasil - Biografia I. Prado, Ricardo Lélis do. II. Título.

07-1101 CDD-780.092

Índices para catálogo sistemático:
1. Cantores brasileiros : Biografia 780.092

Ediouro

EDIOURO PUBLICAÇÕES S.A.

Rua Nova Jerusalém, 345 – CEP 21042-230
Rio de Janeiro — RJ
Tel.: (21) 3882-8200 — Fax: (21) 3882-8212/ 8313
e-mail: editorialsp@ediouro.com.br;
vendas@ediouro.com.br
internet: www.ediouro.com.br

sumário

Prefácio*

A vertigem do grego

ADOLESCENTE AINDA, PEQUENO NOTÁVEL, APRENDI DE UM VELHO REPÓRTER, CARLOS RANGEL, O BARBANTE, QUE SÓ A LOUCURA E A OBSTINAÇÃO NOS GUIAM NA BUSCA DOS FATOS E DA VERDADE nessa nossa profissão: o jornalismo. O estado de alerta se faz, com o tempo, rotina. A vertigem do grego é isso: viver cada segundo à flor da pele, à beira do abismo sempre, diante dos fatos, da notícia e dos personagens de nossas vidas.

A vida se despeja enquanto a arte imita a vida.

O espelho do jornalista é o papel em branco no rolo da máquina de escrever, à espera de uma história para contar. Por isso, hoje eu sei que nossa tragédia é sempre do mesmo tamanho da nossa aventura. Fazemos parte da cena, e o repórter não é apenas um veículo. Por dentro dele — cabeça, tronco e membros — passa o testemunho da história de todo santo dia, da sua época.

Das tripas, coração. O ato de escrever, quando feito com amor, nos dilacera a alma e o coração, nos embrulha o estômago. Nos enche de medo, nos toma de assalto e não nos deixa parar, como num mergulho, até o ponto final.

Furacão Elis é um livro-reportagem, a memória nacional recém-parida, ao vivo e com todas as cores do seu tempo. Sobre Elis, mulher que por muito tempo foi a voz que nos revelou o quanto morríamos de saudade do Brasil. “Toda geração tem, num curto espaço de tempo, de

ELIS E A VERTIGEM DO GREGO: VIVER CADA SEGUNDO À FLOR DA PELE, À BEIRA DO ABISMO, SEMPRE

* Resolvi manter a apresentação original do livro escrita pelo Hamilton, em memória do jornalista a quem amei e respeitei até sua morte, em 18 de novembro de 1993. (N.A.)

descobrir a sua missão — cumpri-la ou traí-la", disse Zé Celso na peça *Gracias Señor*.

Tempos de Elis, do qual somos todos, de certa maneira, apenas sobreviventes. Arrastão, lunik-9, upa neguinho, travessia, romaria, madalena, águas de março, retrato em branco e preto, maria, maria, dois pra lá, dois pra cá, nas asas da panair, tiro ao álvaro, cadeira vazia, aquarela do brasil, alô, alô, marciano, até depois da volta do irmão do henfil.

Abaixo a morte, viva a inteligência! O brilho e o gênio da raça, juntos. Tempos de Elis, o Brasil dando risada. Tempos de Elis, o Brasil de Médici ou mude-se. Como também de lá pra cá, até 19 de janeiro de 1982.

Essa, a reportagem desse livro de Regina Echeverria, trinta e quatro anos, de leão, treze de profissão, dois casamentos, um filho e agora um livro. Não somos apenas bons amigos. Há três anos acompanho de perto a gestação dessa que é sua maior e melhor reportagem como jornalista e testemunha de seu tempo, nas artes e nos espetáculos da cena brasileira. Uma obstinação e uma vertigem de uma mulher também Regina, minha mulher.

O jornalismo como um ato puro de amor. Como ela mesma diz, beijos e notícias. Um trabalho que a ocupou todos os dias dos últimos seis meses, desde que, tomada do impulso final dos editores, passou a terminá-lo com paciência, competência, dor e alegria. Um ofício feito com arte ao longo de mais de cem entrevistas, momentos de explosões de personagens, até o voltar para casa em prantos.

O papel e a máquina. E o resultado está aqui, depois de revisto em seu texto final por José Márcio Penido, fino editor e amigo.

Furacão Elis é isso: um competente trabalho de uma jornalista, cercada de jornalistas por todos os lados. Todos mergulhados na vertigem de contar a história de todos os dias, a sangue quente, abordando os temas da sua geração e do tempo de seu país.

A mim, restou-me a tarefa: convidá-los ao mergulho no *Furacão Elis*, esse livro no qual personagem, autora e colaboradores são todos lenha da mesma fogueira.

HAMILTON ALMEIDA FILHO

Agosto de 1985

TEMPOS DE ELIS: O BRASIL DANDO RISADA E A VERTIGEM DE CONTAR A HISTÓRIA A SANGUE QUENTE.

CAPÍTULO 1

sangue pelo nariz

Entre a parede e a espada, me atiro contra a espada.

ELIS REGINA

NO COMEÇO DE 1985, TRÊS ANOS DEPOIS DA MORTE DE ELIS, NUM BOTECO NO PLANALTO PAULISTA, BAIRRO CLASSE MÉDIA DE SÃO PAULO, DONA ERCY CARVALHO COSTA COSTUMAVA ATENDER AOS fregueses até às oito da noite. Eram muitos os que apreciavam se sentar no balcão e comer o almoço que ela servia, famoso nas redondezas. Dona Ercy caminhava a pé para casa, a meio quarteirão dali. Aos 63 anos, morava sozinha desde que o marido, Romeu Costa, morreu, em dezembro de 1984. Ao falar da filha, chorou. Alternando ódio e amor numa velocidade tão vertiginosa quanto a filha costumava exibir, ela me disse apertando os dentes:

— Eu não perdôo.

Memória fabulosa de uma mulher que parecia encontrar no instinto de sobrevivência a força para continuar trabalhando no bar e pagar o aluguel. Talvez enlouquecesse também dentro de casa, sem nada para fazer. Quando dona Ercy, desolada, levantou os óculos grossos para enxugar as lágrimas, me deu uma sensação de paralisia de afeto. Pareceu-me impossível não acariciar e confortá-la. Uma altivez gaúcha envolvia essa rocha matriarcal, a líder implacável da infância e adolescência de Elis Regina.

Filha de imigrantes portugueses, cristãos novos, donos de uma mercearia no extremo sul do Brasil, Ercy encontrou um Romeu brasileiro, filho de brasileiros, com cara de índio, caladão, e emprego seguro numa fábrica de vidros. Foram morar no bairro de Navegantes, em Porto Alegre, numa casa de madeira, quintal de terra batida. A filha do casal nasceu estrábica e deve o nome "Elis" a uma amiga da mãe. "Regina" veio de uma exigência

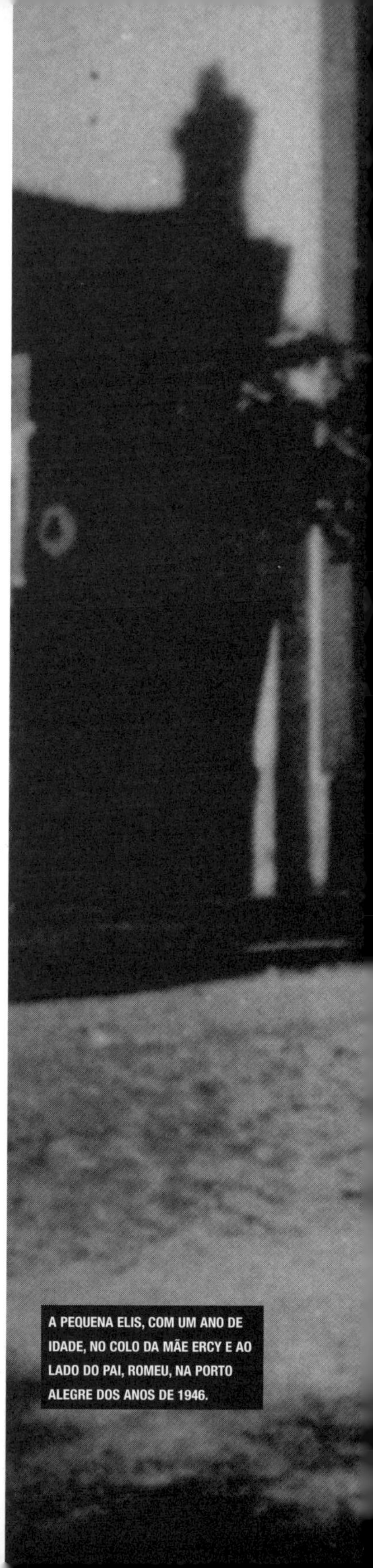

A PEQUENA ELIS, COM UM ANO DE IDADE, NO COLO DA MÃE ERCY E AO LADO DO PAI, ROMEU, NA PORTO ALEGRE DOS ANOS DE 1946.

MÃE E FILHA EM MOMENTO DE BELEZA.

A BRINCADEIRA VIROU COISA SÉRIA.

legal. De acordo com a burocracia da época, as crianças não podiam ser registradas com nomes que tanto serviam para meninos como para meninas. Prevendo que não conseguiria batizar a menina apenas por "Elis", dona Ercy lançou mão de um "Regina" de reserva.

Elis Regina Carvalho Costa, 17 de março de 1945, parto normal feito pela parteira Conceição e pela enfermeira Marlene no Hospital Beneficência Portuguesa, Porto Alegre.

Um sábado, às três e dez da tarde.

Primeira filha, primeira neta de uma família numerosa. De duas famílias numerosas. Tinha saúde de ferro, a mãe não lembra de ter perdido uma noite de sono com o bebezinho. Elis dormia pontualmente às oito da noite. Sempre no escuro, tudo apagado. Dona Ercy transformou a primogênita dos Carvalho Costa numa bonequinha estrábica. De pequena, já se previa que não iria muito longe em altura. A menina andava sempre bem arrumadinha, bem vestida, laçarotes na cabeça e óculos de grau desde os quatro anos. Nas recordações mais remotas da mãe, era uma criança obediente. Gostava de brincar sozinha, costumava andar pelo quintal com uma bolsa de palha, falando consigo mesma.

Até perder o emprego de chefe do almoxarifado na Companhia Sulbrasileira de Vidros, Romeu Costa era um homem sensível. Gostava de ler Ernest Hemingway e ouvir Chico Alves e Carlos Gardel. Antes de casar, ganhou o segundo lugar num programa de calouros e, de vez em quando, num rompante, vestia-se com os longos camisolões de dona Ercy e desandava a cantar e a bailar pela casa. Devia ter forte ascendência na pequena cabeça de Elis, porque durante anos ela acreditou que ele fosse de fato um bailarino. Ao descobrir a verdade, decepcionou-se.

Na casa dos Carvalho Costa, o rádio tocava a música do Brasil, pela Nacional do Rio, e a música da Argentina, pelas ondas da rádio Belgrano, de Buenos Aires. De manhã à noite. Aos domingos, quando se reunia na casa da avó Ana, mãe de dona Ercy, a família costumava fazer barulho na mesa. Cantar alto, gargalhar. Era aos domingos que gostavam de ouvir o programa de Chico Alves na rádio Nacional. A pequena Elis cantava *Adiós, pampa mia* do início ao fim, sem desafinar, sem errar a letra. E foi num desses domingos que a avó Ana teve um estalo:

— Por que não levam essa guria ao *Clube do Guri*?

Clube do Guri, programa infantil transmitido pela rádio Farroupilha, sempre aos domingos. Elis tinha sete anos quando enfrentou o primeiro microfone. Ter de encarar uma platéia estranha de auditório de rádio foi um choque para a menina tímida que se divertia falando sozinha. O diretor do programa, Ary Rego, pediu que ela falasse alguma coisa.

Nada. Elis ficou muda. Pediu que cantasse. Silêncio no ar. Dona Ercy, já nervosíssima, ajudava a pressionar Elis:

— Canta, minha filha!

A menina limitava-se a roer as unhas encobertas pelas luvas brancas. Voltou para casa calada, com dona Ercy nas orelhas.

—Isso não é papel que se faça!

Cinco anos se passariam até Elis Regina ter coragem de pedir uma nova chance. Quando entrou para a escola primária, já sabia ler, escrever e fazer contas. Orgulhosa da menina, dona Ercy falava com ela como se fosse uma adulta, sem dengos infantis, sem erros de linguagem. E, quando Elis chegava em casa com o boletim cheio de notas altas, também ouvia em bom português:

— Não fez mais do que a obrigação!

Na vida, a gente tem de lutar. A família não era mesmo chegada a paparicos. Naquela casa gaúcha, pegar no colo só quando estivesse com sono e olhe lá. Assim foi criada Elis e, também, Rogério, o único irmão, cinco anos mais moço.

Em 1952, os Carvalho Costa deixaram o bairro de Navegantes. Industriário, seu Romeu teve direito de ocupar um apartamento na vila do IAPI (Instituto de Aposentadoria e Pensão dos Industriários), na região norte da capital gaúcha. Prédios e mais prédios de apartamentos construídos em dois andares, na horizontal. Era uma vila operária, mas ocupava local privilegiado em Porto Alegre. Uma bela área verde, muitas praças. O apartamento térreo onde se instalaram tinha três lances de quintal, uma figueira na porta e um campo de futebol bem em frente. Seu Romeu costumava dizer que queria um cantinho de terra para pisar e plantar, muito embora nunca tenha plantado nada.

Foi morando naquele apartamento que a família sofreu o primeiro golpe. A Sulbrasileira de Vidros faliu e seu Romeu perdeu o rumo. Rogério, já com cinco ou seis anos, lembra-se de tempos bicudos, quando Dona Ercy era obrigada a raspar os cofrinhos das crianças. Seu Romeu tomou uma decisão: não seria mais empregado de ninguém. Dito e feito. Passou o resto da vida aventurando-se em empregos variados: foi representante comercial, caixeiro-viajante, dono de açougue, feirante. À medida que o tempo passava, mais pessimista ele ficava. Praguejava a si mesmo:

— Se eu abrir uma fábrica de chapéus, no dia seguinte as pessoas começam a nascer sem cabeça.

Seu Romeu se transformou radicalmente. Tornou-se um homem calado, pouco comunicativo, a ponto de sua filha Elis, aos 28 anos em 1973, traçar o seguinte perfil do pai, em entrevista ao programa *Ensaio*, de Fernando Faro, na TV Cultura de São Paulo:

— Meu pai é uma pessoa muito esquisita. Se eu disser que até hoje não sei quem é meu pai, você não acredita. Ele tem bigode, tem cabelo preto, descende de índios e se chama Romeu. É filho de Francisco e Idalina. Ele praticamente não fala.

Quando tinha nove anos, Elis recebeu lições de piano da professora Waleska, uma vizinha na vila do IAPI. Estudou por dois anos. Aprendeu rápido demais, tão rápido que se viu diante do dilema: ou comprava um piano ou parava de estudar. E Elis Regina começou a cantar porque sua família não pôde comprar um piano.

Diálogo entre mãe e filha na Porto Alegre de 1956:

— Mãe, tu me leva ao *Clube do Guri*?

— O que é que tu vai fazer lá?

— Vou cantar.

— Cantar? Tá louca? Pensa que tenho tempo para perder?

No domingo seguinte, dona Ercy pegou Elis e mais duas amigas e lá se foram todas para a Rádio Farroupilha. Mesmo não conseguindo se inscrever naquele dia, Elis voltou na semana seguinte e, daquela vez, cantou. Por mais que se esforçasse, dona Ercy não conseguiu lembrar qual foi a música de estréia de Elis. Lembra-se que era do repertório de Ângela Maria e não concorda com a versão contada por Elis, anos mais tarde, de que teria interpretado *Lábios de Mel* (João Vilaça Júnior e Nage). De qualquer maneira, Ângela Maria foi uma grande inspiração para Elis Regina. As duas têm o mesmo e límpido registro de voz, emissão firme e prazer em cantar.

Daquela vez, Elis causou sensação no *Clube do Guri*. De cara, desbancou a favorita do auditório. Cinco anos depois do desastre da primeira tentativa, ela deu o troco. O primeiro de uma série. Cantar no *Clube do Guri* virou hábito. Dos onze aos treze anos e meio, Elis freqüentou o programa quase todos os domingos.

Virou até secretária do apresentador Ary Rego, apresentando candidatos, lendo recados dos ouvintes e dando parabéns aos aniversariantes do dia. Ary, em entrevista à revista *Veja*, em 1976, recordou a personalidade "forte" da menina que estreou em seu programa: "Para ela, tudo precisava ser bem-feito. Era muito organizada e exigente. Havia até garotas com vozes melhores do que a dela. Nenhuma, contudo, demonstrou o capricho e a disposição de Elis". Em suas apresentações, Elis era acompanhada pelo pianista José D'Elia. "Ela era a estrelinha do programa", contou ele. "Só tirava os óculos na hora de se apresentar. E sempre cantava rindo, de olhos fechados".

Na rádio, já não roía as unhas com tanta fúria, mas fazia coisa pior, muito pior. Soltava sangue pelo nariz. Era uma cena de espantar. Dona Ercy não esqueceu: um dos vestidos de domingo era branco, com poazinho azul-marinho, gola redonda azul e uma gravata grande caindo pela saia rodada. Para essas sérias brincadeiras dominicais, dona Ercy varava madrugadas em cima da máquina de costura. Nos bastidores daquele fatídico domingo, o nervosismo

ACIMA, NA FESTA DE 15 ANOS, ELIS RECEBE UM ANEL DE PRESENTE DO IRMÃO ROGÉRIO, TAMBÉM COM ELA NA FOTO AO LADO. ABAIXO (ESQ.), COM ARY REGO, SECRETÁRIA DO CLUBE DO GURI E, À DIREITA, SOPRANDO A VELINHA EM 1960.

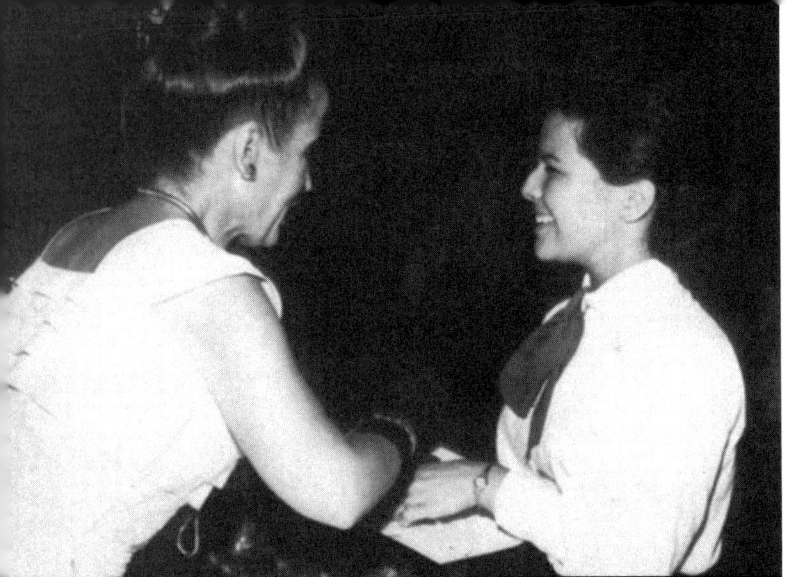

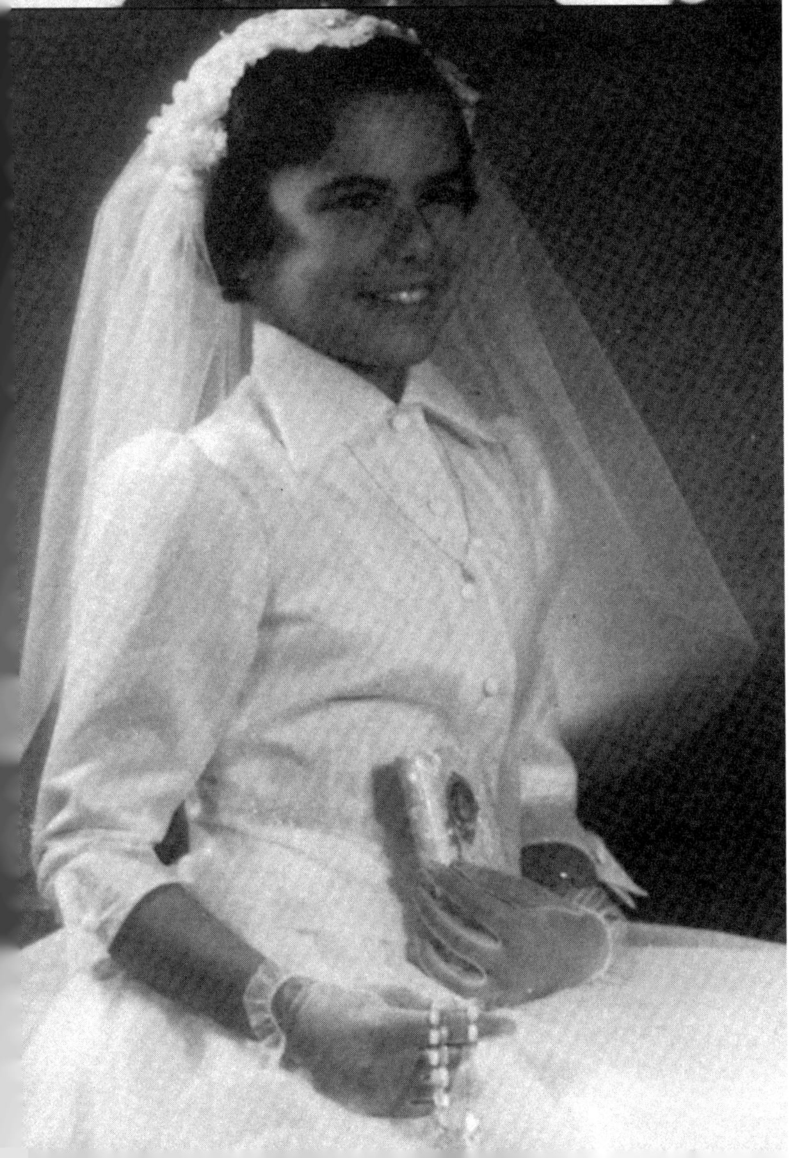

foi tanto que o nariz jorrou quantidades alarmantes de sangue. O vestido ficou manchado e Elis entrou em cena disfarçando, enrolando a saia da frente. Tinha acontecido o que viria acontecer inúmeras outras vezes. Sempre na rádio. E só na hora de entrar no palco. Até o fim da vida, tímida e insegura, Elis ficava insuportável antes de entrar em cena. A mesma insegurança, o mesmo medo de errar, a mesma fobia de não ser perfeita, de não corresponder às expectativas.

Aos treze anos e meio, Elis era uma garota-sensação em Porto Alegre. Na capital do Brasil, Rio de Janeiro, já se ouvia João Gilberto, a bossa nova. Os jovens da época não queriam mais o que se tinha para ouvir. Queriam algo diferente, mais sofisticado do que os sambas-canções de então. Queriam uma mistura do jeito *cool* do jazz com o samba quente do Brasil. A quilômetros do Rio, na quase provinciana Porto Alegre, Elis Regina cantava sem sotaque os sucessos estrangeiros que aprendia ouvindo os discos da rádio.

Um pouco crescidinha e com sucesso demais para o *Clube do Guri*, Elis deixou a rádio Farroupilha, para assinar seu primeiro contrato profissional, com a rádio Gaúcha, em 1959. Passou a cantar por um cachê de cinqüenta cruzeiros por mês, equivalentes hoje a cerca de 24 dólares, no *Programa Maurício Sobrinho.* Dona Ercy sempre a acompanhava aos programas, ficava por perto, fazendo "quilômetros de tricô". Maurício Sirotsky, contou a *Veja* que, como animador de auditório, costumava anunciar a entrada de Elis com frases retumbantes, que levaram os três mil expectadores que lotavam o cinema Castelo ao delírio.

— Então entrava ela, com ar infantil, vesguinha, perna torta, caminhando de pés virados para dentro, muito insegura. Quando começava a cantar, porém, tomava conta do auditório.

Só pôde assinar contrato porque cumpriu as regras do jogo impostas por dona Ercy: cantar, só com boas notas no colégio. Já famosa, Elis desabafou para o amigo José Eduardo Homem de Mello, o Zuza:

— Era um drama. Eu tinha de estudar e tirar notas excepcionais para poder cantar, entende? Eu tinha de estudar para valer, senão mamãe não me deixava cantar e eu já estava começando a gostar.

Duas décadas depois, dona Ercy admitiu que Elis pode ter interpretado sua exigência como imposição. Mas se justificou — como mãe, deveria zelar pelo futuro de sua menina. Por isso, sempre lhe dizia:

— Cantar, um dia você pára, minha filha.

Dona Ercy imaginava que Elis podia se formar professora e, quem sabe, cursar a faculdade. O dinheiro da filha veio a calhar, mas criou o primeiro conflito familiar que se agravaria com o passar dos anos e do dinheiro conquistado. Elis Regina ainda não tinha catorze anos e já ganhava mais do que o pai. O mano Rogério contou como o fato mudou a vida da família.

— Elis começou a se impor porque aparecia com a grana para solucionar os problemas. Ela segurava numa boa, nunca cobrou nada.

Ao menos, naquela época. Mais tarde viria a cobrar, como lembrou Rogério. Era um tempo, é verdade, em que dona Ercy não tinha apenas os dois filhos. Para ajudar um irmão, assumiu a responsabilidade de criar a sobrinha Rosângela, ainda um bebê, que ficaria com a família Carvalho Costa até completar catorze anos.

Com o primeiro salário, Elis comprou três objetos para seu quarto. Um sofá-cama, um tapete e uma vitrola *hi-fi*. Adquiriu tudo de segunda mão de uma tia rica da família, a tia Aida, madrinha de Rogério e a primeira a despertar o gigante adormecido em Elis. Um dia, quando a tia quis interferir na arrumação do quarto, Elis arrepiou:

— É meu!

Elis fez o curso primário no Grupo Escolar Gonçalves Dias.

Depois, ela e a mãe resolveram que o ginásio deveria ser feito no Instituto de Educação Flores da Cunha, tradicional colégio de Porto Alegre, escola pública instalada em prédio imponente, estilo neoclássico, de frente para o Parque Farroupilha, a maior área verde da cidade. Casto Instituto de Educação. Casta Porto Alegre. Maldita profissão de artista. Um dia, Elis chegou em casa e contou à mãe:

— A professora de francês me chamou de mau elemento.

Dona Ercy se queimou. Foi ao Instituto de Educação, pediu para falar com a diretora. Quando soube que não podia ser atendida, virou bicho.

— Sabe o que ela disse para mim? Que Elis não podia estudar porque era cantora. Chamou Elis de boi sonso. Falei:

A ADOLESCENTE COM POSE DE ARTISTA IMPRESSIONAVA QUEM TIVESSE A SORTE DE OUVÍ-LA.

— Se vocês estão pensando que minha filha não tem ninguém que olhe por ela, vocês estão enganados. E outra coisa, eu arraso esse colégio, eu tenho o rádio, o jornal, todos do meu lado.

Eu disse: — Olha, minha senhora, eu não vim aqui discutir a minha vida particular. Eu vim tratar de um problema da escola. Quero saber por que ela é mau elemento. Quando virei as costas, ela disse:

— Já vai tarde.

Virei bicho de novo.

Elis Regina tinha a quem puxar. Resultado da bronca: a professora de francês foi transferida e Elis terminou o ginásio em paz. No clássico, porém, não conseguiu conciliar estudo e trabalho, e teve esgotamento nervoso seis meses depois de entrar para o Colégio Estadual Júlio de Castilho.

— Ela se deu mal no latim, contou dona Ercy.

No meio daquele ano de 1961, como a família desejava desde o início, Elis se transferiu para o curso normal na Escola Diogo de Souza, mas o abandonou no segundo ano.

Elis tinha quinze anos quando dona Ercy permitiu que usasse sapatos altos e pintasse as unhas. Foi também a primeira vez que deixou Porto Alegre, indo para o Rio de Janeiro gravar seu primeiro disco: um compacto simples com as músicas *Dá*

Sorte (Eleu Salvador) e *Sonhando,* uma versão de Juvenal Fernandes para *Dream* (Vorzon/Elis). As duas músicas fariam parte do primeiro LP que ela lançaria naquele mesmo ano de 1961, *Viva a Brotolândia,* com produção do compositor e produtor Nazareno de Brito (1925-1981). Abrindo o disco, também *Dá Sorte.* De doze faixas, seis eram versões. Gravou uma música de Carlos Imperial (1935-1992), que seria o maior animador de programas de rock no rádio e na televisão, além de compositor, produtor e agitador por natureza. Foi ele quem idealizou Elis como a nova Cely Campelo, a preferida dos jovens de então. A repercussão do disco foi apenas local, mas valeu. Em 6 de dezembro, Elis foi coroada Rainha do Disco Clube, em Porto Alegre.

Elis gravou mais um LP na Continental, *Poema* (1962). O número de versões diminuiu — apenas três, entre elas o chá-chá-chá *Las Secretarias* (Pepe Luiz, com versão de Marta Almeida). O disco também não estourou. Nessa fase de início de carreira praticamente regional, Elis gravou outros dois discos para uma nova gravadora, a CBS. *Elis Regina* (1963) trazia novamente quatro versões e uma interpretação de Elis para o clássico *A Virgem de Macarena*. No disco seguinte, *O Bem do Amor*, também lançado em 1963, já mostrava um desejo de renovar o repertório, pois não havia nenhuma versão, e, ainda, uma canção de Baden Powel e Mario Telles, *Se você quiser*.

Os quatro discos apresentam uma cantora de afinação ímpar, timbre de voz claríssimo, e muita personalidade vocal. Porém, pouco do que Elis ainda seria como intérprete.

Àquela altura, início de 1964, Porto Alegre não tinha mais nada a oferecer a Elis, que já cantava na noite como *crooner* do conjunto Flamboyant, à beira de botar a perna no mundo, embora Elis ainda fosse uma normalista que cantava como *hobbie*. Sobre namorados, jamais conversava com dona Ercy. O primeiro deles foi um rapaz do cenário musical, como seriam praticamente todos os que escolheria depois: Marcos Amaral, um locutor de rádio. O mano Rogério tinha uma vaga recordação do *disc-jóquei*. Lembra-se de ir com a irmã para a rádio esperá-lo, e depois acompanhá-los até a pensão onde ele morava.

O segundo, Sebastião Schlininger, era uns cinco ou seis anos mais velho do que Elis. Era descendente de alemães, além de brizolista e funcionário petebista da Caixa Econômica. O que sobrou desse caso de amor juvenil foi um briga decisiva: Elis terminou o namoro e foi para o Rio de Janeiro, onde, em suas primeiras entrevistas como cantora de sucesso confessou ter deixado um grande amor em Porto Alegre.

No final de março de 1964, dez dias depois de sua menina completar dezoito anos, dona Ercy preparou a mala e Elis e seu Romeu embarcaram definitivamente para o Rio de Janeiro. Foram tentar a sorte. Desembarcaram num Rio de Janeiro que fervia à noite. O *Beco* das Garrafas, a bossa nova cantando um Brasil de amor e flor. Elis contava com a promessa do produtor de discos Armando Pittigliani de contratá-la para a Philips, assim que rompesse o acordo que mantinha com a CBS. Seu Romeu partiu com uma carta de recomendação do velho PTB na esperança de imediatamente se empregar no Rio de Janeiro. Doce ilusão, o golpe militar de 1964 afundou o partido.

Dona Ercy ficou em Porto Alegre cuidando de Rogério e Rosângela. Tinha esperanças. Não podia imaginar que um ano mais tarde tudo estaria mudado. O sonho de sucesso aconteceria, sim, mas sua menina nunca mais seria a mesma. Nem pequena, nem dócil.

— Perdi minha filha aos 19 anos...

CAPÍTULO 2

Elis mostra suas garras: nem quieta, nem tímida

A questão é saber se uma pessoa pode ser compreendida pelos fatos da vida, e isso nem mesmo leva em consideração o abominável magnetismo dos fatos. Esses atraem sempre outros fatos polares. Rara é qualquer evidência de qualquer vida que não seja rapidamente contradita por outras testemunhas.

NORMAN MAILER, em *Marilyn*

ELIS GOSTAVA DE DECLARAR QUE HAVIA DESEMBARCADO NO RIO DE JANEIRO NO DIA 31 DE MARÇO DE 1964. PROVAVELMENTE ESSA NÃO TENHA SIDO A DATA EXATA. PORÉM, ERA UM MODO BASTANTE charmoso de iniciar a narrativa de uma história naqueles tempos: Elis desembarcara no Rio em 31 de março, dia de golpe militar, de braços dados com seu pai que, por sua vez, trazia uma carta de recomendação do PTB, partido do presidente deposto, João Goulart.

Pai e filha instalaram-se num minúsculo apartamento mobiliado na rua Figueiredo Magalhães, em Copacabana. Era a primeira vez que Elis saía debaixo da barra da saia de dona Ercy. Ao chegar, a primeira providência foi procurar o produtor Armando Pittigliani na Philips, que cumpriu sua promessa de contratá-la para gravar um disco. Elis abandonou a CBS. Dois meses depois, em maio, assinou contrato com a TV Rio e foi escalada para o *Noites de Gala*, programa célebre na época, um dos carros-chefes da emissora, onde se apresentou ao lado de Marly Tavares, Trio Iraquitã, Jorge Ben e Wilson Simonal.

Elis trabalhava muito. Tinha de sustentar a casa e o pai no Rio, e o restante da família em Porto Alegre. Tudo aconteceu muito rápido. Quem a ouvia cantar, ficava impressionado. Foi para a TV Rio indicada pelo ator Paulo Gracindo, encantado com sua voz. Lá, conheceu o baterista Dom Um Romão (1925-2005), que a levou para o *Beco*, o famoso *Beco das Garrafas*, uma rua apertada, a Rodolfo Dantas, entre dois edifícios vizinhos da rua Duvivier, os de números 21 e 37, em Copacabana. Desde a década de 1950, a lateral do 37 abrigava no térreo uma sucessão de boates. Algumas, com música ao vivo e, outras com atividades menos "nobres". Por

NO PALCO DO TEATRO RECORD, EM SÃO PAULO, DEIXA PARA TRÁS OS APRESENTADORES SONIA RIBEIRO E BLOTA JÚNIOR.

causa da confusão e do barulho, os moradores dos prédios tinham o hábito de atirar garrafas — vazias ou não — para espantar os freqüentadores. Por causa disso, o jornalista Sergio Porto batizou o lugar de *Beco das Garrafas*. Em 1961, havia ali quatro boates: *Ma Griffe*, *Little Club*, *Bottle's Bar* e *Baccara,* pequenas, apertadas e enfumaçadas. *Ma Griffe* era mais afeita à prostituição. As outras três apresentavam espetáculos produzidos com parcos recursos, mas com muita criatividade, bom gosto e qualidade musical, especialmente a *Little Club* e *Bottle's*, ambas de propriedade dos irmãos italianos Alberico e Giovanni Campana. Ali os chamados *pocket shows* eram produzidos e dirigidos pela dupla Miele & Bôscoli, que faziam milagres naqueles espaços minúsculos. "Dê-nos um elevador e nós lhe daremos um espetáculo", era o lema da dupla.

O primeiro show de Elis no *Beco* aconteceu no *Little Club* e foi dirigido pelo jornalista Renato Sérgio. O show chamava-se *Bossa Três,* e Elis se apresentou ao lado de Dom Um Romão e Íris Lettieri, que recitava poemas. A fama do pedaço começou exatamente no final da década de 1950, quando o Brasil vivia um governo de afirmação nacionalista, progresso e expansão econômica, o governo de Juscelino Kubitschek, o presidente bossa nova. O Brasil não se via mais como um raquítico do litoral e sorria de si mesmo. O futebol ganhou a Copa de 1958. Maria Esther Bueno foi a primeira em Wimbledon. Eder Jofre, campeão mundial dos pesos-galo. O Brasil, vivendo sua própria democracia, rasgava a Belém-Brasília e construía uma nova capital. E o *show business* procurava novas fórmulas. Ronaldo Bôscoli e Luiz Carlos Miele "inventaram" os *pocket shows* no *Beco das Garrafas*. Aloysio de Oliveira testava a mesma fórmula na boate *Au Bon Gourmet* e encenava o musical *Pobre Menina Rica*, com Carlos Lyra, Nara Leão e Vinícius de Moraes. Em 1962, a turma da bossa nova apresentou-se no afamado *Carnegie Hall*, em Nova York.

Em 1964, quando Elis Regina chegou ao Rio, a geração que havia crescido sob o governo de Juscelino estava no apogeu. A bossa nova deixava o amor, o sorriso e a flor para cair no social. O cinema novo, com uma câmara na mão, uma idéia na cabeça: Glauber Rocha. O Centro Popular de Cultura (CPC). As ligas camponesas, a reforma agrária, a Universidade de Brasília. Jânio Quadros, eleito com seis milhões de votos, havia tomado posse no Distrito Federal em 1961. Na foto posa um Juscelino sorridente que passa a faixa presidencial a Jânio Quadros. Era a utopia do Brasil democrático, que descobria o Brasil de Pelé, Garrincha, Antônio Maria, Stanislaw Ponte Preta, Dolores Duran, Nelson Rodrigues. A União Nacional dos Estudantes (UNE) parava o centro do Rio porque a Light tinha aumentado a tarifa do bonde. Não se sabia ainda o que viria depois de 1968. Não se tinha a dimensão da ditadura que o país iria enfrentar. Não se imaginava que a explosão cultural aconteceria com o Tropicalismo, *Terra em Transe*, *O Rei da Vela*, *Roda Viva*, e com o Comando de Caça aos Comunistas (CCC), artistas espancados, a briga entre o Mackenzie e a Universidade de São Paulo na rua Maria Antônia.

Aos 19 anos, diante do Brasil de 1964, Elis não podia se dar ao luxo de se manter quieta e tímida. Percebeu que, ou tomava as rédeas, ou nada seria. Despiu-se da pele de cordeiro e botou as unhas de fora. Enfrentou o Brasil e o Rio de Janeiro de 1964, agressiva e desconfiada. Tinha a certeza de que estava na arena e de que os leões podiam trucidá-la a qualquer instante. Para quem costumava cantar boleros e versões, o canto *cool* da bossa nova não cabia direito em seu estilo. A voz de Elis Regina destoava radicalmente do caráter intimista da bossa nova, em que o verbo cantar era conjugado com suavidade, no feminino. Bossa nova, para a linguagem do jazz, era *cool*. A voz de Elis era *hot*. Diferente.

Como água e vinho.

Era uma voz viril, na definição do compositor e jornalista Nelson Motta, o Nelsinho, que desde garoto freqüentava as sessões da bossa nova, por intermédio de Ronaldo Bôscoli, na época seu "padrinho".

Nelsinho lembra de ter assistido Elis pela televisão.

— O que vi foi uma mulher vestida com uma roupa horrível, peito grande, cantando em cima de uma escada. Uma figura esquisita, mas cantando de chamar a atenção.

Em Salvador, outro espectador atento, que na época escrevia críticas de cinema na imprensa baiana, prestou atenção em Elis. Caetano Veloso também tomou um choque quando viu Elis na TV:

— Eu a achei muito talentosa e muito vulgar. Fiquei impressionado. Essa mulher é uma coisa incrível. Mas ela fazia aqueles gestos, aquela dança marcadinhosa. E, como eu era bossanovista, era muito João Gilberto, aquela coisa *cool* e de bom gosto e cores mais discretas, Elis me pareceu cafona, mas cheia de talento.

No final de 1964, Elis arranjou um namorado. Solano Ribeiro tinha 25 anos, e era um jovem politizado à procura de seu caminho. Trabalhava na produção musical do *Programa Bibi Ferreira*, na TV Excelsior, em São Paulo. Conheceu Elis no Rio quando esteve lá à procura de artistas para o espetáculo *Primavera Eduardo Festival de Bossa Nova*, patrocinado pelas Casas Eduardo, que queria estrear na capital paulista.

Solano foi seu primeiro namorado depois que Elis deixou Porto Alegre.

— Eu me encantei com a cantora e queria me casar com a cantora — contou-me Solano, aos 48 anos em 1985, quando comandava sua produtora na época, a VPI . Naquele tempo também trabalhava mais uma vez para um festival, o *Festival dos Festivais*, da TV Globo, vinte anos depois da Excelsior e de Arrastão.

— Existia um envolvimento político muito grande nessa época. Eu vinha do Teatro de Arena e era um radical aos 25 anos. Não admitia que Elis cantasse Tom Jobim, para se ver até onde chegava a minha imbecilidade. Brigava muito com ela, e tenho a impressão de que exercia uma influência grande, porque ela se deixava mesmo influenciar. E ficou meio política. Um dia ela cantou uma música do Tom Jobim e escrevi uma carta ressaltando a influência que aquilo ia exercer na cabeça das pessoas, quer dizer... Eu não admitia uma série de coisas. Nossas discussões eram sempre nesse sentido. Ela tinha uma cabeça aberta para cinema, literatura. Foi ela quem me levou para assistir *Deus e o Diabo na Terra do Sol*, de Glauber Rocha, no Cine Metrópole, em São Paulo.

Quarenta dias depois de instalados no Rio, Elis e seu Romeu mandaram buscar dona Ercy e Rogério em Porto Alegre. E ficaram todos naquele apartamentinho da Figueiredo Magalhães. Foi nesse cenário que começou a desandar o namoro de Elis e Solano, que recorda:

— Eu passei um carnaval no Rio com Elis nesse apartamento. Convivi com a família dela, convivi com ela... Então aí a coisa ficou complicada. A relação de Elis com os pais era maldosamente agressiva. Ela sabia da dependência econômica deles. Fiquei chocado com a agressividade com que ela tratava as pessoas da família e com a própria agressividade dela, que me encantava, mas me espantava. Às vezes eu estava sentado e ela vinha por trás e pum, batia com uma revista na minha cabeça. Com força. Não sei, ela tinha uma necessidade de botar alguma coisa para fora. Outras vezes íamos fazer uma visita e ela ficava superelétrica. De repente, encostava num canto e dormia. Era energia. Era vida.

Mas não foi por isso que Solano Ribeiro e Elis Regina terminariam o namoro. Algum tempo depois, quando já havia trocado o Rio por São Paulo, ela engravidou e resolveu fazer um aborto. Segundo Solano Ribeiro, foi aí que tudo acabou mesmo:

— Ela ficou grávida, fez o aborto e não me disse nada na hora. Disse depois.

Solano disse que não suportava a idéia de assumir o papel de marido da cantora. Segundo ele, Elis ocupava todos os espaços, e ele não admitia viver com uma pessoa que ocupasse todos os espaços. Queria mesmo era ocupar os seus:

— Eu também tinha problemas, também era complicado.

Elis, depois de romper com o namorado, recém-saída de uma primeira gravidez e aborto, brigava mesmo em casa. Seu Romeu, sem emprego, fez da carreira da filha um bico. Passou a cuidar dos cachês, acertar os contratos para shows, receber, como se fosse um empresário. Mas Elis, que tinha o controle econômico sobre a família, sentia-se poderosa. Cobrava do pai e — como cobrou do irmão que se virassem e cuidassem da própria vida. Ao mesmo tempo, alimentava a dependência dando dinheiro a eles, como se fosse impossível para ela suportar a culpa por estar bem de vida e saber que a família passava necessidade.

Sobre isso, Elis admitiu anos depois:

— Sei que minha mãe não suportaria me ver chegar às três da manhã, cansada, sem horário para as refeições etc. Nem eu ia viver bem, constantemente observada, e nem ela, gravitando em torno de mim. Certamente voltariam todos aqueles problemas oriundos do carinho opressivo...

Mas além das brigas domésticas, Elis tinha problemas nas noites cariocas. De uma primeira apresentação na boate *Little Club*, ela passou a ser produzida pela dupla bambambã da época: Luiz Carlos Miele e Ronaldo Bôscoli. Os dois trabalhavam, em 1964, com exclusividade para a Agência Midas, escritório de Abrahão Medina, conhecido como *O Rei da Voz* por ser proprietário da cadeia de lojas de eletrodomésticos de mesmo nome. Mas não podiam resistir aos apelos do *Beco das Garrafas*. Eles iam lá todas as noites para beber cuba-libre e trabalhar praticamente escondidos na produção dos *pocket shows*. Segundo Ronaldo Bôscoli, o *Beco* era uma esculhambação. Nem *spot* tinha. Os efeitos de luz eram feitos com canudos de cartolina.

Ronaldo contou mais detalhes sobre esse período, no depoimento a Luiz Carlos Maciel e Ângela Chaves, para o livro *Eles e Eu*, lançado em 1994, mesmo ano de sua morte aos 66 anos.

— Todas as noites, eu e Miele estávamos no *Beco*. Foi onde conheci Alberico Campana e o irmão dele, Giovanni. Esperto e sensível, Alberico percebeu

alguma coisa nova no ar e teve uma idéia: "Vou comprar um bar chamado Escondidinho, um botequim, e transformar em casa de show. Aliás, num quarto de show, de tão pequeno que é". Ele e o irmão fizeram o *Bottle's,* que logo virou *point*. Como já disse, Miele e eu bolamos *o pocket show*, uma invenção nossa, brasileira. Um belo dia, o Umberto Contardi, que hoje é diretor de uma fábrica de CDs, veio com uma novidade: "Ronaldo, você tem de conhecer uma garota que veio do Sul para gravar um disco. Não vai querer comer, não, que ela veio com o pai e a mãe em cima. Mas tem de conhecer. Canta pra caralho. O nome dela é Élis Regina". Não era a primeira vez que eu sabia da existência de Elis. Um dia, eu e o Miele ouvimos sua voz, saindo de uma loja de discos em Copacabana. Uma música brega, uma voz linda. Na mesma hora, disse ao Barba: "Se a cantora não for um bagulho, nasceu uma estrela". Ele concordou. Entramos na loja e o gerente nos informou que ela morava no sul. A foto na capa dava pro gasto, pensei. Era até bonitinha. Certa noite assistimos a um show de Íris Lettieri, produzido pelo Renato Sérgio, no *Bottle's*. Ela recitava poemas e, na qualidade de coadjuvante, Elis Regina contraponteava, cantando umas duas musiquinhas. Fiquei encantado com a voz dela. Miele também, como qualquer um, até um surdo, feito Beethoven, ficaria. Imediatamente, propusemos um show a ser estrelado por ela. Elis resistiu e acabamos desistindo. Afinal, Luiz Carlos Vinhas acabou por convencê-la. Ela aceitou, mas não se conformava dos ensaios começarem a partir das 23h — após nosso expediente no estabelecimento do Medina. Começaram os ensaios e as brigas. Começaram também as primeiras pinimbas entre nós. Tínhamos de marcar os ensaios às 22h30, 23h, para ter tempo de fugir do Medina às 22h e voar para o *Beco*. Elis foi logo reclamando:

— Não sou palhaça! — protestou.

Com jeito, conseguimos fazer uma gracinha de show com Elis, Gaguinho (que tocava pandeiro e era um cara engraçado), Marly Tavares (que fora o esquindô do Medina e estava no auge da carreira, dançando pra burro) e mais Luiz Carlos Vinhas, Otavinho Bayle e Roni Mesquita, que formavam o trio. Foi um tremendo sucesso. Aliás, onde quer que Elis pintasse, era um sucesso total. Mas as pinimbas continuaram. Eu jogava charme em cima dela e ela retribuía dizendo, por exemplo:

— Espera aí que vou telefonar para o meu namorado, Edu Lobo.

No *Beco*, ela começou a firmar o nome. Fazia grande sucesso e comparecia aos shows com o maior pique. Depois de algum tempo, no entanto, ela começou a faltar sistematicamente todas as sextas e sábados. As casas lotadíssimas. Samuel Wainer, Jorginho Guinle e o barão Stukart aceitavam sentar no chão. E ela não aparecia. O público ameaçava quebrar tudo. O Alberico ficava louco.

— Isso é uma tremenda sacanagem. Anuncia a Elis e depois não tem Elis. O público tem razão.

A desculpa de Elis era sempre a mesma. Tinha ficado afônica. Mas a mentira tem pernas curtas. Certo sábado, em que eu estava puto da vida, porque faturava uma merreca, bebia quase tudo no próprio *Beco* e tinha Elis, mas não tinha Elis e Elis não aparecia, fiquei sabendo de tudo. Um comandante de aviação, cujo nome não me lembro e aparecia de vez em quando, me veio com a novidade:

— Ronaldo, você tem de ver, rapaz. Ouvi uma menina no Paraná que canta demais. Não sei se chama Élis ou Elis, é baixinha assim... Que show! Vocês têm de chamar essa menina para cá.

Percebi a putaria. Romeu Costa, o pai de Elis, a obrigava a fazer shows por aí, nos fins de semana, para faturar sozinho, sem que soubéssemos. Fiquei furioso. No dia seguinte, quando ela mais uma vez disse ter ficado afônica, fui de dedo em riste pra cima dela:

— Afônica é o cacete! Você está nos sacaneando! Fique sabendo que isto aqui não é uma palhaçada, não. Já sei que você faz show por aí...

— Faço mesmo, e daí? Caguei. Sou mais eu. Se quiser me mandar embora, manda que eu vou — ela respondeu, de pronto, pois era desaforada e mal-educada.

— Então vai.

Quando Miele e Bôscoli encontraram Elis Regina num sábado à noite para o primeiro ensaio, ela estava de cara virada. Talvez achando um tanto demais ficar à disposição dos horários dos diretores. Quando Ronaldo Bôscoli conheceu Elis Regina, ela estava apaixonada por Edu Lobo, o compositor que com ela iria dar sua grande guinada na carreira e na história da música popular. Ele tem uma boa memória:

— Ela ia toda hora ao telefone e se exibia demais para mim: "Posso falar um instantinho no telefone, seu diretor?". E falava com o Edu...

Foi lá no *Beco* que Elis conheceu também Lennie Dale e com ele aprendeu a usar o corpo ao cantar. Aquele negócio de girar os braços feito um helicóptero no refrão laialadaia-sabatana-ave-maria certamente foi criação dela, mas incentivada pelos ensinamentos do bailarino americano. Esse foi o motivo de sua primeira desavença com Ronaldo Bôscoli. Ele achava aquela natação um tanto ridícula. Foi falar com Miele e ele respondeu com uma declaração que se tornaria histórica:

— Deixa, Bôscoli, assim ela enterra a bossa nova de vez.

O show de Elis no *Bottle's*, dirigido por Miele e Bôscoli, tinha a participação do conjunto de Dom Um Romão, da bailarina Marly Tavares e do pandeirista Gaguinho. Foi um sucesso. E para a história que aconteceu em seguida há várias versões. Elis começou a faltar aos shows do *Beco*. E sempre aos sábados. Segundo Ronaldo Bôscoli, ela era obrigada pelo pai Romeu a fazer shows por fora para ganhar mais dinheiro. Segundo Elis, esses shows aconteceram sim, mas ela sempre garantiu que faltou apenas uma vez ao *Beco*. Bôscoli rebatia:

— Foram várias.

Seu Romeu vinha sempre com a desculpa de que Elis estava doente. Na terceira falta, Bôscoli foi falar com ela:

— Elis já veio falando: "Diz logo o que você quer!", e eu disse que aquilo não era uma zona, que não era a casa-da-mãe-joana e que exigia uma explicação. Ela insistiu na tese de que estava estressada, doente. Eu disse que sabia dos shows que ela fazia na mesma hora em outros lugares. E a discussão foi indo até um ponto em que ela já estava dando uma de Joana d'Arc, chorando e se dizendo injustiçada.

O fato é que Elis Regina já estava de olho em São Paulo. Mais precisamente num movimento estimulado pelos estudantes de centros acadêmicos universitários da época: levar a música popular para os teatros. Fazer shows ao vivo com gente nova. Horácio Berlink, Eduardo Muylaert, Antônio Carlos Calil e João Evangelista Leão organizaram o primeiro, feito pelo Centro Acadêmico XI de Agosto, da Faculdade de Direito de São Paulo, no Teatro Paramount. Nome do show: *O Fino da Bossa.*

Elis Regina foi convidada a participar do segundo show dessa série, no dia 31 de agosto de 1964, o espetáculo *Boa Bossa*. Era um espetáculo beneficente para a Associação de Moças da Colônia Sírio-Libanesa de São Paulo com produção de Sérgio Barbour e apresentação de Humberto Marçal. O radialista e jornalista Walter Silva, titular do famoso programa *O Pick-up do Pica-Pau,* colaborou na direção. Além de Elis, as atrações eram Agostinho dos Santos, Peri Ribeiro, Lennie Dale, Silvio César e o conjunto Zimbo Trio.

Foi a segunda apresentação de Elis em São Paulo. Pouco tempo antes, ela havia cantado na boate *Djalma's*, na praça Roosevelt, com Silvio César e o Sambossa 5, em show produzido por Arley Pereira, Solano Ribeiro e Teço.

Em 19 de outubro, participou também do show *Bossa Só*, no clube Hebraica. Logo em seguida, no dia 26, atendendo ao convite de Walter Silva, Elis cantou com Marcos Valle e o Copa Trio (Salvador, Dom Um Romão e Gusmão) a música *Terra de Ninguém*, no show *O Remédio é Bossa*, para os alunos da Escola Paulista de Medicina.

Walter Silva descreveu em seu livro *Vou te contar*, o impacto do show daquela noite:

— Foi um estouro. A gravação existe, lançada pela RGE. Naquela noite, conheci todo o potencial de palco de Elis e a convidei para o seu primeiro show solo, no Paramount.

Ainda em outubro de 1964, Elis participaria com o Zimbo Trio, do programa *Primeira Audição*, gravado no Colégio Rio Branco pela TV Record. Em 23 de novembro, a cantora que já era uma sensação na cidade, participou novamente de um show universitário ao lado do Copa Trio, desta vez numa produção da Faculdade de Odontologia da Universidade de São Paulo, o Primeiro Denti-Samba, com direção de Walter Silva. Na segunda parte do show, as atrações foram Peri Ribeiro, Geraldo Vandré, Paulinho Nogueira, Walter Santos, Alaíde Costa e o Zimbo Trio.

Elis já estava seduzida pelos cachês paulistas. Por show, ganhava mais do que em um mês do *Beco*. A escolha entre o Rio de Janeiro e São Paulo era evidente. Mas, antes de abandonar e, de certa forma, enterrar o *Beco das Garrafas*, Elis armou uma briga feia com Ronaldo Bôscoli, porque ele havia mandado pichar uma tarja preta em cima do seu nome no cartaz da porta do *Bottle's*.

— Mandei pintar a tarja de maneira que se pudesse ver o nome dela embaixo.

Elis Regina e Ronaldo Bôscoli viraram inimigos mortais.

Em São Paulo, Walter Silva e Solano Ribeiro apresentaram Elis a Marcos Lázaro, um argentino que começava a se destacar como empresário. Em fevereiro de 1965, ela já morava em São Paulo. Veio só e se hospedou na casa de Lázaro, um pequeno apartamento de dois quartos na Avenida Rio Branco, esquina com a Avenida Ipiranga, centrão de São Paulo. A família Lázaro — dona Elisa e dois filhos — acomodou Elis no sofá da sala de visitas, protegida à noite por uma cortina improvisada no meio da sala. Dona Ercy, seu Romeu e Rogério ficaram no Rio e depois voltaram para Porto Alegre.

Elis Regina, hóspede recatada da família Lázaro, foi sua primeira artista brasileira exclusiva do empresário, que então trabalhava com artistas de circo e cantores da noite. Em troca de 20% dos cachês pagos aos artistas, Marcos Lázaro começou a crescer. Elis, que saía e voltava para casa escoltada pelo empresário, jogava baralho nas noites de folga. Elisa Lázaro não se esqueceu:

— Lembro que às vezes ela jogava as cartas para o alto, corria na janela e começava a cantar e a cantar.

Recém-chegada na capital paulista, Elis declarou aos jornalistas ter sido injustiçada no Rio de Janeiro. Disse que havida sido discriminada por ser gaúcha e ter enfrentado uma verdadeira guerra no *Beco das Garrafas*. Bôscoli a desmentiu e a briga entre os dois prosseguiu. Foi então convidada pelo ex-namorado Solano Ribeiro para defender duas músicas no *I Festival de Música Popular Brasileira* da TV Excelsior. O festival coincidia com o ocaso da TV Record, que sustentava sua programação basicamente com artistas estrangeiros. A emissora contratou e apresentou nomes como os de Ella Fitzgerald, Sammy Davis Jr., Dizzie Gillespie, Rita Pavone, Chubby Checker, Brenda Lee.

Em crise financeira, era impossível manter o mesmo nível, e a Excelsior entrou com tudo com seu festival de música. Elis participou dele com um pé atrás. Tinha pelo produtor Solano Ribeiro desconfiança, muita desconfiança depois de tudo o que haviam passado juntos. Das duas músicas que recebeu, *Por um Amor Maior*, de Francis Hime e Ruy Guerra, e *Arrastão*, de Edu Lobo e Vinícius de Moraes, Solano recorda que Elis gostava mais da primeira. Quando a música foi desclassificada, ela achou que alguém estava sacaneando, mais propriamente Solano Ribeiro.

— Ela não me olhava, era um clima esquisito.

Porém, segundo o depoimento do produtor daquele festival, a história não foi bem assim. Havia um complô articulado pelo empresário Lívio Rangan, falecido em 4 de agosto de 1984, então dono da Rhodia. Solano conta:

— Rangan queria que ganhasse a música de Vinhas e Bôscoli, defendida por Simonal. Ele argumentava que se a música não ganhasse, nenhum outro vencedor trabalharia em seu show. Além disso, aliciava o júri com presentes. E havia uma parte do júri não politizada, alienada, que desprezava as músicas com mensagens sociais. O Eumir Deodato era um deles. E aquele momento era delicado. O golpe de 1964 em cima, a gente querendo uma saída. A censura. Tudo isso contribuiu para que *Arrastão* quase perdesse.

Segundo Solano, só não perdeu porque ele mesmo promoveu um contra-ataque no júri, ajudado pelos artigos de Walter Silva na *Folha de S. Paulo.* Afinal, venceu Elis, venceu *Arrastão*, num momento inesquecível na televisão brasileira.

Elis Regina dava um adeus formal à bossa nova. Um ciclo se encerrava naquele canto atlético com que defendeu a música. Sucesso nacional. Elis Regina venceu o *I Festival de Música Popular da Excelsior*.

Olha o arrastão entrando num mar sem fim/, meu irmão, me traz Iemanjá pra mim.

Peruca preta, vestido tubinho preto, braços abertos feito o Cristo Redentor, girando feito hélices de helicóptero, a voz solta com força, gana, vontade de vencer. A primeira da competição. Medalha de ouro. A boa menina encontra o sucesso. Rosto para trás, lágrimas nos olhos.

Pra mim... olha o arrastão...

Era dia 6 de abril de 1965 quando Elis recebeu o Berimbau de Ouro pelo primeiro lugar.

Choro e riso no rosto consagrado. Demais para um pobre coração.

CAPÍTULO 3

a rainha da MPB

Hoje em dia sei muito bem como é para um grande artista assumir a importância inteira de uma época na sua pessoa. Eu sei como é esse tormento, essa dualidade profunda que se instala numa pessoa pública, famosa, que detém o poder de alguma ordem. É a luta entre o ímpeto de ser importante e o ímpeto de ser feliz.

GILBERTO GIL

EM ABRIL DE 1965, O ROSTO DE ELIS REGINA ESTAMPOU UMA CAPA DE REVISTA. TAMBÉM SUBIU AO PALCO DO TEATRO ASTÓRIA, NO RIO, PARA RECEBER O PRÊMIO DE MELHOR INTÉRPRETE DO *I FESTIVAL DE* *Música Popular Brasileira*, defendendo a música também vencedora, *Arrastão*, de Edu Lobo e Vinícius de Moraes. E, logo depois, recebeu o prêmio Roquete Pinto, na TV Record, como a melhor cantora de 1964. Oito anos depois de ter cantado pela primeira vez no *Clube do Guri*, seis depois da assinatura de seu primeiro contrato profissional, três depois do primeiro LP e apenas treze meses depois de deixar Porto Alegre e desembarcar no Rio, Elis Regina chegava onde queria.

Não havia desejo maior na sua sonhadora Porto Alegre do que virar capa de revista, o que para ela era o sinônimo mais adequado para celebridade, prova de reconhecimento, puro prazer. Sonho secreto escondido pela gargalhada escancarada.

Vinícius de Moraes não agüentou tanta saúde e vibração e, sabiamente, a apelidou: *Pimentinha*. Outros já a chamavam de *Hélice*, pela maneira como rodava os braços feito um helicóptero.

Quarenta e oito horas depois da entrega do prêmio, Elis já estava em São Paulo para estrear um show com o compositor e violonista Baden Powell. Porém, no lugar dele encontrou o sambista Jair Rodrigues, um cantor antibossa nova também, que emplacou um grande sucesso nacional: *Deixem que digam, que pensem, que falem......*

No teatro Paramount, Elis e Jair estrearam um show para uma platéia de dois mil lugares, aquele mesmo que Walter Silva havia planejado para ela no ano anterior. Era 9 de abril de 1965. A idéia inicial de Pica-pau era

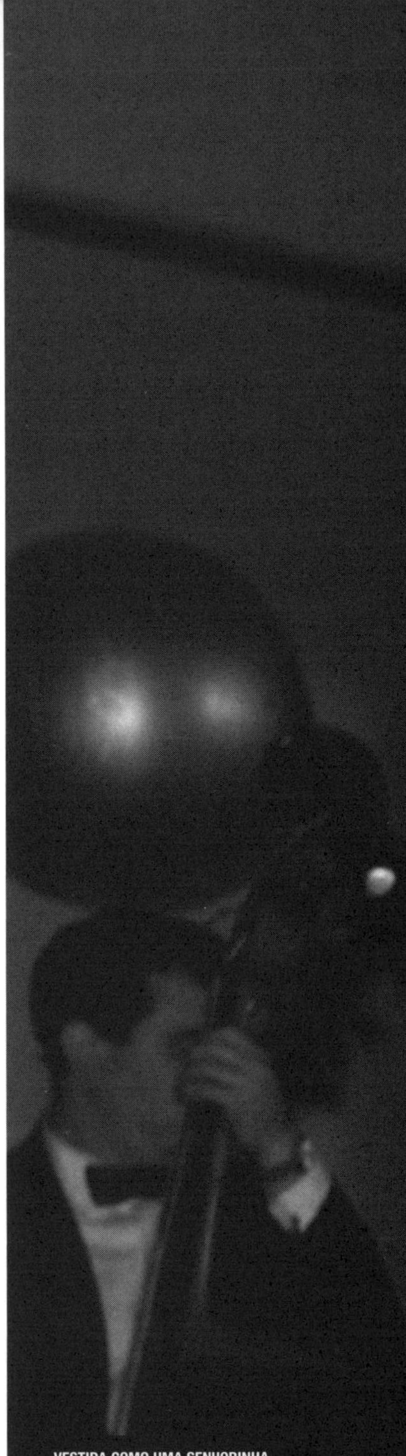

VESTIDA COMO UMA SENHORINHA ELEGANTE, O VISUAL DOS PRIMEIROS TEMPOS CONTRASTAVA COM A PERSONALIDADE JOVIAL DE ELIS.

FORA DO PALCO, NOS ANOS 1960, ELIS REVELAVA O JEITÃO DE MENINA.

juntar Elis, Simonal e o Zimbo Trio. Walter escreveu em seu livro:

— Como em cima da hora eles tiveram de viajar com a Rhodia para o Peru, fiquei só com Elis. Sugeri a ela que puséssemos o Baden Powell no lugar deles, mas também Baden se mandou para a Alemanha, deixando-nos a ver navios. Numa daquelas noites, quando íamos apresentar Elis para o que viria a ser seu empresário, Marcos Lázaro, junto com Solano Ribeiro e Déa, minha mulher, Jair Rodrigues encerrava uma temporada na boate Cave ou Stardust, já não me lembro, quando Déa sugeriu:

— Por que não põe o Jair no show com a Elis?

Retruquei:

— O Jair e a Elis não têm nada a ver!

Ela acabou me convencendo e estava formada a dupla. Na mesma hora falei com o empresário de Jair, o saudoso Corumbá, e o show foi acertado: 9, 10 e 12 de abril de 1965, no Teatro Paramount. Seria o primeiro show do gênero na carreira dos dois.

Sucesso total. Casa cheia nas três noites. E olha que, em cima da hora. Como a Record programou a entrega do Roquette Pinto que Elis receberia no dia 10, tivemos de mudar para o dia 11 e mesmo assim o sucesso foi enorme.

Em 1964, o paulista Jair Rodrigues tinha 25 anos e alcançado o sucesso popular com uma canção precursora do rap de tantos anos depois: *Deixa isso pra lá* (Adalberto Paz e Edson Menezes). A primeira vez que viu Elis foi no *Beco das Garrafas*, quando ela lhe foi apresentada por Luiz Carlos Vinhas. Depois, encontrou-a no ano seguinte, numa das gravações do programa *Almoço com as Estrelas*, sucesso na TV sob o comando de Airton e Lolita Rodrigues.

— Ela me abraçou e disse que era minha fã. Trocamos até um autógrafo. Algum tempo depois, meu empresário, o Corumbá mandou o filho dele me buscar num campo de futebol que eu costumava jogar, na Casa Verde: eu deveria sair dali direto para o teatro Paramount. Quando cheguei, quem me recebeu foi Manuel Baremboim e Walter Silva. O Walter não disse que eu estava substituindo alguém, apenas que estava me chamando para fazer o show — eu cantaria meu repertório e, depois, eu e a Elis. Pensamos num *pot pourri* de sambas. Fomos nós três — eu, Elis e o Jongo Trio, quem bolou aquele famoso *pot pourri* de sambas. Fomos lembrando, uma música se encaixando na outra. *O morro não tem vez... Fui escravo do reino em que sou... sarava ogum...* E nessa recordamos mais de vinte músicas. E quando fomos ensaiar, não teve nenhuma mudança de tom. E assim nasceu o famoso *Dois na Bossa*.

Elis e Jair fizeram um único ensaio juntos, horas antes da estréia. O teatro Paramount que, arrendado pelo jornalista Walter Silva, transformava-se no templo da MPB em São Paulo. Quando começaram os musicais da Record, usava-se um teatro menor, também chamado Record, que ficava na rua da Consolação. Depois, a Record arrendou ela mesma o Paramount e o transformou em Teatro Record Centro. Os dois mil lugares do Paramount foram insuficientes para o público, que superlotou as três apresentações de Elis, Jair e o Jongo Trio. Nascia ali a dupla, que durou praticamente três anos e gerou três LPs gravados ao vivo. O primeiro da série, *Dois na Bossa*, saiu desse primeiro espetáculo, produzido por Walter Silva e foi o primeiro a romper a barreira de um milhão de LPs vendidos no Brasil. Após a estréia, Elis e Jair receberam o Roquette Pinto, tradicional prêmio oferecido pela Record aos melhores do ano. Na coxia, Marcos Lázaro, encantado com sua estrela, foi abordado por Paulinho Machado de Carvalho:

— Preciso falar com você.

Naquele tempo, os empresários não eram bem-vistos pelas emissoras de tevê. Na verdade, eram barrados na portaria. A Excelsior e a Record não permitiam que empresários entrassem sem autorização em suas dependências. Marcos Lázaro estava em negociação adiantada com a TV Tupi, que queria Elis para substituir Wilson Simonal no programa *Spot Light*, dirigido por Abelardo Figueiredo. A Tupi oferecia uma soma fabulosa para a época: 2,8 milhões de cruzeiros, equivalentes hoje a mais de sete mil dólares. Para conversar com Marcos Lázaro e tentar tirá-lo da Tupi, Paulinho Machado de Carvalho mandou um homem de confiança, Manoel Carlos, um dos diretores da famosa Equipe A e hoje famosíssimo autor de novelas. Nessa conversa, Marcos Lázaro disse a Manoel Carlos que já estava praticamente acertado com Cassiano Gabus Mendes, da Tupi. Manoel Carlos insistiu e Marcos Lázaro blefou:

— Evidente que eu disse a ele que Elis ia ganhar muito mais do que a Tupi, de fato, oferecia.

Porém, naquele momento, surgiu uma complicação na Tupi. Um dos diretores do condomínio dos Diários e Emissoras Associados, que administrava a emissora, vetou a contratação. Não achava certo pagar tanto dinheiro a uma cantora. Principalmente porque, com aquele salário, ela receberia no fim do mês muito mais do que ele mesmo, que era diretor. Diante disso, Marcos Lázaro sentiu-se liberado e imediatamente fechou com a Record por uma soma ainda mais fabulosa: seis milhões de cruzeiros por mês, equivalentes hoje a quase dezesseis mil dólares. Era o salário mais alto já pago a um artista na televisão brasileira.

Quem ganhava mais, até então, na Record, era Agostinho dos Santos — oitocentos mil cruzeiros, isto é, U$ 2,1 mil atualmente. Com o primeiro dinheiro de Elis na Record, Marcos Lázaro comprou-lhe um apartamento no mesmo edifício em que ele morava, na avenida Rio Branco, centro de São Paulo. Ou seja, o salário de Elis Regina, em 1965, dava para comprar um apartamento por mês. Delírio. Em nove meses, seu salário saltou dos trinta mil cruzeiros, ou 78 dólares da TV Rio para os seis milhões de cruzeiros da Record. Sobre aquela fase, Elis declarou tempos depois:

— Você sabe lá o que é, com vinte anos, sair para a rua e ser reconhecida? Você fica louca, se achando Deus.

Marcos Lázaro afirma que a compra do apartamento foi o primeiro e único investimento que ele fez, em nome de Elis, durante os dez anos em que foi seu empresário. A partir daí, ela exigia que ele lhe entregasse o dinheiro e ponto final.

Depois de contratada, Elis entrou num período de deslumbramento. Várias vezes me contou que, de um dia para o outro, se sentiu uma Cinderela que calçou o sapato certo, com direito a fada madrinha — a TV Record. Praticamente enlouqueceu com aquela dinheirama toda. Saiu comprando coisas que sempre quis, como uma absurda quantidade de sapatos combinando com bolsas (ela me disse dezessete; há quem jure que eram mais de cem), uma variedade de perucas, ursos de pelúcia, jóias, e muitos vestidos. Costumava ir às compras com dona Elisa Lázaro, mulher de Marcos. Dona Elisa levou Elis à casa de madame Boriska, conhecida estilista de São Paulo nos anos 1960. Sua primeira tentativa de *merchandising* com Elis foi um fiasco. Dona Elisa recorda:

— Falei que madame Boriska podia oferecer as roupas para Elis usar no programa em troca de um crédito. Sabe o que ela me disse? Você pensa que eu vou usar vestido emprestado?

Inebriada com o volume de dinheiro que brotava de sua garganta, e cansada de conselhos do tipo: "Minha filha, você devia guardar dinheiro no banco, comprar dólares, imóveis, não desperdiçar etc.", Elis logo dispensou a companhia de dona Elisa para as compras:

— Fomos uma vez a uma joalheria e o vendedor perguntou:

— Você quer jóias para investir ou para se enfeitar?— Ela não sabia, era uma criança. Falei para ela comprar um brilhante, um solitário, porque você sabe que a gente comprando jóia está comprando dinheiro. Ela quis brincos e colares. E a gente a via usar e de repente não via mais. Nessa época ela dava muitos presentes.

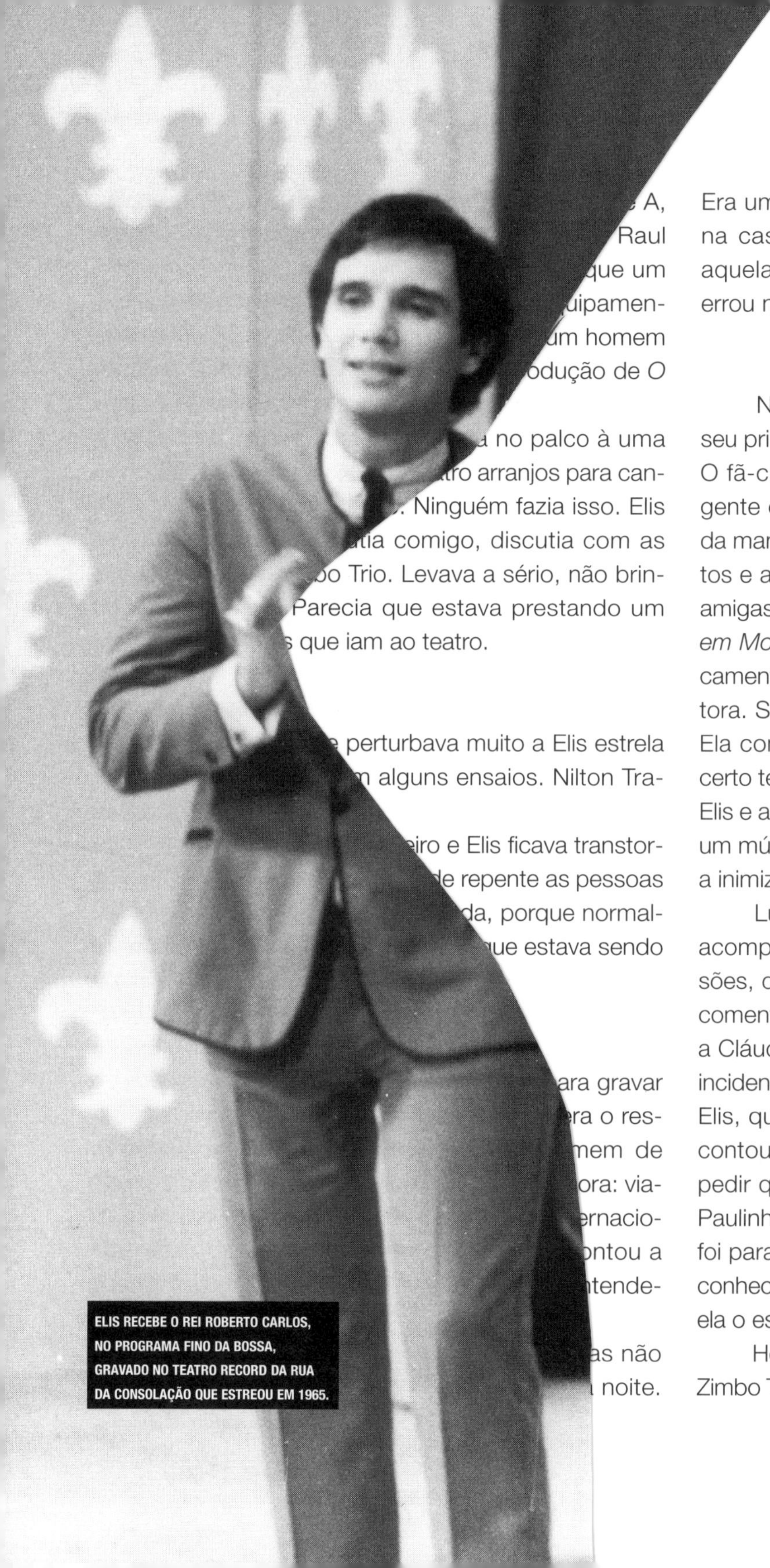

ELIS RECEBE O REI ROBERTO CARLOS, NO PROGRAMA FINO DA BOSSA, GRAVADO NO TEATRO RECORD DA RUA DA CONSOLAÇÃO QUE ESTREOU EM 1965.

A,
Raul
que um
uipamen-
um homem
odução de O

a no palco à uma
tro arranjos para can-
. Ninguém fazia isso. Elis
tia comigo, discutia com as
bo Trio. Levava a sério, não brin-
Parecia que estava prestando um
s que iam ao teatro.

e perturbava muito a Elis estrela
m alguns ensaios. Nilton Tra-

eiro e Elis ficava transtor-
de repente as pessoas
da, porque normal-
que estava sendo

ara gravar
era o res-
mem de
ora: via-
ernacio-
ontou a
tende-

as não
noite.

Era uma balbúrdia, uma confusão. Quem pôs ordem na casa foi o Cyro Monteiro. Eu ficava louco com aquela quantidade de microfones, mas a Elis nunca errou nada.

No mesmo mês de maio de 1965, Elis lançaria seu primeiro disco pela Philips, *Samba eu canto assim*. O fã-clube da cantora começava a se formar: muita gente chegava à bilheteria do teatro às quatro, cinco da manhã. Na saída dos artistas, uma confusão de gritos e autógrafos. Muitas garotas dessa época ficaram amigas e algumas passaram a fazer parte do grupo *Elis em Movimento*. Sônia Dorothy Gomes assistiu a praticamente todos os shows e eventos da carreira da cantora. Seu arquivo de recortes e fotos era uma beleza. Ela começou se infiltrando nos camarins. Depois de certo tempo, Elis já a recebia. Assistiu à rivalidade entre Elis e a cantora Cláudia, uma novata levada ao *Fino* por um músico da orquestra. A comparação foi inevitável e a inimizade entre elas também.

Luís Loy, tecladista do Quinteto de Luís Loy, que acompanhou Elis no *Fino* e fez com ela várias excursões, disse-se que Elis começou a se chatear com os comentários e as comparações. Muita gente dizia que a Cláudia era melhor. Sônia Dorothy testemunhou um incidente: numa discussão no palco, Cláudia empurrou Elis, que se desequilibrou e quase caiu no poço. Loy contou que Elis foi a Paulinho Machado de Carvalho pedir que não escalasse a rival para o seu programa. Paulinho não confirma a história. O fato é que Cláudia foi parar no Rio de Janeiro, nas mãos de um desafeto conhecido de Elis, Ronaldo Bôscoli, que preparou para ela o espetáculo *Quem Tem Medo de Elis Regina?*

Houve outra desavença, desta vez musical, com o Zimbo Trio. No começo Elis e o Zimbo eram praticamente uma coisa só. Um completava o outro. Com o Zimbo (Luís Chaves, Amilton Godoy e Rubinho), Elis descobriu outro universo na música: eram todos músicos da noite, e dos bons, adoravam jazz e improvisação. Normalmente, eles abriam o *Fino*: tocavam dois ou três números e esquentavam a platéia.

Músicos de personalidade forte, usavam aqueles momentos para mostrar a música que faziam. Elis não gostava quando terminavam a apresentação muito para cima, encobrindo sua entrada. Além disso, passou a considerar o Zimbo Trio como "seu" conjunto. Não era bem isso que pensavam e queriam os três músicos. O contrabaixista Luís Chaves já conhecia Elis do programa *Primeira Audição*, quando os dois dividiram a apresentação, e havia criado alguns arranjos no primeiro LP da cantora para a Philips.

— Ela queria que seu conjunto fosse bem-comportado. Elis pensava muito como músico. Sabia que conhecia menos de música do que nós, mas nós também sabíamos que ela sabia o que queria. Ela não era apenas a solista, era mais um músico no grupo.

Elis e Jair. Não só nos palcos, nas fora deles, os dois desenvolveram uma "tremenda amizade", como definiu o "Cachorrão", como alguns o chamavam.

— Eu via a Elis brava, com os músicos, na rua, de todas as formas, mas comigo não. Eu dizia: pega leve, vai mais devagar. Quantas e quantas vezes me chamava e dizia: "Estou tão triste, tão só, você não pode vir aqui?". Morávamos perto. Eu na rua Aurora e ela na Rio Branco. E eu ia para a casa dela e a gente ria à beça. Era piada, palavrão, muita risada. Quando eu a conheci, fiquei sabendo que ela namorava o Solano Ribeiro. Depois aí eu a vi várias vezes de beijinhos e abraços com o Edu Lobo.

Uma menina lá de Porto Alegre chegar no gigante São Paulo ou Rio de Janeiro foi uma revolução. Lá a mãe era turrona e não queria de jeito nenhum que Elis fosse uma cantora. Não só a mãe, mas todos diziam que cantor era boêmio, putanheiro, isso e aquilo. Naquela época ainda tinha isso. Quando de repente a Elis ficou sozinha aqui.... Uma menina simples, que não tinha dinheiro praticamente nem para comer, e começou aquele sucesso, aquele pessoal se aproximando e a Elis ficava irritada com tudo aquilo. Ela achava que todo mundo que se aproximava dela era para se

A MAIS FAMOSA CANTORA E O GALÃ MAIS COBIÇADO NO MOMENTO DO BEIJO TÃO ESPERADO.

aproveitar. Muitas vezes ela tinha um ataque e as pessoas diziam: "Tudo bem, você tem razão".

Eu não. Eu dizia: "Você não tem razão porra nenhuma! Peraí. Não é bem por aí". E ela me ouvia. Uma única vez nos estranhamos. Foi quando eu entrei para ensaiar no *Fino da Bossa* na Consolação, Elis estava no palco ensaiando. Quando passei pelas cadeiras, várias pessoas me aplaudiram, falaram alto comigo, o que atrapalhou o ensaio da Elis. Ela desceu e disse: "Não tá vendo que estou ensaiando? Vem atrapalhar meu ensaio?".

E eu que tinha pavio curto, subi, cumprimentei, peguei o microfone e disse: "Olha, não fala mais comigo assim que te dou um tapa na orelha!". E saí. Daqui a pouco ela chegou no camarim chorando: "Desculpe, Jair!".

Eu também me desculpei e seguimos em frente. Voltamos de braços dados para o palco. E foi a única vez. O resto era respeito.

Eu sempre falei pra ela: "Ô baixinha, em cima do palco você fica com trocentos metros de altura". Eu via a Elis profissional, ela passava uma música dez, vinte vezes, quantas fossem necessárias. Muitos músicos vinham reclamar: "Pô, o que a Elis quer? Essa mulher tem mania de perfeição!".

Ela não mudava o que estava ensaiado. De jeito nenhum. Ai de um músico se fizesse um acorde errado ou entrasse fora da hora. Ela olhava feio.

O programa *O Fino da Bossa* era imbatível em audiência, até que Elis tirou férias. Dez meses depois da estréia, ela resolveu viajar e passou janeiro, fevereiro e início de março de 1966 na Europa. Mas também trabalhou. Fez shows em Lisboa e Luanda, com Jair Rodrigues e o Zimbo Trio. Talvez essa ausência explique o início do fim de seu programa. Paulinho Machado de Carvalho não queria que Elis viajasse. Acreditava na velha tese da tevê: quem não aparece, o público esquece. Querendo levantar o programa, a Record sugeriu a Elis contratar novos produtores. E por que não Miele e Bôscoli?

Elis estrilou, mas Paulinho a convenceu e ela concordou em receber apenas Miele. De São Paulo, ele avisou o parceiro: tudo limpo. Em seu livro, Bôscoli contou como foi o primeiro encontro com Elis depois da briga pública entre os dois:

"Elis estava puta da vida, injustamente. Chegou a São Paulo com uma história inventada de que tinham riscado o nome dela no *Beco*, que aquilo era um antro carioca etc., pois a Elis era foda. Resolveu que quem cantasse no *Beco* não fazia show na Record. A retaliação injusta surtiu efeito. Todo mundo abandonou o *Beco*, que praticamente fechou. Foi assim que Miele fez sua estréia no palco:

— Não tem mais ninguém pra fazer show com a gente, Barba. Você tem de ir para o palco.

Fizemos Uma Noite Perdida com Miele e Tuca, lançando o Miele com essa nova cantora, na Rui Barbosa, que não era no *Beco*. Marcos Lázaro, já empresário de Elis, foi assistir e adorou.

— Vocês fazem tão bem essas coisas — admitiu para mim e o Miele —, vou dar um jeito de fazer as pazes entre vocês e a Elis.

Além dele, o Luizinho Eça, cria minha da época que estava com Maysa, era o arranjador de Elis em São Paulo e ficou de estabelecer uma ponte entre nós e a Elis. Miele foi na frente, com Marcos, para amansar a fera. Ela ainda esperneou:

— Você, eu até topo, Barba. Mas o Ronaldo, de jeito nenhum. Tá pensando que ele é o que, aquele filho da puta!

E desandou a me esculhambar. Mas Luizinho não desistiu e traçou um plano. Elis viria ao Rio para ensaiar com ele. Combinamos que eu apareceria no ensaio, na companhia de Miele, para fazer charme para ela.

Cheguei meio bárbaro, humilde.

— Elis, posso falar com você um pouquinho?

— Que é que você quer?

Expliquei que não ganhava porra nenhuma no *Beco* e que, ainda por cima, arriscava meu emprego na Midas, do Medina. Ela balançou:

— É verdade. Também não é justo que você perca...

— Mas perdi você, perdi o show, perdi tudo. Você fodeu tanto o *Beco* que só tivemos o Miele pra botar no palco com a Tuca.

Fomos juntos ver o show do Miele com a Tuca — Elis ficou apaixonada pelo trabalho. No final da noite, já havia um climazinho entre nós. Ela estava balançando, com um olhar pidão:

— Vocês vão para São Paulo, trabalhar com a gente, você e o Barba.

Foi um reencontro mais sério do que se poderia imaginar. Ao voltar da Europa em março de 1966, Elis fez uma pequena temporada com o Zimbo Trio no Jardim de Inverno Fasano, em São Paulo, lançou o segundo LP pela Philips, *Elis*, em que gravou pela primeira vez Milton Nascimento, *Canção do Sal*. Em setembro, defendeu as músicas *Ensaio Geral*, de Gilberto Gil e *Jogo de Roda*, de Edu Lobo e Ruy Guerra, no *II Festival de Música Popular Brasileira* da Record. No festival da *Banda* e da *Disparada*, Elis foi vaiada ao classificar a música de Gil em quinto lugar. No mês seguinte, durante a fase nacional do *I Festival Internacional da Canção*, promovido pela TV Globo, Elis interpretou *Canto Triste*, de Edu Lobo e Vinicius de Moraes. Outra vaia, daquela vez compartilhada com Edu Lobo, no festival em que venceu *Saveiros*, de Nelson Motta e Dori Caymmi.

Apesar da implicância de Paulo Machado de Carvalho com a viagem de Elis à Europa, o programa comandado por ela somente seria tirado do ar um ano e oito meses depois de sua primeira viagem à Europa: em 19 de junho de 1967. E aí, sim, ressurgiu com o nome *Elis 67*, com direção de Miele e Bôscoli. Depois montaram outra forma de programa, o *Especial*, idéia inspirada nos musicais norte-americanos. Bôscoli contou em seu livro:

"Fizemos o primeiro especial da televisão brasileira: *Elis Especial*. Chamamos Roberto Carlos para gravar um quadro com Elis: O Rei e Elis Rainha Regina. Ficou ótimo. Elis e eu começamos a namorar, aí deu-se a *melódia*. Miele e eu passamos a produzir a segunda parte do programa *O Fino da Bossa*, a primeira havia sido produzida por Manoel Carlos. Trabalhamos muito e deu certo. Comecei limando o Jair Rodrigues:

— Olha, não tenho nada contra esse rapaz. Mas não pode. A cantora que você é, com um cara que planta bananeira no palco, não dá certo. É loucura.

Ela entendeu e concordou. Aproveitei para ir mais fundo.

— Outra coisa, Elis. Esse seu *layout* é ridículo. Você tem de dar um jeito nisso".

Bôscoli descreve a cantora como uma jovem que costumava desfilar com salto 16, um cabelão imenso empinado com laquê, sobrancelha à la Dircinha Batista e vestido estampado de zebra. Era para parecer maior do que os seus 1m53. Segundo Bôscoli, ele fez com que ela assumisse a altura e adotasse um estilo baseado na atriz americana Mia Farrow, na época namorada do grande Frank Sinatra. Ele sugeriu a Elis um cabelo bem curtinho, com franja e vestidos bem menos sisudos, mais de acordo com a sua idade.

Apareceu pela primeira vez de visual novo no show do dia 7, na Record.

Apaixonou toda a emissora. E também nos apaixonamos e nos casamos. Nossa lua-de-mel foi antecipada. Eu morava no hotel Normandie e Elis na avenida Rio Branco, bem pertinho, uns trinta metros. Atravessava a rua e estava na casa dela. Ficávamos horas sozinhos. Ela se insinuava cada vez mais, botava uma roupinha mais transparente e tal. Fiel a meus princípios filosóficos de jamais avançar o sinal, eu ficava ali, na cara-de-pau, bebendo meu uisquinho mas, na realidade, resistindo tenazmente à tentação. Fazendo o maior tipo.

— Bom, Elis, tá na hora de eu ir embora.

— Você vai embora, já?

— Vou.

Até que um dia ela me pegou pela camisa, me puxou pra ela, com decisão.

— Você é viado ou me acha uma merda?

Dei uma de Clark Gable em *E o vento levou*. Peguei-a no colo, empurrei a porta com o calcanhar. Ficamos dois dias trancafiados, sem ninguém saber, sem telefone, sem contato nenhum com o mundo externo, transando sem parar. Ela tinha uma secretária que só ia lá para levar comida. Foi um troço "strangers in the night".

Marcos Lázaro morava dois andares acima, com Elisa, a mulher dele. Eram administradores financeiros — e também morais — de Elis. Ele não entendia por que Elis não se comunicava mais com ele e a família.

— Estou preocupado, Bôscoli. *Quê pasa*?

— Que passa é um estado de total paixão. Você vai perder dois shows, mas vai ganhar um casamento lindíssimo.

— *Por supuesto, por supuesto*.

Marcos, que temia que eu desejasse ser empresário da estrela, ficou satisfeito com meu desejo de ser somente marido. Quando lhe disse que continuaria em seu posto, Marcos ficou "louro" e quase desmaiou.

ARY TOLEDO, JAIR RODRIGUES, ELIS REGINA, ERASMO CARLOS E ROBERTO CARLOS UNIDOS PELO TROFÉU ROQUETE PINTO, DE 1965

ELIS NA ERA BÔSCOLI, RECUPERA A JOVIALIDADE NO FIGURINO MODERNO E NOS CABELOS CURTINHOS.

Ofereceu-me a festa de casamento e um fraque de tecido inglês.

O programa *Fino 67* ficou apenas um mês no ar, pois, em julho estrearia a série *Frente Única — Noite da MPB*, produção de Solano Ribeiro. A cada segunda-feira um apresentador — Chico e Nara, Gilberto Gil, Geraldo Vandré, Elis e Jair. *Elis Especial* estreou com direção de Miele e Bôscoli e durou três edições. Foi antes que a Tropicália se manifestasse durante as apresentações de Gilberto Gil e os Mutantes, *Domingo no Parque* e Caetano Veloso estremecesse a Meca da MPB com *Alegria, Alegria* embalado pela guitarra dos Beat Boys, (festival em que Elis ganhou o prêmio de melhor intérprete com *O Cantador* de Nelson Motta e Dori Caymmi), Elis e outros companheiros participaram de uma inusitada passeata pelas ruas da cidade de São Paulo.

Gilberto Gil estava com ela e outros:

— Eu estava com ela na famosa passeata contra as guitarras, que seguiu do Teatro Paramount até o Largo São Francisco.

Não era bem contra a guitarra. Na verdade, era um ressentimento todo do pessoal se manifestando, uma coisa meio xenófoba, meio nacionalóide: vamos a favor da música brasileira! Aquela passeata era contra um bocado de coisas, mas toda a retórica dos *slogans* era contra a música estrangeira, a música alienante. Uma coisa meio Geraldo Vandré. Fui pelo lado da solidariedade aos artistas. No fundo, eu era muito ingênuo por um lado, também resistia muito a criticá-los, entender qual é a crítica que deveria fazer àquilo tudo. Eu não fazia. Me abstinha de aprofundar meu grau de exigência e ficava achando um pouco que havia alguma coisa justa naquilo tudo que eles queriam. Aquela passeata foi também meio manipulada pela tietagem da época, inventada pelo Jacaré, pela Telé. Um movimento de porta de teatro. É preciso saber que o Teatro Record, na época, era uma assembléia permanente. Todos os dias da semana havia musicais, e todos eles defendendo setores, tendências. Na época de *Domingo no Parque,* Elis não falava comigo. Naqueles festivais se faziam entrevistas nos bastidores e todo mundo ficava por ali e ouvia. Elis estava defendendo *O Cantador* e, quando foi dar entrevista, disse: "Gil é um compositor em deterioração, um artista que está se deteriorando".

Fiquei mal. Mas na época era um abalo em todo o pessoal, imantado por ela, todo um círculo que ela magnetizava. Assim, as relações estavam abaladas com a gente. Foram raríssimos os nossos encontros. Esporádicos. A gente se encontrava sempre depois de um abalo de relacionamento. Durante toda a nossa história houve pelo menos uns três ou quatro estremecimentos. Corte de fluxo afetivo.

No final de 1967, Elis Regina e Ronaldo Bôscoli realmente surpreenderam o mundo artístico com a bomba: iam casar. O *Jornal da Tarde*, na edição de sete de dezembro, em matéria de 1972 não assinada, com o título: *Um compositor levou Elis Regina*, descreveu em detalhes saborosos o casamento civil de Elis e Bôscoli:

"O casamento civil de Elis Regina com Ronaldo Bôscoli foi muito simples e durou quatro minutos contados no relógio redondo da parede. O que durou mais foi a impaciência dos noivos, porque um dos padrinhos — o casal Paulo Machado de Carvalho Filho — só chegou às cinco e meia. O juiz já havia chegado, e o casamento estava marcado para as quatro e meia. A manequim Vera Barreto Leite, madrinha do noivo, não apareceu porque teve de filmar. Horas antes, foi substituída pela Sra. Wanda Sá.

Elis e Bôscoli casaram-se entre margaridas. Em cima da mesa onde assinaram o livro de casamento havia um jarrão com margaridas artificiais.

Quando Elis assinou o livro BB4, folha 158, tinha os olhos cheios d'água. Estava aparentemente calma. Momentos antes, ela tinha tomado um Vagostesil.

Eram dezessete horas e dezenove minutos.

Não chovia mais. Dona Glória, a cozinheira, estava radiante. Pela manhã, ela mandara o caçula da casa, Vicente, desenhar um sol no quintal, para espantar a chuva que caía desde a véspera. A mãe de Elis foi a única que chorou quando abraçou o genro, que lhe disse no ouvido:

— Como é, mamãe, está em prantos? Estamos aí.

Uma taça de champanha brindou o acontecimento.

Elis foi dormir às quatro da manhã. Depois do show no Golden Room, os noivos esticaram na boate Sucata.

— Nunca vi um casal se despedir junto da vida de solteiro — comentava a cantora, quando se pintava em casa para a cerimônia.

Ela dormiu mal:

— Tive um sono muito pesado, acordando às oito.

Viu que era muito cedo e cochilou mais um pouco. Uma hora depois, Elis saía para o cabeleireiro Jambert, que fica em Ipanema. Foi penteada por Silvinho. Somente às quatro da tarde é que chegou em casa. Comera apenas um sanduíche, chegando a passar mal no salão. Elis estava de calça comprida.

— Bôscoli chegou ao meio-dia em sua casa. Já estava pronto para o casamento, que seria quatro horas e meia depois. Trajava terno escuro listrado, camisa meio rosa, com punhos e colarinhos brancos. Gravata, meia e sapatos pretos. A casa já estava cheia de jornalistas. Elis chegou apressada, não cumprimentou ninguém e foi implicando com Boboca, o cachorro que estava no meio da sala.

— Tá vendo? Ela é assim mesmo — comentou Bôscoli.

Vários repórteres ficaram espantados com a entrevista que Bôscoli concedeu duas horas antes do casamento. Uma das primeiras coisas que informou foi que se casava com separação de bens. Disse que Elis dera o sinal de sessenta e cinco milhões da casa e que ele pagaria o resto, em prestações. Classificou-se como um ex-aventureiro do amor, afirmando que só resolvera se casar com Elis por causa de todos os elementos que a compõem.

Por várias vezes, Bôscoli fez questão de dizer que Elis era uma pequeno-burguesa. Revelou que influía nos penteados e nos vestidos dela. E elogiou a inteligência da noiva.

— Não sou rico, mas estou bem. Ela ganha quinze milhões por mês e eu, dois e meio. O trivial da casa será mantido por mim. O luxo, por ela. Quero ser o Ronaldo Bôscoli, não o marido de Elis Regina.

Bôscoli disse, ainda, que se casou por amor, porque teve muitas oportunidades de aplicar o golpe do baú e não quis. Também falou de seus planos com Elis. Vão passar três dias em lua-de-mel em Correias e, no domingo, voltarão para o Rio, para assistir ao jogo Fluminense e Botafogo. Os dois são torcedores do Fluminense. Dia 15, ela estará em São Paulo para inaugurar a boate *Blow-Up*. Dia 20, Elis fará um novo programa na Record, *Elis Especial*.

Faltam quinze minutos para o casamento. Elis está trancada no quarto, arrumando-se. Três horas antes chegara o colchão de molas, que custou trezentos e vinte e seis cruzeiros e cinqüenta centavos, conforme a nota 3.511, emitida em nome da Sra. Elis Regina Bôscoli. Dona Laura, mulher de Abelardo Figueiredo, ajuda Elis, principalmente para acalmá-la.

O tempo vai passando e Elis prefere não colocar os cílios postiços porque teme que vá chorar. Seus lábios tremem e ela tem dificuldade em se pintar. Comenta a ausência do irmão Rogério, que não pôde sair do Rio Grande Sul porque está em provas.

— Mas ele virá para o religioso.

E cantarola:

— *Esse velho é meu, esse velho é meu....* — parodiando a música de Sérgio Ricardo, *Esse Mundo é Meu*.

Velho é o apelido de Bôscoli.

Eram quatro e vinte. Dona Laura traz um copo verde com água gelada e Elis toma três goles, depois de engolir um comprimido.

Alguns presentes haviam chegado. O primeiro foi de Paulinho Machado — uma baixela de prata. A sogra de Elis mandou uns copos de pedra-sabão de Ouro Preto. De Denner chegaram dois candelabros.

Hebe Camargo mandou um copo de prata, banhado a ouro, com um cartão que dizia para o casal brindar no casamento e nas bodas de prata.

Havia na casa branca de Elis e Bôscoli mais jornalistas do que parentes e amigos do casal. Os noivos estavam bastante impacientes, porque nem o juiz nem todos os padrinhos chegavam. Já passava das quatro e meia. As mães dos noivos conversavam, sentadas num sofá de couro. Dona Ângela, mãe de Bôscoli, queixava-se que a empregada havia estragado o vestido da recepção. Elis e Bôscoli posam para fotógrafos e cinegrafistas.

Faltam cinco para as cinco. Um Ford verde, chapa 43741, chega à ladeira onde mora o casal. Um senhor de óculos desce, pelo lado direito, com uma capa preta na mão. Pela outra porta sai um homem forte, com uns livros debaixo do braço.

— É o juiz? — grita Elis.

Os amigos já cantavam: "tá chegando a hora, tá chegando a hora...". O juiz sobe os degraus da casa branca do casal, lá na avenida Niemeyer, e informa aos repórteres: Ciro de Luna Dias, da 1ª Zona do Registro Civil. E apresenta o escrivão, Antônio Carlos Faro, que, ao apertar a mão de Elis, afirma ser seu fã.

— Bonito local. Gostei. É o primeiro comentário do juiz, olhando para algumas peças da casa. Cerca de dois anos antes, o Dr. Luna Dias casara Eva Todor e também a irmã de Bôscoli.

Elis e Bôscoli estão impacientes. Os padrinhos ainda não estavam todos lá. Paulo Garcez e Wanda Sá, os padrinhos de Bôscoli, já haviam chegado. Faltavam os casais Paulinho Machado de Carvalho e Marcos Lázaro, que chegariam depois.

Elis chegou a pedir a Luiz Eça que se preparasse para substituir o Dr. Paulinho.

Já iam dois minutos de cerimônia quando o escrivão Faro percebeu que não tinha vestido a capa preta. Veste-a depressa, nervoso, fazendo um olhar de desculpa ao juiz, que nada disse.

O juiz diz algumas palavras. Faz referência ao casamento da irmã de Bôscoli e deseja felicidades ao casal.

— É com grande prazer que realizo este casamento. Sua figura, dona Elis, traz juventude e alegria à casa da gente — conclui o juiz, antes de perguntar a Bôscoli se aceitava Elis como esposa.

Quando os padrinhos começaram a assinar, Elis e Bôscoli brincaram:

— Essa assinatura eu conheço.

— Eu dou os vales — respondia Paulinho Machado.

Alguns repórteres perguntaram ao juiz o número do casamento:

— 1.241. Não é para jogar no bicho, né?

— Enfim, nós — disse Bôscoli ao abraçar Paulinho.

Uma taça de champanha é servida. Está terminada a cerimônia.

Faltava um minuto para as dezessete e vinte.

Na edição do dia seguinte, o mesmo *Jornal da Tarde* publicou a descrição da ceia do casamento. A transcrição vale a pena pela riqueza de detalhes e a perfeita reconstituição de época realizada pelo repórter anônimo naquela cobertura:

"Na grande casa branca de três andares da avenida Niemeyer havia cento e vinte convidados para a recepção. Foi uma festa em *black-tie*, na qual só a ceia, servida por Mirtes Paranhos, custou oito milhões de cruzeiros antigos. Se não estivesse chovendo no Rio, a festa seria no solar. Mas o tempo estava ruim, tiveram de transferi-la para o varandão, de onde se vê o mar. A luz era de velas, os candelabros arranjados com motivos de Natal.

As dificuldades de estacionamento de automóveis na avenida Niemeyer obrigaram alguns convidados a chegar antes das dez da noite para garantir um lugar para o carro. Três guardas, em traje de gala, deram serviço no local, para evitar congestionamento. Mesmo assim, um táxi velho ficou retido várias horas em frente da casa, porque não podia fazer manobras para voltar.

ELIS E JAIR, UM ENCONTRO QUE ENTROU PARA A HISTÓRIA E GEROU OS DISCOS *DOIS NA BOSSA*, SUCESSO ABSOLUTO DE VENDAS NO PAÍS.

Os convidados foram chegando: Nelson Motta, Sílvio César, Roberto Menescal, Denner e a mulher, Marcos Lázaro, Paulinho Machado de Carvalho. Dori Caymmi chegou por último.

Tuca, a cantora, cumprimentou Denner com um abraço que assustou muita gente. Quase derrubou o costureiro.

Elis estava triste pela ausência de Pelé, Roberto Carlos, Chico Buarque, Vanderléia e Jair Rodrigues. Principalmente Jair Rodrigues:

— Logo ele, que é meu amigo de todas as horas.

Veio primeiro o siri recheado, depois a carne assada com molho ferrugem, bolinhos de fruta e batatas-coradas.

A sobremesa era papo-de-anjo, ambrosia, doce de coco. O vinho era nacional, rosé. Dona Mirtes Paranhos, que tem alguns traços de dona Iolanda Costa e Silva [N.A.: primeira-dama do governo Costa e Silva, 1967-1969], comandava pessoalmente o serviço. Quinze garçons e quatro cozinheiras eram seu pessoal para servir as quinze mesas espalhadas pela casa, toda decorada com flores tropicais.

Antes da ceia foram servidos salgadinhos, muitos elogiaram o camarão. O Sr. Hugo Delamare, amigo de Elis, quebrou o primeiro copo da noite. O comentário veio em coro:

— Oba, dá sorte!

Dez minutos depois o caricaturista Ziraldo quebrava o segundo copo. Elis e sua secretária, Zoraide Aun, que é funcionária da Mercedes-Benz em São Bernardo do Campo, perguntavam a todo instante se os convidados estavam gostando da festa.

— Sua festa foi a mais perfumada que eu vi até agora — foi o comentário de uma jornalista.

Antes de ir embora, dona Mirtes Paranhos ofereceu a Elis um livro de receitas culinárias que ela mesma escreveu. São receitas de salgados, coquetéis e sobremesas, em trezentas e dezenove páginas.

Algumas das receitas: frango ao alho e óleo a Abelardo Jurema; salada à Bibi Ferreira; galantina de frango a Amaral Neto; miolos a José Tavares de Miranda; sonhos a general Anapio Gomes; e até um caldo verde a Carlos Lacerda.

O casamento no religioso aconteceu no dia seguinte. Foi na Capela Mayrink, na Floresta da Tijuca, uma igrejinha de nove metros, pequena para abrigar os dez metros de véu do vestido de Elis, assinado pelo costureiro Denner. Roberto Menescal conta que, a certa altura, Miele roubou o sino do padre, que ficou passando de mão em mão pela igreja; Miele conta que, na ausência do sacristão, ele tomou o lugar, ajudando na cerimônia. No dia seguinte, sai no jornal: "Elis casa-se com um padre católico e um rabino".

Insinuaram que Ronaldo era judeu. Nelson Motta lembra que alguém pisou na cauda do vestido de Elis, que gritava:

— Solta meu rabo, pô!

CAPÍTULO 4

Frank Sinatra se esborracha na Niemeyer

Era uma relação perigosamente deliciosa. Voava tudo pelos ares e, de repente, estávamos nos agarrando de paixão. Fazíamos coisas estranhas e bonitas.

RONALDO BÔSCOLI

ENCONTREI RONALDO FERNANDO ESQUERDO E BÔSCOLI EM MAIO DE 1985, NUMA SALA DE VISITAS DO APART-HOTEL BARRAMARES, BARRA DA TIJUCA, RIO, ONDE ELE MORAVA, AOS 55 ANOS. SOBRINHO-bisneto de Chiquinha Gonzaga, primo de Bibi Ferreira e do ator Jardel Filho, ele era uma figura sem igual.

Ronaldo Bôscoli já era Ronaldo Bôscoli quando conheceu Elis Regina. Ele era uma espécie de cabeça da bossa nova no Rio. Com seus textos na revista *Manchete*, divulgou o grupo como um movimento. Além de intelectual da bossa nova, Ronaldo era charmoso, bonito, conquistador, biriteiro, poeta, um homem da noite. Para entender Elis Regina é preciso entender Ronaldo Bôscoli. Pode ser que ela tenha vislumbrado nele muitas possibilidades para sua caminhada profissional. Mas não era só isso. Certamente apaixonou-se por sua inteligência, charme, petulância, boa conversa e pelo desejo de ser protegida por um homem mais velho e experiente. Bôscoli tinha 38 anos quando se casou com Elis. Ela, 22.

Bôscoli contou de peito aberto a história dessa relação intensa, tumultuada, explosiva, única, desde que ele e Elis, em 1967, se reencontraram para um trabalho na TV Record, o novo *O Fino,* e descobriram a paixão e se casaram:

— Elis era uma grande ciclotímica, tinha uma arritmia de comportamento sem maiores explicações. Num momento estava puta, noutro rindo, noutro chorando. Certa noite, parei o carro na porta da casa dela, no bairro do Peixoto — ela morava com uma secretária da qual nem sei o nome, porque nunca entrei nesse apartamento — e perguntei se não queria ir comigo à noite ver um show. Ela pediu que eu telefonasse. Eu

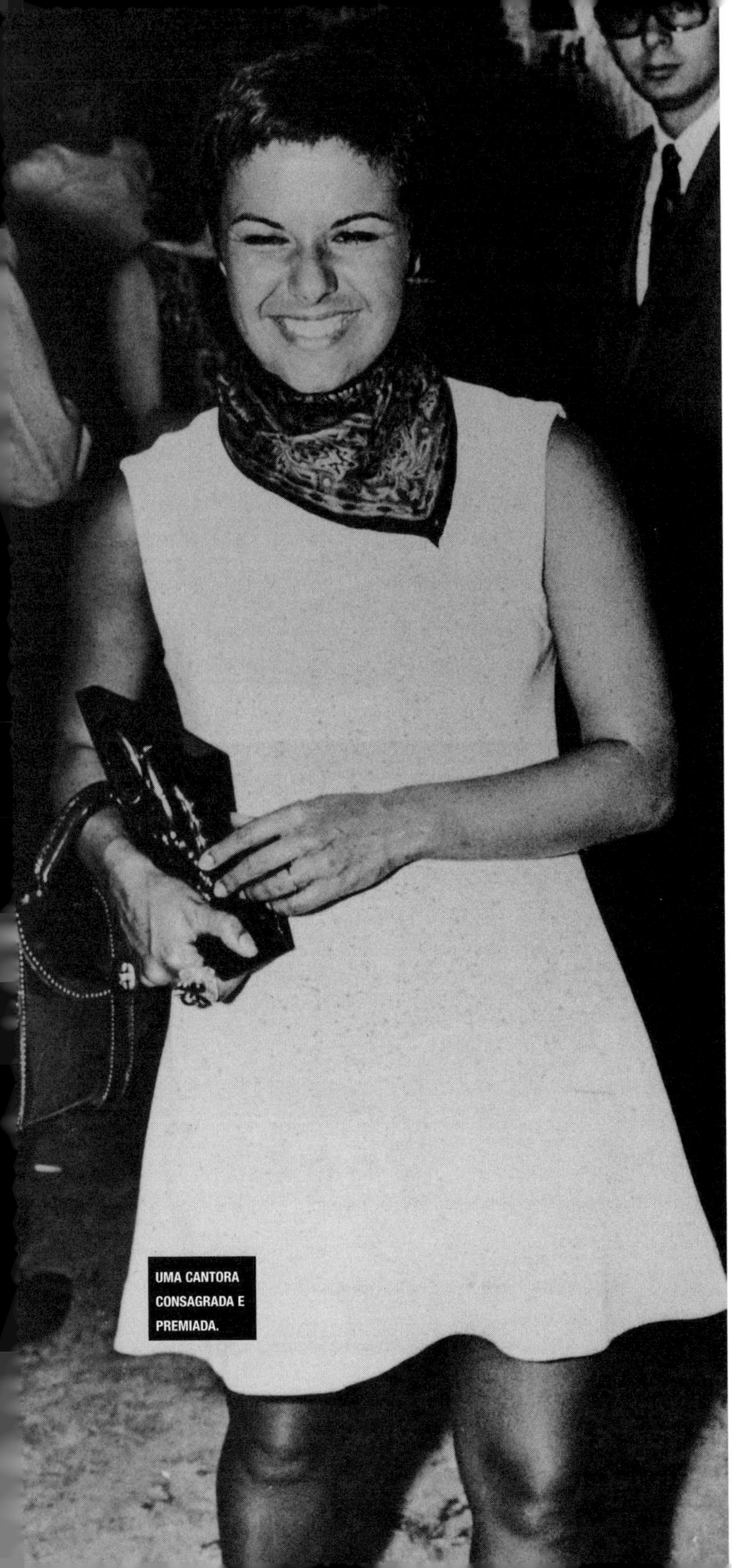
UMA CANTORA CONSAGRADA E PREMIADA.

disse que não tinha telefone e passaria mais tarde para pegá-la. Quando entramos no Rui Bar Bossa a reação foi a mesma que se tivessem entrado ali, abraçados, o (Paulo) Maluf e o Tancredo (Neves). Ninguém entendeu nada. Eu já tinha tomado alguns copos, estava numa atitude mais amistosa com ela. Me vesti, me produzi. Entramos, aquele espanto, todo mundo olhando, e Elis ali. Quando viu ex-namoradas minhas lá, comentou: "Puxa, como você tem namorada!". Pedi para ela um coquetel de frutas que tinha de tudo, até bebida. Elis foi ficando meio solta, chorou no meio do show, claro. Depois a convidei para ir a outro lugar, mas falei que não tinha dinheiro. Ela disse: "Eu tenho". Eu disse: "Para mim você não paga". Fomos ao *El Cordobés*, uma boatezinha onde eu tinha crédito. Quando o garçom, que é irmão do Alberico Campana (ex-dono do *Bottle's* e futuro dono da *Churrascaria Plataforma*, no Rio), nos viu, deixou literalmente cair a bandeja no chão. Fomos para uma mesa atrás da coluna. E eu já me assanhando. Aí ela admitiu que tinha um grande respeito por mim e que era melhor eu trabalhar com ela em São Paulo. Conversamos várias vezes até cinco horas da manhã, no meu apartamento no Rio ou no apartamento dela em São Paulo. E eu mantendo uma atitude a distância, afetivo, mas não transávamos. Ela sem entender nada. Não sei. Achava naquela altura que Elis tinha sido muito maltratada pela vida, e fui explicando as coisas: Elis não sabia comer, não sabia se vestir, não sabia nada. E eu, que tinha nascido em berço esplêndido — depois minha família perdeu tudo, ficou na miséria —, tinha aprendido a falar francês antes do português, tive uma boa formação.

Mas Elis tinha esses problemas todos, principalmente de origem afetiva, e essa insegurança também foi me deixando apaixonado. Eu tinha muita coisa para completar naquele espaço dela. Eu, que vinha de uma experiência de infância amargurada — fui muito rico e perdi tudo, sofri demais com minha mãe tomando porres incríveis. Vim de cima e caí. Fui fazer shows, jornalismo. Eu tinha um perfil ideal para Elis, porque sabia de todas as deficiências dela, e ela sabia das minhas. Então essa simbiose faz amor. Não explica, mas pelo menos justifica. E eu era sabedor de que Elis tinha sido explorada desde o berço pelo pai, pela mãe, pela família. Ela era uma espécie de galinha dos ovos de ouro. Todos eles, naturalmente, viram em mim uma ameaça enorme para ser mais um a explorar Elis.

Namoramos no Rio, fomos para São Paulo, e eu demorei quase uns vinte dias para transar com ela, uma coisa de estratégia mesmo. Ela morava na avenida Rio Branco e um dia não agüentou, me deu uma prensa: "Tá achando que eu sou uma bosta?". Aí ficamos uns cinco dias fechados no quarto, dia e noite.

Elis tocava a vida de ouvido. A gente dizia uma coisa para ela, ela dava a volta e, pouco depois, já começava a ensinar o que tinha aprendido. Acho que as pessoas que não têm uma estrutura básica sentem ódio das testemunhas, e eu era uma testemunha de Elis. Isso criou ressentimento, ódio, como se ela dissesse: "Esse cara me viu na merda". As testemunhas são perigosas.

Aprendeu a comer e depois passou a dar aulas de etiqueta. É com fórceps que se come scargot! Ela aprendeu a falar francês melhor do que eu com uma semana em Paris. Tinha um ouvido brutal, para a vida e para a música. Muita gente se esquece de que Elis nunca tocou uma nota de piano. Ela e eu não queríamos nos casar na igreja — por motivos óbvios. Mas depois muitas pessoas me deram um toque: "Você é um cara muito mais velho, marcado como um cara escroto, que come as mulheres e vai embora". E eu já havia superado meu problema com a Igreja e com o fato de ter estudado em colégio de padres. Nos casamos na Igreja, a pedido da Laura Figueiredo e de outras pessoas, que achavam, pelo bom senso, que Elis deveria ter um marido.

Elis, seduzida pela Laura, pelo Denner, pela Maria Estela Splendore, começou a ficar meio inebriada. Cinderela. Aí comecei a perder o controle sobre ela e nossas pequenas briguinhas foram aumentando. Perdi o controle, ela já estava muito auto-suficiente, e eu testemunha daquilo tudo. Mas mesmo assim nos casamos.

Sou um garoto de Ipanema, porém sempre gostei de morar meio longe. Quando viemos procurar casa no Rio, fomos ver a da Niemeyer, 550, casa 7. Era uma casa de construção marroquina, maravilhosa. Em frente ao mar. Eu disse para Elis: "Você quer saber de uma coisa? Se comprar essa casa eu caso com você". Ela respondeu: "Jura?". Jurei. Nessa brincadeira, acabou comprando a casa por 170 milhões de cruzeiros (equivalentes hoje a 225 mil dólares). Era uma loucura de barata para a época. Pagou metade à vista e o resto em doze meses. Aí nos casamos mais rapidamente. Ela não sabia que eu ia exigir do juiz um casamento com regime de separação de bens e pacto nupcial. Quer dizer, tudo que era dela era dela, antes, durante e depois do casamento.

Nos casamos, e Elis já sob a perigosa tutela e meio envolvida com aqueles grã-finos. Eu não queria o

Denner para padrinho de nosso casamento, pelo simples fato de só conhecê-lo de obas e olás. Também me neguei a sair na capa da *Manchete*. A cada atitude dessa que eu tomava fui me enraizando na coisa mais difícil do mundo, que era penetrar na intimidade da Elis, no seu escancaro. Todos diziam que eu era um tremendo pilantra. Mas a gente brigava a toda hora, feito criança. Aquela coisa que ela botou na cabeça no casamento, meu Deus, aquela guirlanda ridícula, parecia uma índia com aquela trança. Ela chorava e dizia: "Mas eu tenho direito a um casamento assim!". Para ela, foi um sonho de Cinderela. No entanto, sei lá, eu ficava meio agressivo às vezes, porque já estava pressentindo que muita gente queria ser testemunha daquilo, participar ativamente, sair na foto.

Nossas brigas eram públicas porque éramos públicos. Nunca teve briga física em público. Ela me levava à exaustão, era como se me enfiasse uma broca na cabeça até o ponto em que eu teria de dizer: "Vou te dar um tiro". Era uma relação perigosamente deliciosa. Voava tudo pelos ares e, de repente, estávamos nos agarrando de paixão. Fazíamos coisas estranhas e bonitas.

Elis não gostava que eu bebesse — ela não bebia rigorosamente nada — e censurava minha bebida desde que eu chegava em casa, e ainda por cima usava minha mãe para me esculhambar. O apelido de minha mãe era Bill, e ela dizia: "Vai ficar igual à Bill". Eu retrucava: "Se não posso beber na minha casa, se você quiser bebo escondido". Elis me censurava até nisso.

Mas levávamos uma vida muito boa, uma delícia e apaixonadamente agressiva. É inacreditável. A frustração dela era eu; e ela, a minha. Tudo que nos faltava tínhamos no outro. Era uma simbiose perfeita. Eu tinha educação, base, informação, instrução. Foi a mulher de quem mais gostei totalmente. O máximo que eu pude gostar — meu reservatório é um bidê, comparado com a piscina de muita gente; esse bidê cheio sou eu, gosto muito mais de mim, gosto mais das coisas que não conheço. Até hoje eu tinha de estar fazendo análise, mas fiz um ano e meio e caí fora. Não há ninguém mais egoísta que o neurótico. Então, o máximo que eu podia gostar intensamente, gostei da Elis. Mas depois ela começou a ser seduzida pelas pessoas de fora. As nossas grandes confusões na vida foram resolvidas na porrada — na porrada física raríssimas vezes, mas era resolvido, gritado, falado. A imprensa deu muito azar conosco. Quando nos separava, já estávamos juntos. Quando nos juntava, brigávamos. A gente ria para caralho. Quando íamos dar uma entrevista séria, combinávamos uma coisa antes. Na hora ela dizia outra. Eu ficava com raiva e também dizia outra. Assim ia, nessa coisa infantil, ilógica, irracional. Era um grande id. E esse deboche era uma atração.

Um dia a Cidinha Campos foi em casa e a Elis não queria recebê-la de jeito nenhum. Aí eu topei a parada, encarei. Cidinha ficou uma fera. Tinha vindo de São Paulo. De repente, quando eu já lhe tinha dito que não teria a entrevista, Elis desce, gritando: "Cidinha, Cidinha". A Cidinha ficou, tomou conta da casa. De noite, a Elis sugeriu: "Por que você não dorme aqui? O papo tá tão bom!".

Elis era um id. Eu era outro, mas muito mais velho. Eu, um id idoso. Ela, um id menina. Essa bronca, esse ressentimento que ela tinha de eu ser testemunha dos fatos todos acabou com o nosso casamento. Ao mesmo tempo em que ficava orgulhosa de mim, tinha ódio.

Ficamos um ano morando em meu apartamento, depois um ano na casa da Niemeyer e mais um ano no Hotel Danúbio, em São Paulo.

O CASAL ELIS E BÔSCOLI E O ESPETÁCULO DO PANORAMA, VISTO DO ALTO DA CASA EM QUE MORARAM, NA AVENIDA NIEMEYER, RIO.

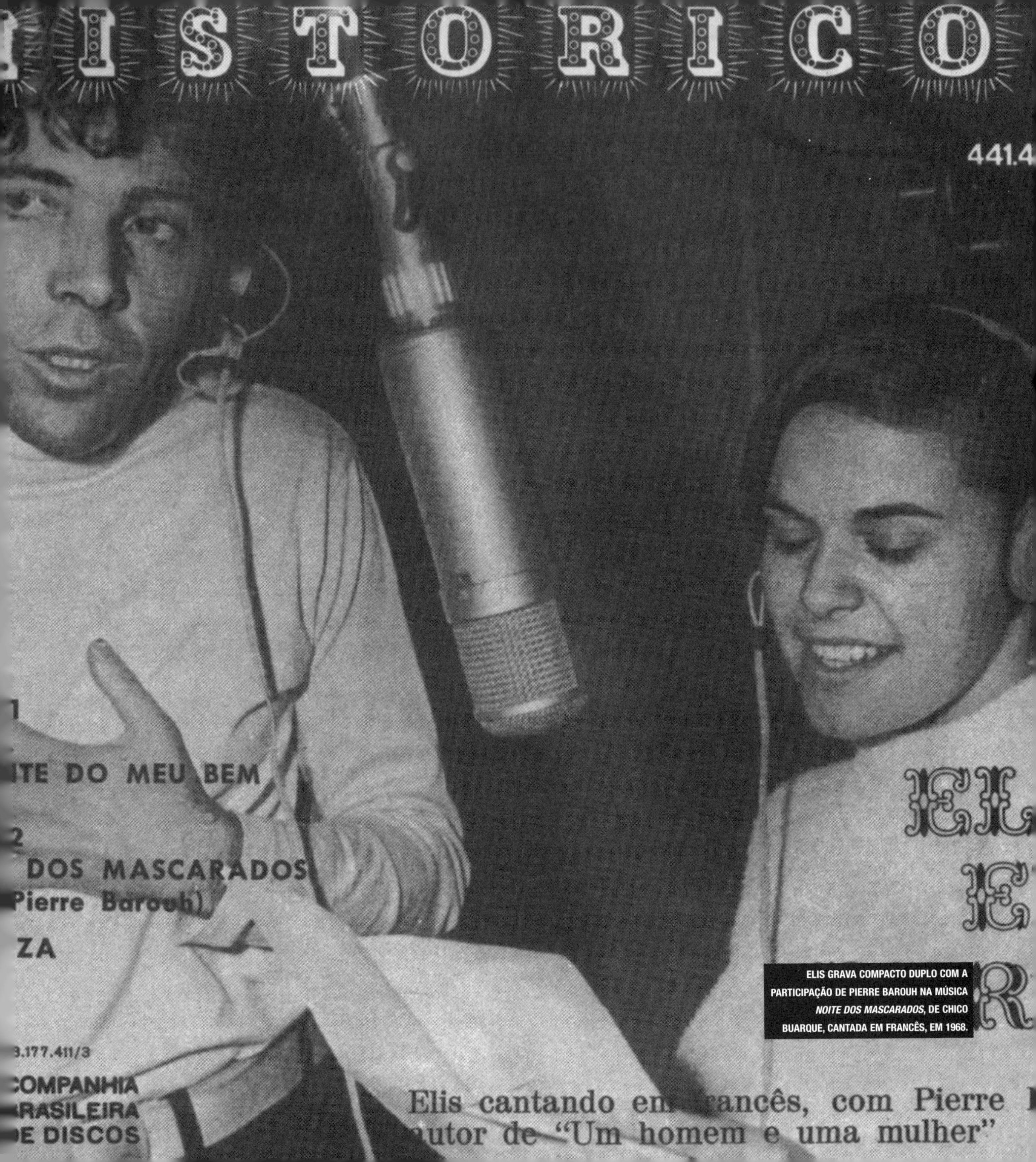

ELIS GRAVA COMPACTO DUPLO COM A PARTICIPAÇÃO DE PIERRE BAROUH NA MÚSICA *NOITE DOS MASCARADOS*, DE CHICO BUARQUE, CANTADA EM FRANCÊS, EM 1968.

Essa doce pessoa que deve estar nos ouvindo agora era mesmo assim. Não conheci ninguém mais inteligente. A inteligência, a meu ver, tem vários escaninhos. Mas o imediatismo, a capacidade de adaptação e de acuidade, a sensibilidade de Elis eram coisas que encantavam qualquer pessoa. Todos ficavam deslumbrados com ela, porque, de repente, cometia uns erros de português babacas, mas num texto que tenho a impressão de que Fernando Pessoa assinaria. Maravilhosa.

Reservávamos o sexo para nossos momentos agudos: ou de grande briga ou de grande amor. Era uma coisa meio ciclotímica, com a qual convivíamos muito bem. Eu era um cara razoavelmente ciumento, mas confiava no meu taco. Tinha toda uma chave da Elis — supunha que tivesse, pelo menos. Quando me casei, aos 38 anos, tendo comido o Brasil naquela época, o que estava a meu alcance, tinha um passado enorme, e quando fui me casar, pensei: "Não vou me desfazer do meu passado". Juntei tudo num baú, trancafiei a sete chaves e guardei. Ela mandou arrombar. Disse que havia fotos comprometedoras, mas era mentira. Queimou tudo: meus boletins de colégio, minhas fotos de infância, minha história. Fiquei tão deprimido que chorei quando soube disso, de madrugada. Fiquei mal. Ela teve medo de que eu fosse bater nela — tinha pavor de mim, às vezes. Ela disse depois: "Desculpe, não tinha o direito de apagar o seu passado". Ficou mal também, mas aí ia se empolgando na discussão e acabava dizendo que era eu o culpado de tudo.

Fiz parte da vida de Elis nesse aspecto pessoal, emocional e até musical. Se pude colaborar com alguma coisa é que a Elis, depois que se casou comigo, resolveu seu problema de dicção. Ela era um músico e fazia malabarismos vocais que prejudicavam as letras. E eu, um letrista. Estranhamente, Elis reconheceu. Quando se separou de mim, começou a cantar com um tom de deboche, pronunciando acentuadamente as palavras. Exagerou na silabação para me gozar. Me gozou com *Última Forma,* música do Baden Powell que ela mandou fazer para mim. *Me Deixa em Paz* também mandou dizer que era para mim. E, quando cantava *Quaquaraquaquá,* eu achava que era para mim.

Nos separamos umas três vezes, sérias, e ela sempre mandou me buscar. Na última foi me buscar numa casa de saúde. Eu estava muito estressado, com uma carga muito grande de emoção, e bebendo demais. Elis estava viajando e eu, despedaçado, achando que as viagens iam nos separar. Na estréia no Olympia, em Paris, ela ligou para mim umas dez vezes no Hotel Danúbio: "Vou entrar, tô entrando, pense em mim". Me dava satisfação de tudo. Mas a Alik Kostakis publicou que a Elis estava em Paris com o Pierre Barouch. Resolvi decretar guerra. Ela adorava uma guerrinha. A partir daí a coisa começou a ficar meio escrota.

Nunca quis ser empresário de Elis, um marido do *métier*, pense bem. Podia viajar com ela, ganhar dinheiro mais que os outros. Mas, peraí, eu não ia segurar seu *nécessaire* de jeito nenhum. Imagine ela me apresentando: "Esse é o meu marido". Iam logo pensar: "Que cara escroto, comendo essa gatinha". Eu também não quis ser seu produtor exclusivo — produzia o Simonal, que estava no auge, e essa minha independência fascinava Elis. Não viajava com ela porque ia parar minha carreira. Além do mais, iria jogar uma porrada de coisas na minha cara e ia ser aquela briga gigantesca. Também nunca produzi um disco de Elis — e ela gravou uma única música minha no Brasil, *Carta ao Mar,* minha e do Menescal. Quando foi para a

Europa e gravou em dois dias um disco na Inglaterra é que cantou *O Barquinho* e outras. Mas na minha gestão ela não gravou mais nada. Por que iria gravar, se detestava bossa nova? Essa minha liberdade incomodava Elis, pois queria que eu dependesse dela.

Estou falando muita coisa porque você me pegou no contrapé. De noite seria melhor. Então, eu tinha todas as ferramentas para explorar a Elis. Daí minha indignação com o *Jornal do Brasil,* que teve o peito de publicar que eu recebia pensão da Elis depois de me separar dela. Entrei no casamento com cinco malas e saí com três. Uma ela queimou e a outra, cheia de discos do Frank Sinatra, jogou pela janela. Feito disco voador. Aconteceu depois de uma briga: ela foi para a sacada, de onde, com certa habilidade para arremessar, você acertava o mar. Foi uma chuva de Sinatra pela Niemeyer. Ela tinha um ciúme doentio do Sinatra, porque eu me identificava com ele. Vai ver que eu achava mesmo que era o Sinatra. Quando resolveu ter um filho, eu achava que era uma loucura. Com tudo aquilo, como seria um filho? Ela disse para muita gente depois que foi obrigada a trabalhar durante os nove meses de gravidez. Para pagar o quê? Em outra versão, para a *Fatos e Fotos,* Elis disse que gravidez não era doença. Ora, você acha que, esperando meu primeiro filho, ia obrigá-la a trabalhar? Eu não ganhava um tostão com aquele espetáculo (Canecão, Rio, 1970).

Eu era um super-homem para Elis. Ela conhecia tanto meu lado forte quanto o frágil e manipulava a minha alquimia. Conheço só duas pessoas que mudam rigorosamente quando entram no palco: Elis Regina e Roberto Carlos.

Aí nasceu João Marcelo. Ela resolveu chamar os pais, numa dessas crises que tinha para dizer na cama: "Você acha justo eu aqui nesta casa lindona, de frente para o mar, nós aqui nesta cama, enquanto meus pais...". Eu disse: "Você quer trazer eles para cá? Acho que vai ser um rabo". Mas morar em casa não, eu não queria de jeito nenhum. Ela tinha um apartamento na Joatinga. Chamamos os pais e eles foram morar lá. Elis mandava cheques e mais cheques a eles. Não sei o que o Romeu fazia com os cheques: a mãe mandou uma carta desesperada. Começou a pintar todo mundo lá em casa. Era só fofoca. Eu não queria de jeito nenhum a família lá em casa. Aí fomos nos separando.

Na última grande briga, ela foi com João Marcelo me pegar na Clínica São Vicente. Estávamos hospedados (internados) lá: o Vinicius de Moraes, o Baden Powell, o Grande Otelo e eu. Era fantástico. Tomávamos porres homéricos. Era uma esculhambação. De noite, fugíamos de carro e o médico via que o fígado estava cada vez mais inchado. Ela foi me buscar com o João Marcelo. Eu estava caidaço, estressado, bebendo demais. Precisava de uma limpeza física. Estava morrendo mesmo. Ela pagou a conta do hospital e, quando perguntei, me disse: "Já paguei, você sabe quem eu sou". Aí começou a briga de novo: eu dizendo que ela já estava jogando na minha cara, uma loucura. Foi a última vez que estivemos juntos. Depois, ela quis se separar, e aí percebi que gostava dela. Não queria me separar de jeito nenhum. Ela namorava o Nelson Motta, uma cria minha. Nesse dia conheci Heloísa, com quem me casaria depois, e resolvi dar o último tiro legal. Estava morrendo de paixão por ela. Falei para a Elis: "Posso mandar minha mulher pegar as coisas?". "Sua mulher, seu filho da puta?". E aí quis voltar, para não sair perdendo. Coisa de criança. Ela disse: "Quero ver ela vir aqui". Foi nesse dia que jogou os discos pela janela. Usei essa mulher (a Heloísa) como *sparring* mesmo — ela estava havia uma semana comigo e topou casar.

CONTRACAPA DO ÚLTIMO DISCO DA SÉRIE *DOIS NA BOSSA*, NÚMERO 3, 1967.

O CASAL FELIZ EM REGISTRO PARA A HISTÓRIA, NO NASCIMENTO DE JOÃO MARCELO, EM JUNHO DE 1970.

Na época da doença do João Marcelo, a Elis não tinha leite, porque mandou secar o peito. Tinha feito uma operação plástica sem me consultar — essa foi uma de nossas brigas, também. Consta nas entrevistas de Elis que eu era tão irresponsável que, no dia em que João Marcelo nasceu, estava vendo futebol com amigos. Está lá nos anais — João Marcelo nasceu às sete e quarenta e cinco, ou oito da manhã, ou dez para as oito, no dia em que o Brasil ganhou do Uruguai por 3 a 1, em 1970. E sou vidrado em futebol. O jogo foi à tarde. Ouvi o João Marcelo nascer, a Elis voltar para o quarto e, de tarde, fui ver o jogo.

Outro episódio importante foi a história do tiro. Falei para Elis que ela estava alimentando uma loucura. Porque o pai bebia loucamente e mandava buscar mais dinheiro e mais dinheiro. Um dia mandei o empregado dizer para o seu Romeu que não tinha dinheiro até o mês seguinte. Eu estava no banheiro da minha casa quando ele apertou o gatilho. Me joguei no chão. Elis ficou rigorosamente doida, e eu saí para acertar ele de qualquer jeito. A Elis se jogou na minha frente e pediu para deixá-la resolver a parada. Tirou o revólver da minha mão e foi falar com o pai. Deu um tapa na cara dele e chamou o Rogério para pegá-lo.

A versão do episódio contada por dona Ercy e Rogério é outra. Segundo informaram, Elis telefonou para o apartamento da Joatinga contando que tinha levado uma surra de Bôscoli. Então, seu Romeu saiu feito louco com um revólver, dizendo que ia pegá-lo. Contaram ainda que Ronaldo Bôscoli se escondeu no banheiro.

E as Olimpíadas do Exército de 1972, quando Elis Regina cantou o *Hino Nacional* comandando um grupo de artistas e me disse depois que tinha sido ameaçada pelos órgãos de segurança. Bôscoli conta:

Quando ela viajou com Menescal, em 1969 supôs ingenuamente que estando na Holanda podia esculhambar o Brasil. Disse que o governo era formado por gorilas. *Gorilas*, saiu isso publicado em holandês. O Menescal me disse depois que quase tinha quebrado a canela dela debaixo da mesa. No dia seguinte, a embaixada pegou o jornal e mandou para o Serviço Nacional de Informações (SNI). O Armando Nogueira ligou para mim e disse que queriam prender a Elis. Ele e um general disseram na minha frente: "Elis foi salva rigorosamente pela ausência de comprometimentos no Brasil". Ficaram putos de a Elis ter chamado todo mundo de gorila. Ela desmentiu, se retratou.

A Elis não segurava, não. Partia para cima de você de garfo e faca e depois se desmanchava. Quis fazer valer os direitos dela e me massacrar. Realmente me massacrou. Fui espoliado de todos os meus direitos. O processo da guarda de João Marcelo foi levado para São Paulo, para que eu não tivesse acesso e não pudesse me defender. Perdi rigorosamente tudo. Fui obrigado a dar três salários mínimos, que depositei um tempo e depois parei, já que não podia mais ver o João Marcelo.

CAPÍTULO 5

entre tapas e beijos

Comigo é simples, eu divido tudo: minhas roupas, meus amigos... Mas o meu palco, esse não divido.

ELIS REGINA

ELIS REGINA VESTIU-SE DE VÉU E GRINALDA E AMARROU UM DOS MAIS COBIÇADOS GALÃS DA ÉPOCA. ERA 5 DE DEZEMBRO DE 1967. O CONTO DE CINDERELA, NO ENTANTO, CHEGARA AO FIM, ENTRE TAPAS e beijos. Talvez Elis tenha se desencantado com a própria briga que se instalou dentro dela na convivência com Ronaldo Bôscoli. Ela me contou certa vez que o casamento acabou com a sua ingenuidade. Elis não era mais do que um fogo ardendo dentro e fora do palco. Ao vê-la cantando, não nos queimávamos. Mas, ao chegar perto, era preciso amá-la e compreendê-la. Seu furacão remexia e instigava. Seu pingue-pongue de ódio e paixão podia enlouquecer — e muitas vezes decepcionar — quem buscasse nela a coerência óbvia.

A carreira de Elis seguiu seu rumo durante o período em que ficou casada com Ronaldo Bôscoli. Um mês depois da cerimônia, em janeiro de 1968, ela viajou a Cannes para representar o Brasil no *II Festival do Midem* (Mercado Internacional do Disco e da Edição Musical) para uma platéia em delírio que a fez bisar *Upa-Neguinho*.

Em março estava de volta à França, daquela vez para sua estréia no famoso teatro Olympia de Paris. O pedido de bis foi maior ainda: voltou ao palco seis vezes. Em abril, a TV Record dedicou o seu *Show do Dia 7* à cantora. Em três horas e meia de transmissão, a vida de Elis foi contada pelos pais, o irmão Rogério e através de depoimentos de praticamente toda a nata da MPB e da televisão. De Chico Buarque a Hebe Camargo. Menos os tropicalistas.

A *I Bienal do Samba*, também promovida pela TV Record de São Paulo aconteceu um mês depois e Elis interpretou a canção vencedora,

COM MILTON NASCIMENTO, PAIXÃO NA MÚSICA E NA VIDA.

O SORRISO DISCRETO DA CAPA DO DISCO ELIS, DE 1966.

Lapinha, de Baden Powell e Paulo César Pinheiro. Em agosto do mesmo ano de 1968, estreou o show que ficaria um mês em cartaz na boate *Sucata*, de Ricardo Amaral, no Rio de Janeiro e, em outubro, fez parte do júri internacional do *III Festival Internacional da Canção*, da Globo, em que venceu *Sabiá*, de Chico Buarque e Tom Jobim.

Foi um ano realmente movimentado para Elis Regina que publicamente atacou os tropicalistas ("de artístico mesmo, não tem nada, nada!"), lançou um novo LP, *Elis Especial* e saiu do Brasil novamente, para sua segunda apresentação no Olympia de Paris, em outubro, numa temporada que se esticou até novembro. Naquela viagem chegou a gravar um compacto duplo, com participação do cantor e compositor francês Pierre Barouch na faixa *Noite dos Mascarados*, de Chico Buarque, cantada em francês. E, antes que 1968 terminasse, o resultado da turnê francesa transformou-se no especial *Elis em Paris*, exibido em 28 de novembro pela TV Record.

A família Figueiredo — Abelardo, Laura e as filhas Mônica e Patrícia — acompanhou Elis desde aquela época. Abelardo Figueiredo, dono da boate e casa de shows *Beco* e diretor do programa *Spot Light,* da Tupi, foi o primeiro a conhecer Elis. Pouco tempo depois, ela já fazia parte da família. Laura Figueiredo, uma mulher inteligente, interessante e aberta foi grande amiga de Elis. Laurinha faleceu em 20 de janeiro de 2001. Em 1985, contou sua história com Elis:

Eu não gostava muito dela, mas quando ela começou a namorar o Ronaldo, que era meu amigo, as coisas mudaram. E ela se mostrava muito tímida de estar namorando o Ronaldo, o grande gatão da época, um garanhão do Rio de Janeiro. Ele vinha para minha casa e ela vinha junto. Mas era incrível a relação. Os dois se odiavam, um falava mal do outro. Era um negócio meio Virginia Woolf, só que mais engraçado. Era demais a violência dos dois.

Foi aí que Elis começou a sair comigo, ficar minha amiga. Era muito menina e estava sozinha demais. E já com aquela carga de maior cantora do Brasil. Acabei mais amiga dela que do Ronaldo. Elis foi se mudando para a minha casa, fazíamos tudo juntas. Os dois me convidaram para ser madrinha de casamento. Nessa época eu achava que ela era difícil de se relacionar com as pessoas, mas não comigo. Virei uma espécie de advogada de defesa dela. Ia para os jornais, chamava os jornalistas para explicar o temperamento dela, porque não queria que vissem a Elis como ela se mostrava. Queria que a conhecessem como realmente era. Mas era tudo em vão. Elis estragava tudo na hora das entrevistas. No casamento, acho que fiz a maior besteira da minha vida. Eu a convenci de que deveria ter um casamento maravilhoso e chamar o Denner, que era uma pessoa deslumbrante, tinha a mesma cabeça que eu na época. Transformamos a Elis numa dondoca e depois ela ficou brava com a gente. Hoje também acho que não podia ter sido induzida a fazer um casamento com tanta pompa, aquilo não tinha nada a ver com ela. Tinha a ver comigo. Nesse período, fomos a família de Elis — ela tinha um gênio terrível e um problema de educação, uma educação diferente: era muito selvagem, sem freio.

Nessa época, Elis escreveu uma carta a Laura Figueiredo:

Laura (anjo da guarda meu e de "muitos eu"):

Você sabe que é responsável pela metade de bom que sou! Por isso te prometo, hoje, ser mais, muito mais do que eu sou ou pretendo. Muito obrigada, amo você. Adoro tudo o que você é. E qualquer dia pretendo olhá-la como um espelho. Você sabe de tudo. Dá tudo. Por isso, deverá receber sempre e sempre tudo. E quem disser o contrário será um grande filho da puta. Com Mandrix e tudo te beijo. Tua Patrícia 2.

Elis.

Elis começou o ano de 1969 a todo vapor. Na verdade, pegou um avião para viajar outra vez a Cannes e participar do *III Festival do Midem*. De volta ao Brasil, estreou seu novo programa na Record, ainda sob a batuta de Miele e Bôscoli, *Elis Studio*. Foi seu último programa na emissora. Em maio, deixou a Record. Em seguida seguiu para Londres e lá gravou um LP com o maestro inglês Peter Knight. Em junho gravaria também na Suécia com o gaitista Toots Thielemans. Os discos foram lançados primeiro no mercado europeu. No Brasil, o disco de 1969 se chamou *Elis, Como e Por quê.* O show *Elis e Miele*, no teatro da praia Rio de Janeiro, mais um espetáculo Miele e Bôscoli. Ex-opositora do Tropicalismo, ela reatou relações musicais com Gilberto Gil e Caetano Veloso no show que fez ao lado de Miele no teatro da Praia, cantando *Irene* e *Aquele Abraço*.

Foi o ano, também, que gravou um compacto com o rei Pelé. A propósito, Ronaldo Bôscoli contou a história em seu livro *Eu e Eles*.

Eu e Pelé já éramos bastante conhecidos quando ele passou a freqüentar minha casa e de Elis, na avenida Niemeyer 550, casa 7. A concentração dos jogadores da Seleção de 70 ficava perto, no Retiro dos Padres, e muitos deles viviam nos visitando.

Pelé era o mais assíduo. Fã incondicional de Elis, adorava bater papo, ficar ao lado dela. Engraçado é que ele costumava explicar regras de futebol e jogadas, que ela ouvia interessadíssima. Aliás, Elis usufruía realmente da condição de estrela no meio dos jogadores. Ela gostava de ser assim em todo lugar. Fazia o maior tipo. Tanto é que prometeu a dois jogadores, dar o nome deles ao nosso filho, que ela estava esperando. E furou com ambos.

— Se for homem vai se chamar Carlos Alberto — disse para o Carlos Alberto Torres.

— Vai ser Édson, em sua homenagem — soltou pro Pelé.

Quando nosso filho nasceu, acabou não cumprindo nenhuma das duas promessas. Colocou o nome de João Marcelo, um puta perna-de-pau, que joga hoje em dia no Vitória.

Mas o que Pelé queria mesmo, ele realmente conseguiu de Elis. É que ele não gostava só de ouvir música, mas queria cantar e tocar. Cismou com isso. E pretendeu gravar um disco com Elis Regina.

O músico e compositor Roberto Menescal dirigia a gravadora PolyGram em meados da década de 1980. Porém, conheceu Elis bem antes. Foi um dos mais suaves homens do disco de sua geração. Há dois tipos no ramo: os que vêm de baixo, geralmente do departamento de vendas, e sobem por seu *marketing* tupiniquim, e os que intelectualizam, criam estratégias entre o comércio e a arte. Menescal sabe caminhar nos dois mundos, embora mantenha a superioridade de ser também artista. Deixou a indústria do disco para se dedicar apenas à música e às suas orquídeas e bromélias:

Quando Elis começou o namoro com o Ronaldo, ele morava num apartamento de cobertura em Ipanema, perto de casa, e a gente sempre se encontrava. Da relação pessoal nasceu o lado profissional. Ela me convidou para fazer um grupo — eu não estava mais querendo montar um grupo, mas ela reuniu um pessoal muito bom — e fizemos o show da boate Zum-Zum, do Ricardo Amaral. Veio depois a oportunidade de viajar para o Midem. E a apresentação foi tão boa que um empresário nos chamou para excursionar, de lá mesmo. Topamos, arrumamos tudo e saímos por todos aqueles países, uma loucura, cada dia em um lugar.

Ela esteve ótima durante toda a temporada. Houve dias que fizemos dois shows, um em cada país. Fizemos programas de rádio e de televisão, um disco e um vídeo com o gaitista belga Toots Thielemans, até ganhamos o prêmio Eurovisão com o vídeo, gravado na Suécia. Ela já estava casada com o Ronaldo, mas ele não foi. Tinha medo de avião. Voltamos ao Brasil e viajamos em seguida para a Inglaterra, para gravar o LP *Elis in London*, com o maestro Peter Knight. O interessante é que o método deles lá era totalmente diferente do Brasil. Enquanto Elis gravava um disco aqui em um mês, lá gravou em um dia. Antes de viajarmos, fizemos um ensaio de base e mandamos para eles uma fita gravada. Aí o maestro escreveu tudo em cima. Quando chegamos, havia 46 músicos no estúdio, e a nossa base era de cinco músicos. Matamos tudo numa manhã e numa tarde. A Elis cantava junto, porque lá não se podia fazer *playback*, o sindicato não permitia. Ela arrasou, os caras ficaram impressionadíssimos.

Depois fizemos uma apresentação na tevê e voltamos para o Brasil, para uma longa temporada do show *Elis, Como e Por Quê* — no Teatro da Praia, no Rio, e no Maria Della Costa, em São Paulo. Com o grupo, fizemos três discos. Depois disso parei de tocar com ela. Fui chamado pela PolyGram e também não estava mesmo a fim de continuar. O negócio dela com o Ronaldo degringolava. A gente ficava muito perto, vendo aquelas brigas todas, e o astral não estava bom. Depois nos encontramos — eu como homem de sua gravadora e ela como artista. Produzi aquele disco dela que tem *Águas de Março* e *Atrás da Porta.* Até aconteceu uma história engraçada. O Francis Hime mandou uma série de músicas para Elis escolher. Ouvimos a fita, porém nenhuma tinha batido. No final da fita, ele falava para a Elis escolher qualquer uma e logo depois começava uma música que ele cantava aos pedaços. É claro que a gente adorou essa. Quando ligamos, Francis nos disse que aquela música tinha mais de um ano, mas o Chico Buarque ainda não terminara a letra. Gravamos assim mesmo e, quando parava a letra, a Elis só cantarolava. Levei a gravação para o Chico e ele ficou louco: terminou a letra ali mesmo, na hora: *Atrás da Porta.*

Com *Águas de Março* aconteceu outra história. Fui à casa de Tom Jobim e ele estava escrevendo um livro, não uma letra de música, e me disse que não estava pronta. Parecia um telex daqueles bem grandes. Para ele, aquilo era só a introdução. Gravamos como estava. Foi um disco muito bonito, a primeira vez que Elis gravou Fagner e Sueli Costa. Acho que consegui trazer para Elis uma turma que ela não ouviria normalmente. Fiz uma pesquisa de repertório como nunca realizara antes. Quando fomos ouvir, ficamos só os dois, em silêncio. Ela olhou para mim com os olhos cheios de lágrimas e disse, sem platéia: "Eu sou foda para escolher repertório". Quer dizer, a partir daquele dia tirei meu nome dos discos e aprendi a lidar com um verdadeiro artista. Não era uma questão de mau-caratismo, não. Estávamos sozinhos, e percebi que naquele momento ela acreditava mesmo que tinha escolhido o repertório sozinha.

Depois disso, brigamos na PolyGram. Acho que foi por causa de alguma besteira, alguma coisa que ela falou comigo pelo telefone. Já tínhamos discutido muito sobre a gravadora e ela estava dizendo coisas muito fortes sobre o lugar onde eu trabalhava, e ela também.

Acho que o casamento foi uma grande modificação na vida dela, até na carreira. Porque o Ronaldo entrou mesmo na vida dela. No primeiro dia, foi logo no guarda-roupa, achando que Elis era cafona. E falava na frente de todo mundo. Eu mesmo várias vezes fui embora, porque não é nada agradável ficar presenciando briga de casal.

Quando estávamos no Olympia, chegou uma carta do Ronaldo e encontrei Elis chorando no camarim. Ela me mostrou a carta e disse: "Olha esse filho da puta". Li e não achei nada demais. Falei para ela: "Elis, não tem nada. Não estou entendendo desse jeito, não". Ela vira e diz: "É mesmo...". Leu de novo e entrou no show na maior alegria: "Ronaldo, Ronaldo, eu quero voltar para o Brasil". E era a mesma carta...

Lembra aqueles cachorrinhos de louça que se usava antigamente? Um era preto e o outro, branco. Você nunca conseguia fazer com que os dois se acertassem. Eles viravam de um lado para o outro. Elis e Ronaldo eram assim. Um dia não agüentei. Eles tinham um cachorro bóxer chamado Clay. E o Ronaldo dizia: "Elis, faz o Clay cantar". Elis tinha um jeito lá de assoviar que o cachorro começava a latir uh, uh, como se estivesse cantando. E ela falava: "Não vou fazer nada, não enche o saco". E ele: "Pô, mas tudo que peço você não faz". E ficaram assim, até que ele disse: "Tudo bem, pode deixar". Aí ela pegou e começou a fazer o cachorro cantar. A briga recomeçou. Quer dizer, papo de maluco. Era o tempo inteiro e, de preferência, na frente de todo mundo. Ele falava para a Elis: "Você está uma gracinha, parece um bolo". Elis era uma mulher bonita, embora a linguagem não fosse de uma mulher bonita.

Luiz Carlos Miele, o maior amigo e parceiro de Ronaldo, tentou explicar como se dava a relação entre os dois:

Comecei a fazer o papel de leão-de-chácara de reportagens para o casal. Um dia o pessoal da revista *Claudia* me ligou, dizendo que queria uma entrevista, mas não pretendiam ir sozinhos porque sabiam que o pau podia comer. Aí eu ia e ficava mediando. Guarda-costas de entrevista. E, mesmo assim, quebrava o pau. Nesse dia, quando os jornalistas chegaram, Elis estava bem. Fez pessoalmente o almoço, mostrou o lugar de cada um na mesa. Então o Ronaldo disse: "Quer me passar o sal?". Elis: "Por quê? A comida tá sem sal?". Foi aquele você-quer-me-encher-o-saco-e-puta-que-pariu. Os dois repórteres não levantavam os olhos do prato. E a coisa começando a engrossar. De repente o Ronaldo fala: "Você viu aquele filme que está passando no cinema tal?". E a Elis diz: "Qual é, vamos lá, vamos almoçar e depois vamos lá. Toma o sal". Depois levantaram da mesa e foram fazer as fotos, no quarto, na cama do casal. Tipo veja-como-somos-felizes. Não há razões filosóficas que expliquem.

Sempre que se fala de André Midani entre especialistas costuma-se dizer: ele é fogo. E, realmente, esse libanês de nascimento, uma mistura genética de judeu com árabe, criado na França, é fogo. Pode-se discordar dele, mas não há quem não se impressione com a velocidade e a habilidade de seu raciocínio. Midani dirigiu um *cast* de grandes artistas na Companhia Brasileira de Discos — PolyGram, em especial as produções do selo Philips. Depois, saltou para representar uma nova companhia, a WEA, onde o encontrei em 1985.

Quando voltei ao Brasil, em abril de 1968, para dirigir a Philips, Elis Regina estava casada com meu maior amigo brasileiro na época, o Ronaldo Bôscoli. Nós dois fomos muito íntimos na minha primeira estada no Brasil (1957 a 1962). Quando retornei, a dupla Elis e Jair tinha se separado, e vim comandar um elenco de 185 artistas. A maioria deles não conseguia gravar porque os estúdios ficavam lotados e não havia vaga. Nessa época, Elis queria deixar a companhia. No meu primeiro fim de semana no Brasil, fui à casa de Bôscoli e ali, como melhor amigo dele, eu disse a ela: "A única coisa que temos em comum é o seu marido. Pelo amor de Deus, não saia agora". Ela não saiu. Ficamos íntimos, os três. E posso dizer que já ali, em abril de 1968, não existia paixão entre os dois. Havia uma guerra aberta. Uma guerra em que demonstravam ter os dois uma completa insegurança física um do outro. Elis não podia falar com rapazes nem ficar com meninas, porque o Ronaldo ficava louco. E ela remexia na carteira dele, procurando provas de infidelidade. A insegurança de Elis só tem igual na própria definição que ela fez para mim um dia: "Comigo é simples: eu divido tudo, minhas roupas, meus amigos, mas o meu palco, esse não divido". Era, talvez, o único lugar onde ela se sentia dona da situação.

FOTO DE CAPA DO DISCO ELIS ESPECIAL, DE 1968.

Elis Regina via um pai em Marcos Lázaro. À sua maneira, ele comandou a primeira estrela que considerava "um Sílvio Caldas de saias", "um Roberto Carlos de saias", uma cantora para multidões, popular.

Comigo ela não discutia, não sei se tinha medo de mim, pela diferença de idade. Comigo ela preferia conversar. Fazia um contrato, nunca reclamava, e tudo que mandava fazer ela fazia. Depois foi mudando um pouco, muito pelas influências que recebeu dos homens dos quais gostou. Teve seu Bôscoli, seu César Mariano e alguns outros. Mas Elis sempre foi mulher de um homem só. Quando fomos à França, o dono do Olympia ficou louco por ela — assinei com ele seu primeiro contrato e também o segundo. Elis seria logo a primeira estrela, se não tivesse falado numa entrevista que não gostava dos franceses. Bruno Cocquatrix não gostou e criou problemas. Ela fez depois algumas turnês pela Europa — Suíça, Alemanha —, financiadas pela Philips. Foi comigo ao México duas ou três vezes, a Portugal com Jair e o Zimbo Trio, e deixou de fazer muitas viagens porque o marido não gostava de andar de avião. Se tivesse feito uma carreira internacional, seria uma das cinco melhores cantoras do mundo. Mas ela preferia ficar no Brasil.

Elis Regina viveu o ano de 1970, com um sabor especial — grávida de Ronaldo. Em abril, já com sete meses estreou um show no Canecão, Rio, dirigido pela dupla Miele e Bôscoli e lançou o LP *Em Pleno Verão*. Em 17 de junho, nasceu João Marcelo, na Casa de Saúde São José, Rio de Janeiro. Elis tinha 25 anos. Ronaldo Bôscoli descreveu em seu livro como o casal viveu a gravidez e o nascimento do primogênito:

Numa tarde ensolarada e linda, Elis chegou com seu jeito bem moleque na sua Fiat branca. Abanava um papel branco, como se fosse um leque. Eu a vi na varanda e não percebi nada. Subiu as escadas, chegou até mim e me estendeu o papel:

— Positivo, papai.

Dei uma de tonto na hora, meio bobo:

— Você está grávida?

Como se fosse preciso repetir o óbvio. Eu juro que nunca fiquei tão emocionado como naquele momento. Afinal de contas, tendo tido tantas mulheres, teria afinal meu primeiro filho. Só pude dizer:

— Hoje você abre um precedente. Chama os empregados, chama todo mundo e vamos abrir um champanhe.

Só eu tomei meia garrafa. Eu ia ser pai!

Elis faria o parto com o doutor Ivan Lendruber e passou muito bem na gravidez, fazendo bastante exercício. Mas não parou de trabalhar. Com sete meses de gravidez, subiu no palco do Canecão, no Rio, para um show em que cantava *Não Tenha Medo*, de Caetano Veloso e *Fechado pra Balanço*, de Gilberto Gil, enviadas para ela do exílio em que os dois compositores viviam em Londres. Também naquele show, Elis cantou pela primeira vez canções do novato Tim Maia (1942-1998). Costumava dizer:

— Gravidez não é doença. É vida.

João Marcelo nasceu em 17 de junho, na Casa de Saúde São José, Rio de Janeiro, com uma intolerância alérgica a leite de vaca. Só aceitava o leite humano. A jovem mamãe fez campanha na tevê para conseguir amas-de-leite para o filho. Em novembro, cinco meses depois do parto, Elis voltou ao trabalho. Fez um show em curta temporada na casa de shows

Di Mônaco, em São Paulo e lançou um compacto com a canção *Madalena*, de Ivan Lins e Ronaldo Monteiro de Souza. Em janeiro de 1971, voltaria à TV. Desta vez para a Globo, para comandar, ao lado de Ivan Lins, o programa *Som Livre Exportação*, que juntou a turma do MAU (Movimento Artístico Universitário), grupo de jovens nascido na Tijuca e que juntava, além de Ivan, Gonzaguinha, Aldir Blanc, César Costa Filho e muitos outros jovens músicos no início da década de 1970.

Nelson Motta não era daquela turma da Tijuca. Entrou no jornalismo pela música. Era compositor e freqüentava ainda menino as sessões da bossa nova, muitas delas realizadas em sua própria casa, já que a mãe e o pai, doutor Nelson, conceituado advogado no Rio, gostavam de música e de reuniões. Nelsinho é uma figura doce e corajosa. Vive com as antenas ligadas. Ele e Elis tiveram uma história. Nelson Motta contou:

Eu era amicíssimo do Ronaldo Bôscoli. Ele era amigo do meu tio, do meu pai e o conheci aos quinze anos. Quando apareceu a bossa nova, fiquei encantado. O Ronaldo levava muita gente lá em casa, como a Nara, o Menescal... Ele era repórter, comia todas as mulheres, era carioca e tinha um humor fantástico. Então me agreguei totalmente ao Ronaldo e ia todas as noites ao *Beco*. Ele me ensinava, eu ia à casa dele e sempre foi carinhoso comigo. Eu adorava as letras que ele fazia — suas letras eram padrão naquele tempo. Até meus dezoito anos, Ronaldo Bôscoli era absoluto e meu pai morria de ciúme.

Ronaldo falava muito mal da Elis, debochava dela. Nesse tempo ele morava com a Mila Moreira, numa cobertura na Visconde de Pirajá. Sei que depois de várias peripécias disse que ia pegar a Elis e transformá-la. Foi aí que a conheci um pouco mais. Íamos sempre ao futebol no domingo, na torcida do Fluminense — eu, o Miele, o Ronaldo, o Hugo Carvana. Quando o Ronaldo começou a namorar a Elis, naturalmente cheguei mais perto e, naturalmente, ela não gostava dos amigos do Ronaldo, e eles brigavam à beça. Era cada barraco, cada bate-boca... A Elis começou mesmo a mudar, cortou o cabelo curtinho e parece que encontrou sua própria cara. Parece também que, naquele momento, se operou uma mudança. Ela queria partir para um esquema de casar direito, ter uma casa — o que você vê que já era uma temeridade. Sei que fui padrinho de casamento do Ronaldo e meus pais foram padrinhos da Elis. Eu era casado com Helena Gastal e, quando visitávamos o casal, nunca houve um bate-boca na nossa frente. Nessa época ela cantou *O Cantador* no festival da Record e aí foi a nossa maior ligação. Era o maior trunfo para mim e para o Dori Caymmi a Elis defender nossa música. Ela ganhou como melhor intérprete e, como tinha muita política, a música ficou sem prêmio.

Nesse tempo eu era produtor da Philips, com o André Midani, e fui convidado para produzir um disco da Elis. Foi em 1970, quando nasceram João Marcelo e minha filha Joana, com Mônica Silveira, com quem me casara pouco antes. Elis e Ronaldo foram meus padrinhos de casamento. Ela cantou na reitoria com um quarteto de cordas regido pelo Luizinho Eça. Produzi dois LPs de Elis e um compacto (*Elis em Pleno Verão*, 1970; *Ela*, 1971; e o compacto de *Madalena*) e nunca tive o menor problema artístico com ela. Nunca. Acho que era agressiva com quem pedia que ela fosse assim. E a época da produção dos discos era difícil: censura, terror total, repressão, tudo muito perigoso, um clima de desconfiança. Dividíamos igualmente nesta parte de produção todos os erros e os acertos e Elis era de uma grande docilidade comigo. Pedi uma música para o Caetano, que estava em Londres, e ele mandou *Não Tenha Medo.*

Mas gravamos errado, não percebemos o espírito, e ficou um arranjo pesado. Na época Elis era antagônica ao Caetano por influência do Ronaldo, que era contra o Tropicalismo. Podia ser até que ela gostasse. Mas depois que Caetano foi para o exílio, ela fez questão de gravar. Nesse ponto, acho que exerci alguma influência sobre ela na aproximação com os baianos, com a guitarra, com o rock. *Cinema Olímpia* é um rockão, porque até então a música brasileira se dividia em MPB e MP do B. Os autênticos e os dissidentes.

Em seu livro *Noites Tropicais*, Nelson Motta descreveu com muito mais detalhes seu relacionamento com Elis naquela época em que Elis, aos 24 anos, grávida do primeiro filho, "queria mudar, precisava mudar, mas não sabia ainda como e nem o quê".

Nelsinho conta que a primeira providência, de comum acordo, foi ligar para Londres e pedir a Gil e Caetano que fizessem músicas especiais para ela. Alguns dias depois, nervosos e excitados, receberam as fitas com um grande samba de Gilberto Gil, *Fechado pra Balanço* e *Não tenha Medo*, de Caetano. Outra questão, que dominava as conversas entre eles era a reavaliação de Roberto Carlos e Erasmo como compositores.

De arquiinimiga da jovem guarda Elis passou a ser uma grande intérprete da dupla, fazendo de sua explosiva versão de *Se Você Pensa*, um dos grandes sucessos de seu show no Teatro da Praia. Era a primeira vez que cantava Roberto e Erasmo. Foi Nelson Motta também quem apresentou uma cópia da fita de Tim Maia cantando *Primavera* para Elis. Ela também ficou estupefata com o que ouviu. Elis e Tim gravaram *These are the songs.*

— Ronaldo e Elis continuavam brigando intensa e incessantemente, com ou sem motivos, sem se importarem com as pessoas ou os lugares. Uma noite na boate Flag, com ciúme de Ronaldo, Elis correu risco de vida quando jogou um balde de gelo em cima de Maysa, que era muito maior, mais forte e mais feroz. Ronaldo adorou.

Elis vivia um momento de transição musical, que havia começado com o novo disco e, além de suas turbulentas relações conjugais começava a ter com ele sérias divergências artísticas — um campo em que, ainda que por contraste, tinham conseguido se harmonizar e crescer juntos e separados. Agora Elis queria, tinha de ir para a frente e Ronaldo ficava cada vez mais conservador. Ela tinha 24 anos, ele 41. Ela queria experi-

ABERTA A NOVOS CONCEITOS MUSICAIS, UMA DE SUAS MARCAS FOI REVELAR JOVENS COMPOSITORES.

mentar e mudar, ele queria que ela se estabelecesse e se comportasse como uma grande estrela.

O trabalho com Elis na produção do disco, surpreendentemente, transcorreu na mais absoluta paz e harmonia. E mais: ela se entregou com entusiasmo e confiança, com prazer e alegria. Em nenhum momento, nenhuma vez, respondeu a qualquer sugestão com rispidez, com palavrões e gritos — como era seu estilo com Ronaldo e com quase todo mundo com quem trabalhava. Aceitava muitas idéias, recusava outras, com delicadeza e tranqüilidade. Perguntava muito, queria saber as novidades, o que estavam fazendo os jovens americanos e ingleses, o que havia de novo no Brasil. Desde o primeiro momento deixei claro que meu objetivo não era dirigi-la, mas ajudá-la a escolher o que fosse melhor para ela, naquele momento, oferecer-lhe opções e alternativas. Ela queria mudar, precisava mudar, mas não faria — como nunca fez — uma mudança radical, mas um avanço calculado, um disco de transição. Com sambas de Baden Powell e Jorge Bem, como sempre, e com Roberto, Erasmo, Gil, Caetano e Tim Maia como novidade.

Deu certo: o samba de Baden estourou nas rádios populares e as novidades reaproximaram Elis do público mais jovem e inquieto — que começava a migrar em massa para Gal Costa, a nova musa do *underground*, com uma postura roqueira e sensual, cantando um repertório mais jovem e audacioso. Com Gil e Caetano no exílio, era Gal quem carregava a chama do tropicalismo. Começava-se até a discutir quem era melhor, mas decididamente Gal era considerada mais moderna que Elis.

Elis tinha 24 anos, uma exuberância e uma potência vocais, um estilo explosivo de cantar para fora muito mais adequados aos rocks e blues e às outras modernidades que Gal cantava, com sua voz suave e intimista, sua origem gilbertiana, suas sutilezas minimalistas. Mas era Gal quem gritava, quem botava para fora, quem cantava mais alto para os ouvidos mais jovens. Elis estava preocupada.

Uma tarde na Philips, Nelsinho encontrou Ivan Lins e ele lhe mostrou um samba muito bom. O produtor ficou entusiasmado e levou a fita para Elis que, imediatamente percebeu o tamanho da encrenca. Lançado em compacto, *Madalena* (1970) foi um dos maiores sucessos populares do ano, um dos maiores de sua carreira. Elis e Nelsinho iniciaram os trabalhos do novo disco com enorme entusiasmo e, cada vez mais próximos, procuravam jovens compositores, buscando as informações e vivências para entrar em sintonia com o que queria a geração dos dois. Boscoli passava a maior parte do tempo em São Paulo, na TV Record e na boate Blow Up, da rua Augusta. Foi quando Nelsinho e Elis viveram uma experiência que os aproximaria ainda mais, como ele mesmo descreveu:

Numa noite quente de verão fui visitar Elis na sua casa branca da avenida Niemayer, com Joyce e seu namorado. Convidei-a a mostrar suas novas músicas a Elis, que tinha gravado *Copacabana velha de guerra*, dela e Sergio Flaksman no disco anterior e estava procurando novidades para o próximo.

Novidade mesmo era a mescalina que Tim Maia tinha me dado. Segundo ele, era a mesma coisa que um LSD, só que orgânico, natural, mais leve. Ronaldo estava em São Paulo e nós no terraço marroquino que ocupava todo o teto da casa da Niemayer, de frente para o mar. Dividimos a mescalina em quatro, tomamos e ficamos nas espreguiçadeiras ouvindo música e olhando as estrelas da noite carioca. De repente, tudo ficou diferente, a música, as vozes, o vento, os cheiros e ruídos da noite, nossos rostos e corpos. Tudo parecia mais leve, mais claro, mais sensível. Falamos bobagens, fizemos planos absurdos e rimos durante muito tempo, dentro de um tempo que parecia suspenso, envolvidos por uma sensação de segurança e de aconchego, de amor e de fraternidade, como era esperado nas viagens lisérgicas em busca de uma "nova consciência". No fim da madrugada começou a esfriar, nos juntamos todos em duas espreguiçadeiras e nos cobrimos com uma manta. Pouco antes do dia nascer, Joyce e o namorado foram embora. Ficamos abraçados debaixo da manta e começamos a nos beijar.

Em abril foi lançado o LP *Ela*, que ela e Nelson Motta gravaram durante o verão. Além da canção de César Costa Filho e Aldir Blanc, que dava título ao disco e de uma nova e agressiva de Erasmo e Roberto, *Mundo Deserto*, Elis gravou Beatles pela primeira vez (*Golden Slumbers*) e duas músicas de Caetano Veloso, o fado *Argonautas* e *Cinema Olympia*, já gravada por Gal Costa.

Estava ficando cada vez mais difícil manter o romance em segredo. Eu tinha certeza que Ronaldo já sabia. E mais ainda quando me falaram da reação dele, ao saber dos boatos sobre meu namoro com Elis. O Véio fuzilou de bate-pronto, no seu melhor estilo:

— Finalmente, Elis encontrou alguém à sua altura.

Touché. Mesmo incendiado de raiva e de ciúme dele, do alto dos meus 1,67 m explodi numa gargalhada. Mas a alegria durou pouco.

Numa manhã cinzenta de outubro, depois de passar a noite com Elis, deixei-a em casa e fui trabalhar. Tínhamos planejado uma viagem "secreta" para Londres, o paraíso da liberdade e modernidade de nossa geração. Na hora do almoço, Elis telefonou. Dura, seca, formal, com a voz mais grave do que nunca, estranhíssima. Disse que Ronaldo estava internado em uma clínica com depressão nervosa, que ela estava ao lado dele e, indignada, me responsabilizou pelos boatos absurdos de que estaríamos tendo um caso e me passou uma descompostura pelo atrevimento, reiterando de todas as formas e com todas as letras que não havia nem nunca houve nada entre nós. E desligou.

Perplexo, imaginei que poderia ser uma cena teatral, recitada sob pressão. Mas não: era verdade, era a sua escolha. Desesperado, tentei de todas as formas falar com ela, mandei recados por Rogério, pela mãe dela, dona Ercy, por amigos comuns, cheguei até a devolver por Rogério todas as muitas cartas que ela havia me escrito, numa patética manobra para tentar sensibilizar sua memória afetiva. Em vão. Duas semanas depois, lendo e relendo as cópias xerox das cartas de Elis, fui para Londres sozinho e passei meu aniversário viajando de ácido com uma turma de doidões em Portobello Road.

CAPÍTULO 6

o compositor me disse

A sua bolsa era um fenômeno à parte. Tinha de tudo: de alicate de unha a estojo escolar com lápis, canetas. Tinha maquiagem, espelhos e caderninhos e caderninhos, um para cada coisa.

MÔNICA FIGUEIREDO

NO COMEÇO DO SUCESSO, ELIS COSTUMAVA DIZER QUE NÃO MISTURAVA A "PESSOA" COM A "CANTORA". AO DESCOBRIR QUE ERA IMPOSSÍVEL SEPARAR AS DUAS, NUNCA MAIS DECLAROU TAL DISPARATE. E a ex-pacata garotinha de Porto Alegre virou Pimentinha no Rio de Janeiro e dona de seu nariz. Ao mesmo tempo em que pregava a independência, mergulhava em sofridos momentos de angústia, em profunda solidão. Artistas caminham na multidão à procura de seus pares. Há muito pouco para compartilhar da intimidade com as pessoas comuns. Há muito para se compartilhar em público.

Em março de 1972, Elis estreou no teatro da Praia, Rio, o show *É Elis*, direção da dupla Miele e Bôscoli. No piano, César Camargo Mariano. Dois meses depois, Elis e Bôscoli assinaram o desquite. Em junho, saiu do ar o programa *Elis Especial*, depois de quase um ano em cartaz. Elis encerrou o contrato com a Rede Globo e alegou não ter mais condições de trabalhar com o ex-marido.

Foi nessa fase que Elis se reaproximou de seu irmão Rogério. Talvez Elis não imaginasse quem seria o mano quando crescesse. Na infância, costumava protegê-lo, mas certa vez o protegido quase arrebentou a boca da irmã com um soco. Nesse dia, Rogério queria jogar bola e Elis não podia ir sozinha para a rádio. O impasse foi resolvido na porrada: ela ficou de boca inchada e não cantou. Rogério, de castigo, não pôde jogar.

EM 1972, ELIS E CÉSAR COMEÇARAM O ROMANCE, A PARCERIA E UM IDEAL DE VIDA EM COMUM.

ELIS EM LONDRES, NO DISCO QUE GRAVOU COM O MAESTRO PETER KNIGHT.

Em 1965, Rogério Carvalho Costa tinha quinze anos. Queria jogar bola e estudava num colégio de gente rica em Porto Alegre, graças a Elis, que conseguiu uma bolsa para que ele pudesse tocar na banda da escola. Mas Rogério queria jogar bola. Foi arrastado pelos pais e largou aquela vidinha boa de Porto Alegre, a primeira namorada, para cair no circo de horrores que lhe pareceu o Rio de Janeiro. Lá, passava os dias diante da televisão e assistiu as primeiras brigas entre Elis e os pais. Rogério voltou a Porto Alegre e só morou de novo no Rio atendendo a apelo da irmã, quando ela estava se separando de Ronaldo Bôscoli.

Rogério não tinha uma profissão definida, um tanto devido às constantes andanças entre Rio e Porto Alegre. Foi trabalhar na livraria de Jacques e Lidia Libion, franceses amigos de Bôscoli. Elis resolveu chamar Rogério para cuidar do som no show *É Elis*, no Teatro da Praia, o mais conturbado da carreira. Rogério percebeu que o convite da irmã tinha segundas intenções. Na verdade, ela queria o irmão por perto porque estava se separando de Ronaldo Bôscoli e tinha medo dele. De qualquer maneira, o trabalho foi definitivo para Rogério, que começou a descobrir ali um trabalho, como contou mais tarde:

Eu queria ser jogador de futebol ou músico. E, de repente, não era nem uma coisa nem outra. Ser técnico de som era uma maneira de estar entre os músicos e perto de Elis.

Sobre sua estréia como técnico de som no show da irmã, ele narra:

Foi um fracasso de público. Eles inventaram um cenário mirabolante, que acabou não funcionando — e custou uma fábula. No final do show, Elis sentava na escada do palco e cantava *Boa Noite, Amor,* com *playback*. Um dia faltou luz bem na hora e Elis, sem microfone e sem orquestra, cantou iluminada pelo lanterninha.

Essas são as boas recordações. O ambiente familiar, porém, era carregado. Elis rompeu com Rogério e dona Ercy e, por conseqüência, com Rosângela. Com toda a família, enfim. Não falava com ninguém. Nessa época, ela já tinha comprado outro apartamento na Joatinga, ao lado do seu. A família morava em um, ela no outro. Rogério lembra:

Ficou ruço, porque meu pai tinha ido embora para Porto Alegre. Dependíamos financeiramente de Elis e ela nem falava com a gente.

Dona Ercy contou que Elis chegou a proibi-la de usar o telefone de seu apartamento para falar com Romeu em Porto Alegre. Lembra que não tinha coragem de pedir dinheiro e que, por isso, passaram muita dificuldade. Então Rogério decidiu agir. Mandou a mãe e a irmã postiça para a capital gaúcha e foi à luta. Conseguiu emprego como técnico de som do grupo Quinteto Violado, que se preparava para uma excursão pelo Norte-Nordeste. Deixou o apartamento de Elis vazio e foi morar com os integrantes do conjunto.

E desapareceu da vida da irmã por seis meses. Seis longos meses. O fatídico show *É Elis* foi mesmo um fracasso de público e representou o enterro definitivo da dupla Miele e Bôscoli na carreira dela. O casamento estava acabado. O caso com Nelson Motta também. Foi assim que Elis Regina começou a se interessar pelo pianista que a acompanhava todas as noites no palco do show *É Elis.*

César Camargo Mariano era um homem completamente diferente de seu amigo Ronaldo Bôscoli. Introspectivo, caladão, do tipo que parece mais tímido do que realmente é. O tipo de pessoa que você olha e pensa: "Jamais fará mal a uma mosca". Sensibilidade pura quando toca com os dedos macios no piano.

Quando conversei pela primeira vez com César, eu já mantinha um relacionamento mais íntimo com Elis. "Intimidade" é uma palavra perigosa em se tratando dela. Você passava pela primeira peneira de sua curiosidade e, se despertasse nela qualquer emoção, podia seguir em frente. Como dizia nossa mutante Elis, o fato de você ter conhecido uma pessoa um dia não significa que ela e você continuem as mesmas anos depois. Tudo está sujeito a chuvas e trovoadas. Nove anos de casamento e carreira compartilhados deixaram marcas. César criou os três filhos de Elis: João Marcelo, filho de Bôscoli, e também Pedro e Maria Rita, seus filhos com ela. Ele recorda com paixão os tempos vividos com Elis Regina:

Em 1971, estava em Porto Alegre quando recebi um recado: a Elis está a fim de você. Mas "estar a fim" podia significar muitas coisas, porque eu curtia um amor platônico pela Elis desde os tempos da Record. Só que o "estar a fim" significava simplesmente que Ronaldo Bôscoli queria falar comigo, porque precisava de músicos para montar um show. Montamos o grupo e tocávamos na boate *Monsieur Pujol*. Elis, de vez em quando, ia lá dar uma canja e ensaiar com a gente. Achávamos que ela estava ainda confusa com o processo de separação do Ronaldo e, quando estreou o show, em março de 1972, estava ficando bem mais solta. Eu passava o show inteiro olhando para ela e meu grande barato era chegar de noite para encontrá-la. Eu só encontrava Elis no palco, até que um dia recebi um recado. Ela me chamou ao camarim e me convidou para uma sessão de cinema em sua casa, no dia seguinte, uma segunda-feira: "Vou passar *Morangos Silvestres*, do Bergman, você não quer ir?". Fui sozinho — eu era casado na época. Quando cheguei à casa da Niemeyer tinha mais dois casais e uma moça. Sentei num canto, timidíssimo, não conhecia ninguém. Quando acabou o primeiro rolo, acenderam as luzes e eu ali no canto, tomando Coca-Cola. Apagou a luz de novo, Elis enfiou um papel no meu bolso e me disse que era para eu ler no banheiro. Levantei, entrei no banheiro e abri o bilhete. "Gosto de você pra caralho. Quero você pra caralho. Caguei pro mundo."

Acabei de ler o bilhete e a única vontade que tinha era voar dali. Saí pela janela do banheiro, pulei três metros de altura, peguei o carro e sumi. Fui para o Recreio dos Bandeirantes e fiquei lá até o dia seguinte. Na terça-feira, cheguei em casa e contei para minha mulher. Só reapareci na quarta-feira, quando estava marcado o início das gravações do disco daquele ano. Às duas horas eu cheguei e senti logo o clima. Elis andava de um lado para o outro, completamente vesga, não sabia se ria ou ficava brava. Eu estava desaparecido desde segunda-feira. Chamei o Menescal de lado e disse: "Dispense os músicos que vou gravar com ela *Atrás da Porta*, só voz e piano". Às seis horas, quando terminou a gravação, ela me ofereceu carona e perguntou: "Você vai passar em casa ou vai para o teatro direto?". Eu disse: "Vou passar em casa para pegar minha escova de dentes". Depois do show, fomos direto para a casa dela na Niemeyer.

Tocou o telefone num quarto de hotel do Recife. Rogério, gaúcho com cara de índio, cabelo preto escorrido, atendeu:

Géio, você se lembra daquela excursão feito o filme do Joe Cocker, que você queria fazer?

Rogério largou o Quinteto Violado na hora e acompanhou Elis Regina e o grupo formado por César Mariano, Paulinho Braga, Luisão, Alemão, Chiquinho Batera. Foram 39 shows em 45 dias, um show em cada cidade. Era o primeiro circuito universitário de Elis, de ônibus pelo interior de São Paulo, Paraná e Santa Catarina. Os shows eram organizados pelos centros acadêmicos das faculdades.

Na ocasião, Rogério Costa entrou definitivamente para o circuito profissional de Elis, com a grande vantagem de já não ser um garoto irresponsável aos olhos da irmã:

Acho que ela pensou que eu não iria me virar, que ia mergulhar. E fui à luta. Aí ganhei a cabeça dela. Era isso que ela queria, que eu me mexesse. Ela se achava muito importante porque as pessoas dependiam dela.

Quando dona Ercy diz que tinha perdido uma filha, Rogério não contesta. Ele, ao contrário, ganhava uma irmã.

Naquela época, a residência de Elis era o apartamento da Joatinga, no Rio de Janeiro. O romance com César Mariano já tinha virado casamento. Elis permitiu-se interromper o ciclo das brigas frontais e viveu um pouco de paz. Era um momento de amor e um encontro musical que mudaria mais uma vez os rumos de sua carreira e de César. Graças à sua sensibilidade musical, ele criaria para ela arranjos belíssimos e abriria a possibilidade de uma harmonia perfeita e profunda entre a casa e o trabalho.

Durante dois anos, de 1972 a 1974, o casal Walter Negrão e Orfila conviveu com Elis, César e João Marcelo no mesmo condomínio da Joatinga. Negrão, jornalista, já conhecia Elis por profissão. Orfila resistiu o que pôde a conhecê-la. Ela conta:

GRÁVIDA DE SETE MESES, ELIS APRESENTA-SE NO ANHENBI. MARIA RITA NASCEU EM SETEMBRO DE 1977.

Eu tinha um pouco de medo do temperamento dela, preferia me preservar. Acredito que nossa aproximação foi espiritual. Sou espírita e Elis começou a conversar bastante comigo sobre espiritismo. Ela era muito curiosa, queria saber, e chegou a participar das reuniões da Sociedade Brasileira dos Espíritas, com sede em Curitiba. Depois, Elis passou a psicografar mensagens.

Orfila venceu a resistência inicial e começou a participar mais ativamente da vida de Elis. Nessa época, envolveu-se tanto que foi nomeada pelo juiz da Vara de Família como a pessoa que deveria entregar e receber o pequeno João Marcelo ao pai, Bôscoli, nas visitas. Elis e Bôscoli não queriam nem se encontrar nessa época. Na verdade, muito mais Elis do que ele.

Quantas vezes passei situações incríveis porque, quinze minutos antes de o Bôscoli chegar, Elis sumia com João Marcelo, desaparecia, inventava piqueniques, coisas assim.

Como Elis, Orfila mergulhou de cabeça naquela relação.

Eu sabia em que terreno estava pisando. E a Elis era uma pessoa muito possessiva, mas acho que eu fui uma das pessoas a quem ela de fato respeitou. Elis se calava para me ouvir. Dona Ercy ficou meio com ciúme de mim porque houve uma certa transferência. Eu era quase uma mãe, embora nossa diferença de idade não levasse a isso.

Essa vontade de criar vínculos mais fortes, laços que não se rompessem durante as horas de tempestade, fazia com que ela atraísse amigos que por ela ficavam fascinados. Walter Negrão observou isso quando Elis quis dar a eles o *status* de "pais" e quando tentava dar títulos a amigos que não podiam ser apenas amigos. Em troca dessa intimidade, oferecia-se a si mesma em doses generosas. Ao mesmo tempo em que era fantástico conviver com seu talento, era terrível presenciar seus acessos de ira. Porém, quando Elis estava equilibrada, fazia feliz os que estavam ao seu lado: promovia festas, encontros e delírios. Segundo Orfila:

Foi uma convivência muito rica com os dois, ela e César. Elis era muito agitada, não era uma coisa normal. Muito acelerada, não tinha o meu ritmo, apesar de eu também fazer várias coisas ao mesmo tempo. Mas sou mais acomodada diante da vida. Ela tinha uma ânsia, uma sede de viver tudo com uma intensidade assustadora. Todas as vezes em que nos afastamos foi para que eu não ficasse sufocada nem fosse confundida com o séqüito que a cercava.

Quando a excursão pelo Sul do Brasil terminou, Rogério ficou desempregado mais uma vez. Ele não morava em lugar nenhum e acabou se abrigando na casa de Marli, secretária de Elis na época, ex-mulher de Alberto Rushell e Flávio Rangel. Também se hospedaram por cerca de dois ou três meses, na casa do diretor Fernando Faro.

— Quando eu chegava do trabalho, Elis vinha correndo me receber e dizia:

— Baixo, sabe quem te ligou? Ninguém...

Tempos depois, ainda sem emprego, Rogério foi morar num sítio, em São Bernardo do Campo. Elis e César Mariano também se hospedaram lá, quando começaram a procurar uma casa em São Paulo, já decididos a deixar o Rio. Foi aí que Rogério ficou sabendo, através do Quinteto Violado, que Roberto de Oliveira tinha uma vaga em sua empresa de produções, a Clack. Roberto era um jovem produtor, criador dos circuitos universitários e com quem artistas, como Chico Buarque, já tinham trabalhado. A Clack era uma produtora de *jingles*, tinha um pequeno estúdio e arrendava o Teatro Bandeirantes na avenida Brigadeiro Luís Antônio da TV Bandeirantes. Rogério conseguiu o emprego. E foi de lá que assistiu e contribuiu para uma grande virada na carreira de Elis. Era 1973. Rogério conta:

A Clack comprou do Marcos Lázaro um show de Elis Regina. Esse show deveria ser feito na casa de um membro da família Lutfala. Tratava-se de um apartamento na rua Mello Alves e a festa era em homenagem ao fabricante de relógios Piaget. Logo na entrada, a coisa ficou esquisita. A dona da casa chamou a Elis para entrar pela porta da frente e mandou os músicos entrarem pela cozinha. Elis não gostou e disse à mulher que preferia entrar com os colegas. E foi isso. Ela ficou o tempo todo na cozinha, conversando com as empregadas, fez o show e saiu pela porta dos fundos. Depois do show, contei a Elis como o negócio tinha sido feito: Marcos Lázaro vendeu o show por uma quantia, e nós revendemos para a dona da casa por outra. Quer dizer, por que ela deveria ganhar menos e os empresários mais?

Era o fim de uma relação que durou dez anos. Lázaro recebeu uma carta sua rompendo o contrato. Ele conta:

Elis era a minha artista mais contratada, praticamente não tinha descanso, todo fim de semana fazia show. E ela chegou a um momento em que queria ser uma artista de elite. Foi o momento em que nos separamos. Ela não queria mais fazer shows no Círculo Militar, no Paulistano. Queria trabalhar para estudantes, fazer circuitos universitários. Eu achava que aquilo estava errado. Elis, quando morreu, teve o carinho do povo, que gostava dela, queria vê-la e não conseguia. Ela não ia cantar para eles. Para mim, Elis era a artista popular de mais prestígio no Brasil. Ela não queria isso, queria outra coisa. Começou a não querer fazer certos shows — estava muito influenciada pelo marido — e um dia tomou a decisão. Esperou que eu viajasse e me mandou uma carta. Não teria conseguido falar isso comigo cara a cara. Ela me criticou muito. Na revista *Veja,* disse que não fez o show do 1° de Maio porque não ia aumentar o caviar de *seu* Marcos Lázaro. Ela também estava com alguma mágoa comigo. Me disseram que, no *Falso Brilhante,* um dos personagens que abraçava ela, o boneco, era eu, representado. Um homem que a apertava, que a deixava presa.

Roberto de Oliveira passou a empresariar Elis. Foi uma mudança brusca. Criou para ela uma nova imagem, mais inatingível, mais longe dos mexericos da imprensa sobre sua vida particular, mais comedida nas declarações sobre terceiros, mais fina e culta, mais preocupada com a política do Brasil, a política da música, a política da vida. Roberto tinha 26 anos e não queria ser empresário. Mas aceitou:

A Elis vinha de um esquema comercial com Marcos Lázaro, como ele mantinha com outros cantores. Mas ela era muito inteligente, embora não tivesse muita cultura. Seus contemporâneos começavam a exigir outro tipo de tratamento em esquemas empresariais, e ela sentiu isso. Elis era um pouco discriminada pelos outros artistas. Bethânia tinha um *status* por si só, Gal porque o Caetano Veloso e o grupo baiano passavam para ela. Além disso, Elis tinha sido casada com Bôscoli, que a levou para um mundo global, apolítico e reacionário. De repente, os cantores e os compositores da geração dela estavam em franca oposição à situação política na época. Elis tinha cantado nas Olimpíadas do Exército. E ela sabia que o seu talento era maior do que o mundo em que estava vivendo. Encontrei Elis nesse momento, quando estava tomando consciência disso. Eu só a tinha visto uma vez naquela *Phono-73*, quando cortaram o microfone do Chico Buarque. Eu estava com ele no carro quando a Elis encostou, chorando e dizendo: "Como é que fizeram isso com você?". Era uma coisa meio circense, meio teatral e, ao mesmo tempo, sincera, solidária com o Chico.

Tempos depois ela me convidou para ser seu empresário. Disse que não queria ser tratada como um saco de batatas pelo Marcos Lázaro, reclamou muito dos shows do Di Mônaco e do Círculo Militar, quando jogou o microfone na cara de um bêbado na platéia. No dia seguinte, já estava tudo acertado: tínhamos uma disputa processual com o Lázaro, que foi resolvida.

Ela tinha talento, sucesso, mas não tinha prestígio. Pensei: ela precisa ter os três. Comecei a fazer a cabeça dela, porque achava que ela falava demais, falava muita coisa e se contradizia muito. Elis se envolvia com quem estava próximo e no dia seguinte essa pessoa ficava fora e ela mudava de opinião. Não sei se ela tinha um distúrbio neurológico ou tinha pique, mas me disse que sua cabeça girava muito mais depressa do que a dos outros. E girava mesmo.

Aconselhei-lhe que cantasse mais e falasse menos. Até fiz uma coisa ridícula numa de suas brigas com o César. A imprensa telefonando e eu redigi uma nota dizendo que aquilo era um problema de casal, que ninguém tinha de se meter. Depois fiquei com vergonha, mas era uma maneira de tentar cuidar da privacidade dela. A primeira parte do trabalho foi criar um bom relacionamento com a imprensa de alto nível — o primeiro resultado foi uma entrevista nas páginas amarelas da revista *Veja*.

O jornalista Sílvio Lancelotti iniciou naquele dia uma amizade com Elis que duraria anos. Sílvio relembrou:

Esse encontro foi muito engraçado, pois a Elis parecia não querer me dar a entrevista. Estava muito desconfiada. Fui à casa dela, na rua Califórnia, e ficamos umas três horas conversando, até que eu pudesse entrar no assunto da entrevista. E aconteceu um fato muito engraçado: ela ainda estava arrumando as coisas na casa, pois tinha acabado de se mudar. E enfrentava um problema com os tapetes, já que Marcos Lázaro devia a ela trinta mil cruzeiros (equivalentes hoje a 11,5 dólares), ficou de pagar os tapetes e não pagou.

CÉSAR CAMARGO MARIANO, TOM JOBIM E ELIS REGINA, JUNTOS EM DISCO HISTÓRICO, NA GRAVAÇÃO EM LOS ANGELES.

Na entrevista, publicada em maio de 1974, Elis falava de seu encontro com Tom Jobim, na comemoração de seus dez anos de Philips. Os dois gravaram um disco juntos em Los Angeles. Para Elis, era um passo definitivo. O encontro com o grande criador musical da Bossa Nova e da música de raízes cultas. Um grande artista a quem ela tinha de tirar o chapéu. E eram poucos a quem Elis tinha de tirar o chapéu. Roberto Menescal, na época diretor artístico da Phonogram, relatou sua experiência com um dos discos mais lindos de toda a história da MPB:

Eu ligava todo dia para saber como é que o Aloysio de Oliveira estava se virando com os dois. Ele dizia todo dia: "É meio difícil, mas tudo bem". Aí falei com a Elis ao telefone e ela disse: "Está uma merda, não tem nada bom, o Tom é um babaca, um chato, reage contra os aparelhos eletrônicos, diz que vão desafinando e afinando não sei o quê, fazendo tipo, e a gravação está babaca, parecendo bossa nova". Perguntei: "Mas, Elis, esse tempo todo não saiu nada?". "É", ela disse, "tem uma musiquinha boa". Aí começou a se animar na conversa, a se animar e no fim do papo o disco estava ótimo, maravilhoso. "Estou louca para chegar ao Brasil e te mostrar. Todas as faixas estão lindas".

O Roberto de Oliveira seguiu para Los Angeles dias depois:

A Elis estava meio esquisita. Acho que viu um pouco o Ronaldo Bôscoli em Tom Jobim. Ela me ligou dizendo que estava de malas prontas para voltar. Fui correndo para lá. Não sei, na minha presença ela parecia se sentir mais segura. Alguém tinha me dado a idéia de registrar aquele encontro em filme e fiquei fazendo um especial para a TV Bandeirantes. Elis dizia que o Tom era velho, não velho, mas que ela tinha a preocupação de ser moderna e achava que ser moderno não era o Tom Jobim. Moderno era o piano elétrico do César, e o Tom não queria o piano elétrico do César, que acabou entrando. O disco era um revival dos anos 1950. Naquela época eu achava que o disco deveria ser mais aberto, queria que ela gravasse em inglês, pretendia transformar Elis numa cantora internacional. E percebi que ali, para fazer sucesso, era preciso fazer um circuito universitário, fazer cinqüenta, cem shows e passar seis meses por ano morando nos Estados Unidos. Elis não gostou nada da idéia e fiquei cabreiro. Eu achava que ela devia entrar na faixa da Dionne Warwick, enfrentar o esquema de consumo mesmo, entrar na briga. Elis não gostava, achava que tinha de ser do Brasil, brasileira, aquelas histórias. Ficamos um mês gravando o disco e o especial, e Elis embarcou de volta para o Brasil no dia de seu aniversário: 17 de março.

17 de março de 1974, 29 anos. Fiquei lá e, quando voltei, tudo estava diferente. Elis vivia uma fase feliz com César Mariano e o episódio com Tom virou muito a cabeça dela. Acho que voltou dos Estados Unidos com mais moral e seu público também mudou. Elis fez então seu primeiro show de teatro nesta fase, no Maria Della Costa. Era um show de bom gosto. Não tinha cenário nenhum, só um fundo neutro. Era um concerto. Antes disso, tínhamos colocado no ar o especial da Bandeirantes e fizemos um show de um dia no Teatro Bandeirantes, com Tom, ela e orquestra, e cobramos caríssimo, um ingresso de duzentos cruzeiros, quando o de show estava custando trinta. Ela fez também uma apresentação na Globo, que eu não queria. Mas pedi um absurdo de dinheiro para o Boni e ele pagou. Encerrada a fase do Maria Della Costa, começamos um circuito universitário.

Narrada por um outro ângulo, eis a versão de César Camargo Mariano para o encontro entre Elis e Tom Jobim:

Chegamos a Los Angeles às oito da manhã e, quando descemos do avião, lá estava o Tom Jobim, com uma florzinha na mão para Elis. Fomos direto para a casa dele e começamos a conversar. De repente, ele vira e pergunta ao Aloysio: "Quem vai fazer os arranjos?". Já deu aquele branco. Quando Aloysio respondeu: "O César", Tom ficou louco. "Não", ele disse. E começou a ligar para o Klaus Ogerman, para não sei quem, e nós olhando. A Elis ficou muda, bebendo uísque. Para sair do impasse, sentei ao piano e começamos a preparar o repertório. Aí o Tom já não ligou para mais ninguém e fomos para o estúdio. Ele não queria piano elétrico, uma série de coisas. Quando fui fazer os arranjos, a Elis levou o João Marcelo para a Disneylândia, mas o Tom ficou. Quando sentei ao piano, o telefone tocou: "César, como é, já fez alguma coisa?". "Não, Tom, estou começando".

E foi assim até que terminei. Ele não queria ir lá fazer comigo, mas ficava telefonando. Na hora que fui mixar o disco, aconteceu a mesma coisa. Ele telefonava de cinco em cinco minutos. Mas, quando terminou o trabalho, o Tom virou para a gente e disse: "O problema é que vocês estão acostumados a tomar banho de chuveiro e eu, de banheira. Me desculpem".

Exatamente nesta fase, 1974, Gilberto Gil voltou a se reencontrar com Elis:

Mandei *O Compositor me disse,* para o disco *Elis* (1974). Essa música foi feita para ela. É uma coisa que eu queria dizer por causa do excesso de tensão que eu estava percebendo nos discos dela naquele período. Quis mandar um recado com a música. Tipo assim meio terapeuta que diz: "relaxe", como se ela estivesse vindo a mim para eu fazer uma massagem nela. Quando a gravação veio, me pareceu que ela assumiu uma atitude exatamente oposta do que achei que estaria comunicando. Era como se eu estivesse dando a massagem e os músculos dela fossem ficando mais tensos, e, no final, ela tinha virado uma pedra. Quando ouvi, fiquei com essa sensação. Comentei com alguém, e tudo chegava aos ouvidos, certamente chegou a ela. Foi uma época em que Elis estava bem estremecida com todo mundo. A qualquer lugar que a gente ia, estava sempre ocorrendo um probleminha com a Elis. Nosso próximo passo foi outra música. Mais uma vez não nos falamos. Aí eu fiz *Rebento* e ela não gravou. Mandou um recado: "Não entendi a harmonia".

Só veio a cantar *Rebento* depois que gravei. Em *Se eu quiser falar com Deus,* houve um problema de outra ordem. É incrível, minha vida com a Elis era uma coisa impressionante. Sem querer. Eu ia gravar essa música e ela me pediu uma para o disco. Mandei *Palco*, que ela acabou não gravando. Mas eu estava no estúdio quando a Elis me ligou, dizendo: "Gravei *Se eu quiser falar com Deus* e vou lançar. Eu disse: "Mas estou lançando um compacto com essa música, como é que a gente faz?".

Aí ficou aquela situação. Ela gravou e não colocou no disco. A Odeon lançou depois de sua morte. Meu editor disse a ela que é praxe quando você grava ter a exclusividade por um período de sessenta dias.

Gilberto Gil havia entrado na vida de Elis Regina no ano de 1965. Na época, contratado como administrador das indústrias Gessy-Lever, Gilberto Gil apareceu no apartamento de Elis na avenida Rio Branco em São Paulo vestido de terno e gravata, pasta 007 na mão. Elis achou engraçado. Mas ouviu *Louvação*,

Lunik 9 e muitas outras. Impressionou muitíssimo o jovem compositor:

Para mim, Elis era o símbolo daquilo tudo, daquela novidade toda. Ela até legitimava muito a minha ambição. Achei que tinha chegado o tempo da gente. Ela era diferente das outras cantoras — a gestuália toda, a voz, o modo de cantar, o repertório. E eu fiquei logo oprimido na primeira vez que a vi. Esses artistas todos me oprimem. Com Maria Bethânia tenho a mesma sensação. São todos meus pares, porém, me sinto oprimido. Então, vê-la em casa, descontraída, a coisa se tornava mais palpável. Eu ficava com tesão. Ficava louco por ela. Ela nunca soube disso. Pode ter suspeitado, porque eu era muito terno com ela. Fui lançado por ela, embora Gal tenha sido a primeira a gravar música minha. No entanto, Elis tinha um zelo de sempre incluir músicas minhas em seus discos. Me tratava com muita altivez, mas com calma. Isso porque eu era doce e adocicava tudo, porque sou naturalmente assim com quase todo mundo. Com ela eu era inspirado pela opressão que sentia, pela coisa toda que ela me dava, uma coisa de apaixonado também. Eu ficava ali, servil e fragilizado, e então ela se aproveitava disso para instalar a altivez dela. Mas tenho a impressão de que ela era assim com os artistas em geral, deve ter sido assim com todos eles, músicos importantes para ela, colegas importantes. Ela deve ter tido uma relação na qual o sentido de competição era muito na frente de tudo. Não que eu possa me referir a ela como algo de minha relação pessoal — acho que era uma coisa genética. Com o tempo, porém, isso foi ficando mais desenhado, como uma arquitetura, uma coisa construída. Foi ficando mais como um modelo armado por ela. Elis foi encontrando uma maneira de sofisticar aquela altivez, estereotipar. Foi ficando mais estereotipada e sofisticada, pelos assuntos que escolhia para conversar, o tipo de humor que escolhia para fazer, o caráter picante da personalidade, que era muito na frente. Tenho a impressão de que ela foi tendo critérios diferentes para diferentes pessoas. Foi ficando civilizada. Foi tendo aquela coisa de finura, e o sonho dela de polimento de pessoa mesmo. Junto com isso, foi solidificando a crosta da dificuldade. Tornou-se mais difícil. Na época do Tropicalismo foi uma barra. Ela ficou ressentida, eu acho. Voltamos a nos encontrar, em 1973, quando ela gravou *Oriente* e *Doente Morena*. Ela nunca telefonava para mim. Sempre mandava recado: Elis quer falar com você. Devia ter percebido que eu era apaixonado por ela. Ficou esquisito outra vez. Em *Oriente*, ela cantava uma frase, uma palavra errada na música, e depois eu me referi a isso. Não cheguei a falar com ela, mas ela ficou sabendo. É naquele pedaço que diz: *Aranha vive do que tece*. Ela gravou: *Aranha duvido que tece*.

Acho que ela não entendeu a letra. Quando ouvi, fiquei abismado com aquilo, era muito diferente e engraçado um equívoco dessa ordem. Como duvidar de uma coisa daquelas? Que coisa estranha a Elis não conhecer esse ditado? Ela não gostou de eu ter falado sobre aquilo.

O circuito universitário de Roberto de Oliveira, em julho de 1974, mexeu com a cabeça de Elis, que decidiu de vez sua mudança para São Paulo. Sem casa, Elis, César e João Marcelo foram hóspedes do casal Abelardo e Laura Figueiredo.

Elis me ligou e disse: “Laurinha, vou ficar aí, estou com um problema, vou me hospedar em sua casa”.

Eu retruquei: “Elis, só uma semana”. E ela: “Tá, Laura, no máximo quinze dias”.

Elis, César e João Marcelo ficaram três meses. Laura conta:

ELIS, NO PROGRAMA SOM LIVRE EXPORTAÇÃO, AO LADO DE IVAN LINS E A TURMA DO MAU, NA TV GLOBO.

Era fatal. Eu trabalhava e, quando voltava, de noite, ela já tinha armado o esquema, o circo todo dela: "Essa empregada não pode ficar, aquela pessoa não pode mais vir aqui!".

Tomou conta da casa. Até que um dia ela saiu brigada comigo. Foi por causa de uma coisa que eu disse lá na PolyGram e contaram para ela. Eu estava trabalhando com o Michel Legrand num dia de muitos problemas e falei: "Meu Deus, ídolo só no palco mesmo!". Ela achou que era com ela, se ofendeu e foi embora.

Essa foi a segunda vez que Elis se hospedou na casa dos Figueiredo. E com dois maridos diferentes. As duas filhas do casal, Mônica e Patrícia, tiveram, ao longo de suas vidas, um contato profundo com Elis. Com Mônica, a mais velha, Elis costumava sair às compras e mostrar sua intimidade como dona de casa e mulher. Com Patrícia, queria exercer o papel de mãe e, a certa altura, tentou salvá-la de se transformar numa dondoca. Quando Laura foi morar em Paris com as filhas, Elis escreveu duas cartas a Patrícia, que na época tinha quinze anos:

> São Paulo, 3 de setembro de 1974
>
> Alô, alô, dona Patrícia.
>
> Mil beijos e abraços.
>
> Recebi a sua carta com um certo atraso. Estávamos em excursão, Sul do Brasil. Mais um circuito. Que começou na minha santa terrinha. Aliás, muito bonita. Já tem até túnel. Saca. Gente fina é outra coisa.
>
> Como é? Paris é uma festa? Bonito tudo, não? Já deu pra sair da transa? Me lembro que quando fui a Paris pela primeira vez foi um tal de andar e andar que não houve sapato que resistisse. Se já não houve, daqui a pouco vão começar as liquidações. Panos mil. Um baratão.
>
> Diz à Mônica que eu tenho uma amiga que está estudando violão com o Jean. Ela disse que ele é uma pessoa maravilhosa.
>
> São Paulo continua aquela graça. Cada dia me apaixono mais pela cidade. Eta! Aqui tá bom. A minha casa acabou de ganhar cortinas de presente. Chique. Parece menina em véspera de baile de debutantes...
>
> Diz à Laura que eu vou fazer uma consulta com um médico amigo meu, pra ver esse negócio do braço dela. Que nós esperamos que ela fique legal. Vou ver um remédio pra gastrite, também. Esse médico é uma barra. Já fez até cego ver. Glória!
>
> Estamos trabalhando feito uns doidos. João desenvolvendo tudo que tem direito. Já cresceu quatro dedos desde que viemos pra cá. Incrível.
>
> No mais, poucas histórias. Tenho trabalhado e me divertido muito. Só. Além do mais, se alguém tem coisas a contar deve ser você. Casa nova, vida nova, mundo novo. Manda lenha.
>
> Dá um beijão na Mônica e um abraço enorme na sua mãe. Diga que nós esperamos que ela melhore. E que aproveite sua vida nova.
>
> Vê se não deixa passar um segundo do que você vai ver e viver. Fique atenta. Qualquer descuido pode ser fatal. Aproveite essa chance. Você ganhou ouro em pó de presente. Faça jóias com ele. Não pense muito em robes, *chaussures* e *coiffeurs*. A vida não é isso. Muito menos Paris. Não seja provinciana. Aja como uma mulher desenvolvida, que é o que não há por aqui. Meta uma calça comprida, uma bota, caderno e lápis e equipe-se para a vida. Isso, eu te garanto, não sairá dos salões e das *maisons* Dior. Até eles, que inventaram essas coisas, já

sacaram que isso não está com nada. Que é uma mentira e coisa de minoria ridícula, que está em franco processo de desaparecimento, felizmente, que não tem os pés no chão e que na hora do tombo é que mais vai se machucar, porque trepou mais alto que o coqueiro.

Não sei se você vai gostar ou achar uma merda tudo isso que eu te disse. Mas saiu e agora já tá...

Um beijo e saudades de todo mundo aqui de casa. Carinhos.

Elis.

Escrevi à máquina porque minha letra continua uma gracinha. Quis facilitar...

São Paulo, 9/10/74

Patrícia,

Acabei de receber sua carta e respondo logo, antes que apareça uma viagem qualquer. Que agora as coisas andam assim. O que tiver que ser feito que o seja logo, senão não se sabe mais quando vai fazer.

Estamos trabalhando feito uns mouros. Assim não vai dar certo. Te esconjuro!

Temos, independente disso, tido tempo para um cineminha, um teatrinho e coisas do gênero. Mas, cada dia mais, nos entocamos e vivemos nossa vida, nós quatro. Continuo não querendo conhecer gente que eu não conheço.

Acabamos de gravar um disco que está uma barra muito pesada. Desde a capa até a mixagem. Sem oba-oba, sem festa e coisas que tais. Disco pra macho! Pô! Sem sacanagem, tá legal. Arrisco mesmo a dizer que foi a melhor coisa que nós já fizemos até hoje. Disparado.

João já cresceu mais. E está cada dia mais louco. Graças a Deus. Que eu não tenho saco pra filho organizado e careta.

Já vi a Maria Laura. Ela está lindinha no tape. Mas muito bonita mesmo. Eu reconheci logo que vi.

Esta semana fizemos o concerto ao vivo com o Tom. Gostei. E parece que as pessoas gostaram também. Ficamos felizes para...

Li algumas coisas sobre o trabalho do teu pai. Mas muito pouco. E não o tenho visto. Assim, não posso te mandar muitas notícias a respeito do Velho. Desculpe, Electra!

No mais, nossa vida continua incrivelmente legal. De dar até medo. Que não estou muito acostumada a bons tratos, você sabe. E a única novidade é que César tirou o bigode. Um barato. Tá a cara do pai dele, que é um velho muito bonito, *en passant*. Afinal, caiu o último reduto armado contra a timidez. Um simples e singelo bigode. O moço está impossível. Bonito!

Lamento, mas nossa vida está tão ridiculamente calma, tranqüila e feliz que há pouco a ser contado. Quem sabe da próxima vez há outras novidades?

Dê beijos em dona Mônica e dona Laura.

E diga à Norma que Cida casou e que não está mais trabalhando. Agora ela tem um senhor que a ajuda. Tipo fina. Um luxo!

Procê, mil beijos e saudades. E escreva sempre, que será uma honra tê-la em nosso programa. Pena que a televisão, digo, a carta, não seja a cores.

Todo carinho e mil beijos do pessoal daqui do Brooklin Novo. Mais saudades e mais carinho.

Elis

Para a jornalista Mônica Figueiredo, as recordações de Elis têm um sabor especial. Mônica conviveu com o lado "tricô" de Elis, quer dizer, esteve com ela em situações bastante íntimas. Como o fato de dividirem o mesmo banheiro. Elis buscava sua companhia para programas que não fazia sozinha. Exemplo: sair de manhã, ir para o Guarujá e voltar no fim do dia. Com Mônica, também saía para procurar coisas que queria comprar — das miudezas a uma casa. Mônica:

Lembro de uma bandeja de prata enorme, dessas que a gente ganha em casamento, na qual Elis guardava a sua maquiagem. Colocava tudo direitinho e arrumadinho: as sombras numa fila, os lápis na outra. Ela tinha de tudo. Ficou usando essa bandeja até que o acrílico entrasse na moda. Aí ela comprou uma bandeja de acrílico. Tinha uma enorme coleção de sapatos e me lembro que na casa da Niemeyer ela mandou fazer um armário só para colocar os sapatos. Na coleção tinha de tudo — desde aqueles tamancos do doutor Scholl (de todas as cores) até sapatos importados. Lembro de um em particular, porque o Ronaldo odiava: tinha uma borboleta imensa de ferro na frente.

Certa vez, apaixonou-se pelo disco *Milagre dos Peixes*, do Milton, e depois ficou louca pelo livro que conta a vida da Isadora Duncan. Cismou que era uma reencarnação da Isadora e andava com o livro para cima e para baixo. Elis gostava de ler e era muito interessada em todos os assuntos. Me ajudava a fazer os deveres da escola e a melhor coisa era quando encapava os meus cadernos. Era uma perfeição. Eu ia para a casa dela todo começo de ano.

Os seus armários, em casa, nunca vi igual. Tudo limpinho e arrumadinho. Adorava robes e penhoares. Tinha vários. Quando a gente saía para fazer compras, ela gostava de ir à Sears e ficar fuçando, procurando o que comprar. Às vezes, entrava numa loja de roupa chique e gastava fortunas.

Quando Elis ficou grávida do Pedro, a levei no doutor Cláudio Basbaum. Tinha lido uma matéria no *Jornal da Tarde* e Elis comprou o livro, traduziu... Já sabia tudo sobre o parto Leboyer quando foi ao médico. Depois do parto do Pedro ela voltou para o quarto sentada na maca, às gargalhadas.

Ela também cismava com algumas coisas de vez em quando: o seu quarto, na casa da Rua Califórnia, era marrom. Um dia, cismou que aquilo era a razão de andar deprimida. Achava que a vida estava péssima por causa do marrom do quarto e mandou pintar tudo de branco. Mas as decisões eram assim, de um dia para o outro. E a produção funcionava. Quando foi morar na Cantareira, resolveu usar roupas lânguidas. Estava sempre de vestido comprido ou de *jogging*. Elis fazia as suas próprias unhas e, quando morreu, estava com as unhas feitas. Gostava muito de cremes de limpeza de pele, comprava um monte de produtos.

Sua bolsa era um fenômeno à parte. Tinha tudo: de alicate de unha a estojo escolar com lápis, canetas. Tinha maquiagem, espelhos, caderninhos e caderninhos... Um para cada coisa.

Gostava de fazer tapetes, tricô, crochê, e tinha uma máquina de costura. Fez o enxoval dos filhos, bordou camisinha pagão. Certa época, decretou o fim da empregada à noite: ela mesma fazia tudo, cozinhava para todo mundo.

Desde pequena acompanhei Elis nos camarins. Às vezes a gente ficava sozinha lá dentro, jogando crapô. As pessoas batiam na porta e ela não deixava entrar. Era minha tarefa pendurar na parede cartões e bilhetes que ela recebia durante os espetáculos.

Quando o João Marcelo ficou doente, lá no Rio, fiquei na clínica com ele e Elis. Ela fazia quilômetros de

palavras cruzadas e tinha de acordar cedo para ir buscar o leite humano que João suportava. Ele era alérgico a leite em pó. No primeiro dia em que consegui tirar Elis do hospital para descansar um pouco — dormíamos as duas num sofá —, fomos para a casa de minha tia Elza, que preparou um banho de espuma para Elis. Quando ela entrou na banheira fez um escândalo: ria e ria e chamava todo mundo para ver.

Já em São Paulo, instalada na casa da Rua Califórnia, no bairro do Brooklin, Elis achou que era hora de reunir de novo a família.

Chamou o pai e a mãe para morar na casa em frente, que ela alugou. O mano Rogério preferiu viver com Elis, e depois casou-se com Biba.

Na verdade, Elis pensava em montar uma estrutura familiar que segurasse sua barra profissional. "Se alguém tiver de ganhar, que ganhem os meus", me disse certa vez.

Rogério, empregado de Roberto de Oliveira na Clack, era um funcionário *full time* de Elis:

A situação me deixava bem mais à vontade, porque eu trabalhava para ela, mas não era ela quem pagava meu salário. Já podia chegar na frente dela e ter outro tipo de conversa, não era ela quem me pagava. Podia fugir da pressão econômica que ela sempre exerceu e ditou: "eu tenho, eu pago, eu faço".

Fortalecido, Rogério notou, como já havia percebido com Marcos Lázaro, que alguém estava sobrando nessa ligação com Elis. Era ele quem fazia o trabalho todo, e a Clack recebia a sua porcentagem. Além disso, Rogério começou a querer ganhar mais dinheiro:

Por que dar essa grana para o Roberto? Podemos rachar entre nós dois, disse a Elis.

Ela topou e nasceu a Trama, o escritório de produção de Elis Regina. Foi um bom período, nas recordações de Rogério:

A Elis soltava a imaginação criando coisas, viajava, e eu botava os pés no chão. Começou a me ouvir mais. Às vezes, até topava fazer um show comercial para conseguir dinheiro e fazer o que queria. Ela ia à luta do dinheiro.

Em casa, tudo corria bem nesse curto momento de felicidade plena, em que Elis Regina decolou para a sua definitiva e arrebatadora experiência: trinta anos de idade, dois casamentos, dois filhos, já tendo passado por poucas e boas na vida. Começou a nascer o espetáculo *Falso Brilhante.*

Orfila, amiga dos tempos da Joatinga, foi chamada para a produção. Rogério Costa estava a postos. Na tentativa de buscar um diretor que topasse uma empreitada do porte que Elis estava querendo, bateram em Chico de Assis, Ademar Guerra e Silnei Siqueira, que recusaram ou estavam ocupados. Silnei indicou sua vizinha, a atriz Miriam Muniz, casada com o ator Sílvio Zilber e no comando do Centro de Estudos Macunaíma, onde se tentava conciliar o trabalho de atores com as experiências psicanalíticas de Roberto Freire.

Miriam Muniz. Quando as duas trocaram os primeiros olhares, quem tinha sensibilidade percebeu. Aquilo ali ainda ia dar muito pano pra manga! Dois temperamentos fortes. Duas mulheres explosivas e talentosas.

CAPÍTULO 7

viver é melhor que sonhar

Era uma relação que parecia uma dinamite. Eu dinamitando e ela acontecendo. Quando acabou, eu estava completamente enlouquecida.

MIRIAM MUNIZ

CONHECI ELIS REGINA DURANTE OS ENSAIOS PARA O ESPETÁCULO *FALSO BRILHANTE*, EM DEZEMBRO DE 1975. EU TINHA 24 ANOS E TRABALHAVA HÁ TRÊS COMO REPÓRTER DO *JORNAL DA TARDE*. ELA ensaiava debaixo do Viaduto do Chá, sob os pés de milhares de paulistanos. O local — uma passarela suspensa — pertence à Secretaria Municipal de Cultura e abrigava os ensaios do Corpo de Baile. Fica na Praça Ramos de Azevedo. Em 18 de abril havia nascido Pedro, seu segundo filho e o primeiro com César, na maternidade do Hospital São Luiz, em São Paulo. Cinco meses depois, Elis, César Camargo Mariano, os músicos Natan, Crispim, Nenê e Wilson começaram a trabalhar incansavelmente sob as ordens de Miriam Muniz, a diretora. Lu Martin se encarregou dos figurinos. O bailarino José Carlos Viola foi contratado para encontrar uma linguagem corporal para o grupo. Exercício, muito exercício. O psiquiatra Roberto Freire ficava sempre por perto, dando assistência. Quando a barra dos laboratórios propostos por Miriam pesava, Roberto intervinha. Quando o gênio e o temperamento de Elis e Miriam se cruzavam como chispas, ele mediava.

Naquele começo de noite, Elis me pareceu tão segura, inteligente e interessante que me paralisou. Anos depois, durante a convivência mais íntima que mantive com ela, a sensação já não era a mesma. Elis tinha uma conversa sempre nova e gostava de discutir política comigo. Adorava meter o pau no governo, vociferar contra as injustiças. Nos sete anos em que convivemos, tivemos também grandes, longas, bobas e profundas conversas sobre a vida, e pude testemunhar a personalidade magnética de Elis. Admirava sua vitalidade básica, a energia com que se entregava e o firme propósito de fazer melhor, de ser sempre a melhor.

ELIS, DONA DE UMA PERSONALIDADE MAGNÉTICA, COSTUMAVA SE ENTREGAR COM ENERGIA EM TODAS AS SUAS APRESENTAÇÕES.

COM UM DOS FIGURINOS DO ESPETÁCULO *FALSO BRILHANTE*, EM QUE PODE MOSTRAR QUE SEU TALENTO ERA MAIOR DO QUE JÁ SE SABIA.

Saí do primeiro encontro com a cabeça quente. Fui para a redação e escrevi minha reportagem sobre ela, publicada no *Jornal da Tarde* do dia 10 de dezembro de 1975, uma semana antes da estréia de *Falso Brilhante*.

Na época, eu fazia análise com Roberto Freire e, simultaneamente, freqüentava um curso que foi chamado de "psicotransoterapia", com Miriam Muniz e Sílvio Zilber. Na verdade, eram exercícios para liberar emoções escondidas, que aconteciam no Centro de Estudos Macunaíma. Miriam Muniz nos assustava com a sua força, audácia e obsessão pela profundidade das coisas. Chegava às últimas conseqüências em seus exercícios de liberação. Gostava muito dela. Dez anos depois nos reencontramos para uma entrevista. Nossas vidas tinham dado grandes reviravoltas. Miriam não era mais casada com Sílvio Zilber e havia brigado publicamente com Elis por causa de uma porcentagem que ela achava ter direito sobre a bilheteria de *Falso Brilhante*. Reencontrei a mesma pessoa forte, inteligentíssima em suas observações. Miriam Muniz morreu em 18 de dezembro de 2004, aos 73 anos, vítima de um efizema pulmonar. Um trecho de seu depoimento sobre Elis:

Fiquei curiosíssima com o convite de Elis para dirigir *Falso Brilhante*. Já gostava muito dela, porque, quando eu fazia o Teatro de Arena, ela era espectadora. Ela era vibrante, estrábica, risonha, faladeira. E minha fã. Eu ficava prazerosa de ver aquela menina ser minha fã. Ela era namorada do Solano Ribeiro e depois desapareceu da minha frente. O Fauzi Arap me disse depois: "Sabe que aquela menina é uma cantorinha fantástica? Ela se mexe de um jeito extraordinário". Aqueles penteados, aquela bomba atômica, a roupa cheia de babados. Ela não fazia economia, com tudo e em tudo. Um pouco perturbada, ela herdou da minha geração a perturbação, a ansiedade, o medo de não conseguir. E aquele medo dava aquele destrambelho. Ela ficava a um fio do excepcional. Ela era excepcional. A sexualidade fortíssima, uma sensualidade, pequenos perfumes. Eu era bem apaixonada por ela e ela virava a minha cabeça, por isso fui trabalhar com ela.

Sou de Escorpião e ela era de Peixes. Naquela época, eu não era ligada em astrologia, mas sentia que tinha uma energia que me atraía. Ela era toda deslumbrada comigo, porque sou misteriosa. Reagia, me agredia. Eu brigava demais com ela. Brigava para valer. Falava de tudo, e ela falava tudo para mim. Era uma relação que parecia uma dinamite. Eu dinamitando e ela acontecendo. Quando acabou, eu estava completamente enlouquecida. Até hoje isso fica emaranhado na minha cabeça, porque briguei por causa de dinheiro. Nunca briguei com eles pelo lado artístico. Não sei o que me deu, porque eu era só azeda nessa época, só agressiva. E tinha de ser, porque eu era muito tímida. Igual a ela. No meio do trabalho eu estava podre: me separando do primeiro marido, tomando comprimidos para dormir, para ficar acordada, para ficar mais contente, literalmente desmoronada. Meu lado artístico estava bem — estava quase morta, mas tinha conseguido. Penetrei na intimidade de Elis, fui na casa dela, vi a relação dela com o marido, com os filhos. Muito parecida comigo. Uma mulher que adorava ser dona de casa. Nos ensaios, lá no porão, ela organizou uma cozinha para ficar mais barato e uma cozinheira — ela é quem dava as ordens e, na hora do jantar, fritava bife. Tinha prazer de servir as pessoas, de dar de comer. Coisa de gaúcho, de italiano, de português.

Fiquei quatro meses vendo Elis cantar na minha frente só para mim. Imagine que prazer! Se eu começasse a botar defeito, a criticar mais ou querer mais, ela sabia que podia. Mas às vezes chegava um dia qualquer e ela vinha, dava tudo — e você tinha de ficar de quatro, senão ela não dava. Tinha de se render a ela. Aí, sim, ela te dava tudo. Eu sabia que ela gostava de mim e tivemos uma relação muito forte. A gente não sabia se aproximar, se fazer carinho, não sabia chegar mais perto, ser mais suave. Foi acontecendo o *Falso Brilhante* e senti, antes de começar, que ia ser muito bom, porque eu tinha muita admiração por ela. Queria fazer uma história dela. Ela gostou da idéia, do geral. Elis olhava tudo e via, tinha uma intuição finíssima. Parecia um bichinho que sente o cheiro, e sabe perfeitamente quando está ouvindo ou não está. E, quando ouve, ouve muito bem, afinadíssimo. Afina tanto que dá desespero. Ouve bem, enxerga muito bem, seu instinto está inteirinho no pedaço. Nem precisa pensar muito, é só sentir. O roteiro foi indo, ela foi sentindo, se interessando, se apaixonando, tendo prazer. Dizia no começo do trabalho que estava travada, tinha tido problemas na separação do primeiro marido, tinha um filho de cinco anos que o marido mandava buscar com a polícia, em São Paulo. Ele sentava no meu colo no teatro, mas do lado da mãe era um tormento. Aquilo era ruim, porém, ao mesmo tempo era bom, porque servia para a interpretação, pois aí ela fazia um drama perfeito. Autêntica. Ninguém sabia cantar bolero melhor. Uma brasileira, uma pessoa iluminada.

Depois de ser atriz durante um tempo, de ficar muito perturbada com essa atriz que tenho dentro de mim, entendi a Elis, porque eu sabia o que é estar num palco e ter de fazer o papel de mãe. Elis tinha uma luz: de vez em quando, nesses quatro meses de ensaio, pintava essa luz, e quando eu via a Elis toda iluminada me dava um prazer, me dava uma vontade de ir lá, levantar, aplaudir, agradecer, beijar.

Essa artista foi fazendo e dando todo o seu colorido, e se divertia demais, porque gostava de dar risada. Tinha um lado assim que era uma perfeita bruxinha — uma bruxinha boa e má, de que o artista precisa. A Elis foi uma coisa bonita na minha vida.

O roteiro de *Falso Brilhante* foi criado na mesa por todos. E eu coordenando, não sei explicar bem como, porque nunca tinha feito aquilo antes. Ia aprendendo com eles. Elis foi muito inteligente — fez um trabalho de mergulho nele, e é preciso ser corajosa. Geralmente as pessoas ficam na superfície gozando do dinheiro que recebem e continuam sempre iguais. O Naum (Alves de Souza) fez o cenário, o Viola, o corpo. Se o Roberto Freire não tivesse entrado também, não sei como ia ficar. Era difícil. Fiquei só até dez dias depois da estréia. Aí não fui mais, nunca mais. Como tinha ficado contente com o resultado artístico e o problema do dinheiro foi uma briga, preferi não ir. Ganhei pouquíssimo, poderia ter ganhado uma casa para morar, que ainda não tenho, aos 53 anos. Poderia ter sentado a minha bunda para poder trabalhar sem pagar aluguel. Mas soube depois que ela falava assim toda noite: "Paguem a Miriam Muniz!".

Naturalmente, não era ela quem cuidava do dinheiro. Era o pai, o advogado. Ganhei pouquíssimo, mas não desisti. Não tinha ninguém que cuidasse das minhas coisas, não tinha advogado — acho que saí da Idade Média. Eu era uma mulher independente e nem sabia do que estava falando. Independente nada: uma boba, uma idiota, não admitia palpites na minha vida. Quando eu caía na real, era uma imbecil perturbada.

A Elis devia sentir isso em maior grau, pois queria fazer a USP — imagine! — para poder se colocar melhor, não fazer grossura, se comportar. Quem sabe arrumando o intelecto, as outras coisas se assentassem. E resolvi fincar o pé, porque achava que o Naum, como cenógrafo, tinha direito a ganhar uma porcentagem. Eu queria dar um empurrão nisso e pensava no Flávio Império, que nunca tinha conseguido. Eu queria forçar a barra. Acabei tendo de repartir com o Naum. Fui a coordenadora do espetáculo, de criação, o texto é assinado por mim, duas coisas das quais abri mão nos meus direitos para eles. Estava tão apaixonada por ela e não me preocupei com o que ia ganhar. Naquele tempo eu era bem louca para não pensar mesmo nisso. Sempre tive umas coisas assim de sagrado na minha arte, coisa babaca da minha geração. Acreditava que não dava muito certo misturar dinheiro e arte. Me estrepei. Porque ela tinha pessoas que cuidavam disso para ela. Foi imbecilidade minha.

Quando acabei de montar o show, fui embora para casa e dormi cinco dias. Desmaiei, fiquei doente. Ganhei quinhentos mil cruzeiros (equivalentes hoje a pouco mais de 37 mil dólares), acho que era um milhão, dividido com o Naum. Fui para o Macunaíma, coloquei um talão de cheque na minha frente e fui fazendo outros. O Sílvio ditava até sobrar cinqüenta mil cruzeiros, com os quais comprei presentes de Natal. Foi um trabalho de dia e noite, assim como a doença do Tancredo. Saí do Macunaíma e o Sílvio me deu cem mil cruzeiros pela sociedade. Quer dizer: negócio de dinheiro eu nem posso começar a falar. Hoje, quando trato de negócios, tenho uma pessoa que negocia para mim.

Quando Elis chegou ao Macunaíma e começou o trabalho com a gente, disse que estava com um problema que travava a voz. Não conseguia soltar tudo o

COM O ELENCO DE *FALSO BRILHANTE*, ESPETÁCULO QUE PERMANECEU UM ANO E DOIS MESES EM CARTAZ, COM CASA CHEIA E SUCESSO ABSOLUTO.

que podia. Na hora de cantar, doía tanto que parecia que a voz estava desaparecendo. Foi uma mexida emocional muito forte nela. Ela era exagerada, exagerada... Se não fosse o Roberto Freire eu não teria segurado. Ele estava sempre por perto, feito um fantasma. Teve muita paciência. Não éramos só nós duas que tínhamos cabeças complicadas. Todos tinham. Houve um dia em que pusemos setenta pessoas no palco. Coisas que passam da conta, excedem. Um dia estávamos ensaiando no Macunaíma e ela dizia: "Não consigo cantar, não consigo, estou travada". Nesse dia ela subiu numa mesinha e todo mundo ficou em volta, cantando e cantando cada vez mais alto. Ela dizia: "Não consigo". E todo mundo dando força e pedindo para ela cantar mais alto e ela foi. Saí lá no meio da rua e gritava para ela: "Mais alto que quero te ouvir daqui!". Ela gritava e gritava... As pessoas da rua abriram as janelas e aí ela destravou. Caiu em cima da mesa, chorou, chorou, destravou. Depois eu precisava pedir pelo amor de Deus para ela parar. Acho que precisava de alguém que gritasse mais forte do que ela e eu gritei. Ela gostava de uns gritos no ensaio.

No dia da estréia, eu estava vestindo um casaco indiano que não tirava fazia uma semana e também não tomava banho havia uma semana. Fiquei de pé na platéia, encostada, olhando o primeiro ato. Não entendia mais nada, tinha bebido lá dentro e estava de pé. E gostei daquilo, porque parecia um circão. Saiu tudo como eu queria. O público gostou de cara — no fim do primeiro ato já estava de pé, aplaudindo.

Com o César Mariano eu não tive queixas. Só no fim, quando ele quis dar uma de machão e estrear de qualquer maneira. Aí dei uma de louca, subi as escadas do palco, sentei ao piano e falei: "Fico aqui e toco, e você pode assumir o meu lugar de diretor". Bati feito louca no piano. Eles ficaram todos me olhando. A Elis fazia as cenas dela, o César as dele, mudo, e eu fazia as minhas. Disse tudo aos gritos, histérica mesmo. Elis devia achar fantástico aquilo tudo, exorcizava os demônios. Eu parecia um general promovendo a abertura. Abrir picada feito bandeirante. Brasileiros...

Depois da briga, nos reencontramos numa boate. Então o Plínio Marcos, muito fofoqueiro, quis fazer a nossa reconciliação, pelo microfone. Quando percebi o que estavam tramando, saí por baixo das mesas. Quer dizer, a medrosa era eu. Ela ficou por lá. Acho que fiquei com vergonha dela, porque me comportei tão mal como mulher de negócios, tão desequilibrada, tão descontrolada, tão insegura, completamente ignorante, que fiquei com vergonha. Fiquei insegura de me expor naquele momento a isso tudo. Tinha passado coisas tão ótimas com ela, para que ser desagradável? Fiquei muito contente, pois ela ganhou rios de dinheiro, tudo o que podia e merecia. E mudou. Se transformou em outra, entendeu que era maior.

Em fevereiro de 1976, Miriam Muniz e Naum Alves de Souza, responsável pelo cenário de *Falso Brilhante*, entraram na justiça contra a Trama, produtora, reclamando o pagamento de 5% da renda bruta do show. Em março, a Trama venceu na Justiça. E o caso foi encerrado, sem recursos nem apelações.

O impacto do espetáculo *Falso Brilhante* foi retumbante. "Ela é a nossa Edith Piaf, a nossa Amália Rodrigues, a nossa Judy Garland, a nossa Libertad Lamarque, a única estrela de categoria internacional que o Brasil já teve", declarou o radialista e produtor Walter Silva. "Benditos os olhos que viram Elis Regina cantar e Pelé jogar". Desde a estréia do espetáculo, os 1.200 lugares do Teatro Bandeirantes começaram a ser disputados no câmbio negro pelo

dobro ou triplo do preço de um ingresso. Caetano Veloso comentou o show na revista *Música do Planeta Terra*:

Seria preciso que o astral deste país fosse muito baixo para que a vocação tão verdadeira (e já tantas vezes constatada) de Elis continuasse por muito tempo permitindo equívocos: o brilhante não é falso. Eu estava conversando com Gal e a gente falou sobre técnica e sobre talento e sobre como a pessoa começa a cantar desde menino. Agora estou sabendo claramente o que é o grande prazer de ouvir Elis cantar.

Elis, eu tomei o ônibus pra ir a São Paulo ver seu show. Que bom que seja em São Paulo. Fui porque pensava que esse show seria o que eu sonhava pra você. Mas é mais que isso porque "viver é melhor do que sonhar". E eu gostei muito de você cantando a canção que diz isso. Eu gostei muito, muito de ouvir você cantando tudo. *Gracias a la vida*. Eu fiquei doce e besteirão quando o show terminou. E meditei. Não tenho medo. O show *business* é um bicho-papão muito bonito e você engole ele: esta é a mensagem que você passa pra todos os seus colegas de profissão.

Diga a César que ele está lindo. Na hora que ele fica sozinho no piano acústico e você vem e canta pra ele, eu pensei no significado da união e ouvi você cantar tão, tão lindo e senti a ausência de Dedé que tinha ficado no Rio e me senti apaixonado por tudo e chorei e fiquei querendo abraçar o meu amigo que estava do meu lado e entendi todo o lance de uma pessoa cantando acima dos limites do cotidiano.

Você cantou minha música perto de mim, sem saber. Me encontrei com você completamente e isso me enriqueceu. Foi o que tinha de ser. O compositor não precisa lhe dizer mais nada.

Na reportagem de capa que a revista *Veja* dedicou à cantora em 28 de janeiro de 1976 devido ao sucesso de *Falso Brilhante*, Luiz Carlos Miele, que tantas vezes dirigiu Elis, declarou:

Já a vi, e já a li, rotulada das mais diferentes maneiras. Mas, a verdade é que em todas as fases de sua carreira, tanto o público como a crítica sempre tiveram de engolir Elis Regina. Porque, distribuindo muito mais talento do que simpatia, Elis é a primeira, a segunda e a terceira cantora do Brasil.

Certa noite, na platéia do show estava o ex-parceiro de Elis, o cantor Jair Rodrigues, que com ela viveu uma nova experiência, depois de tantos anos. Ele conta:

No *Falso Brilhante* assistiu num dia em que ela estava chutando os bonecos no palco. Depois foram jantar. Quando chegaram ao restaurante e alguém colocou o disco *Dois na Bossa*. Ela chamou alguém, cochichou baixinho e o cara tirou o disco. E disse: "Mas que merda que a gente fazia, né?". Eu respondi: "É Elis, mas graças a essa merda a gente tá aqui até hoje!". Ela começou a chorar. Pediu desculpas. E pediu para botar o disco de novo.

Seis meses depois da estréia de *Falso Brilhante* e no auge de uma temporada de enorme sucesso, Elis sentiu necessidade de injetar novo ânimo no espetáculo. Voltou a procurar gente de teatro. O diretor Ademar Guerra, respeitado e premiado, foi o escolhido:

Recebi um chamado dramático de Elis. Aliás, ela sempre fazia esses apelos e, quando eu chegava, não era nada. Mas fui para uma reunião com ela na casa da Rua Califórnia. Eu não entendia. Estava um clima de enterro, um negócio estranhíssimo. Estava a mãe dela, a Lígia de Paula, atriz de *Falso Brilhante,* e eu. Não conseguia entender o que queria. Ela não dizia. Aí soube que ela estava tendo problemas com o show. Não era, na verdade, problema nenhum. Ela dizia que não tinha mais ânimo. Se o diretor está perto, ele dá essa injeção. Senão, o ator não sabe dar essa injeção sozinho. Sente falta de ânimo e não sabe localizar bem. Expliquei que, num caso desses, eu não poderia interferir por uma questão de ética, mas que poderíamos conversar. Fomos para o teatro, porque ela tinha de ensaiar uma música com o César. Aí percebi que o elenco estava dividido em grupos — a turma do canto, a da música, aquelas bobagens. Falei para a Elis que queria reunir todo o elenco e conversar, fazer uma conferência, colocando o trabalho da Miriam Muniz, o que ela tinha feito e a importância disso. Chega uma hora em que o ator quer mudar. Isso é corriqueiro no teatro. Disse nesse dia que a Joana d'Arc que a gente conhece do cinema não é a verdadeira. Ela era um soldado, cortava a cabeça dos outros e não tinha como missão ser padroeira da França. Disse a Elis: "Tua missão é cantar: cante bem ou então não cante nunca mais. Se é por aí, pega fogo, mas não faz drama na hora de queimar porque é muito chato".

O desejo de mudança durante a temporada de *Falso Brilhante* era fortíssimo em Elis, tanto que ela resolveu ser radical dentro de casa e se separou de César Camargo Mariano. O show não parou. César conta:

Nessa fase, Elis estava sentindo uma necessidade de renovação total e eu não percebi. Eu também estava envolvido como os outros no espetáculo e mergulhei de cabeça. Para mim, não existia nenhum processo de separação da Elis, porque, dentro da minha burrice — era burrice mesmo, falta de entender melhor as coisas —, não entendi por que com aquele espetáculo, com os filhos bem, a saúde perfeita, Elis queria renovar. Dentro dessa renovação, eu também tinha de sambar. Modestamente mesmo, apesar de tudo, me considero um bom entendedor de mulheres, mas não percebi que a Elis queria se separar de mim.

Ela estava cansada daquela rotina toda. Aí fui embora, saí quatro dias de casa e, quando chegou no domingo, ela veio me convidar para uma peixada na segunda. Voltamos. Evidente que nas fantasias dela — que faziam parte de sua insegurança — eu tinha outros casos. E há um problema mais sério, que nos perseguiu até o fim do casamento, quando começaram a aparecer as primeiras notícias nos jornais: Elis antes do César e Elis depois do César. A partir dessa colocação, os pseudo-amigos, as pessoas que ficam na periferia, principalmente do sexo feminino, que devem me achar bonitinho até hoje, baseados nessas críticas, começaram a falar coisas para a Elis. O César está brilhando, diziam na nossa frente. Ele tem charme no palco. Elis falou para mim: "Será que é vantagem para uma mulher se casar com um homem bonitinho e charmoso? Será que isso é tudo?". Essas coisas me magoavam profundamente e Elis começou a checar se era verdade que eu tinha outros casos. Não conseguiu. Tudo o que ela havia vivido na experiência do casamento anterior, apesar da distância, transferiu tudo, achando que os homens eram todos iguais.

Talvez prevendo o que viria pela frente, no começo da temporada de *Falso Brilhante*, Elis declarou:

Eu sou muito ligada. Minha pilha está sempre nova, saca? Comigo não tem aquele negócio de motor amaciando. Sou do tipo McLaren, Ferrari, trezentos por hora o dia inteiro. Você já pensou o que é ter permanentemente a seu lado uma pessoa ligadona assim?

Porém, com a mesma vontade com que se separou de César Mariano, Elis quis voltar para ele. Ela era assim mesmo. Impossível fazer projeções de comporta-

CANTAR, PARA ELIS, ERA MAIS IMPORTANTE DO QUE TUDO.

mento. Até Rita Lee se espantou quando saiu do tribunal em agosto de 1976 e, condenada à prisão por porte de maconha, foi para a cadeia. Lá, recebeu um bilhete de Elis. Era uma folha de caderno espiral, uma cartinha:

> Rita.
>
> Beijos. Beijos. Beijos.
>
> Tô aporrinhada. Gosto muito de você. Desde muito tempo. Não quero falar muito. Que a gente nunca sabe.
>
> Mas, dentro do possível, queria que você continuasse pensando em altos níveis. Que você se mantivesse calma. Muito calma. Que ninguém é bobo e todo mundo saca tudo.
>
> Te vi ontem, de passagem. Cabelo vermelho. Olhos idem, de choro.
>
> Chorei junto, porque te gosto. Porque te saco. E porque me lembrei do inverso. Você rindo, dançando, robertocarleando, dando tudo de si, amando. Tudo igual. Que nem nós todos. Amando. E nos danando porque amamos. Somos de paz. Somos de risos. Somos de sossego.
>
> Vou te ver! Juro. Fui hoje e João, meu pequeno, se grilou.
>
> Por isso me mandei.
>
> Amanhã, depois, qualquer hora, a gente vai se encontrar.
>
> Dentro ou fora, sempre a gente vai se reencontrar!
>
> Até já! Nós todos te amamos. E estaremos com vocês todos.
>
> Beijos. Beijos. Beijos.
>
> Elis.

Oito anos mais tarde, Rita Lee contaria o que sentiu quando recebeu o bilhete:

Levei um susto. Nunca havia falado com ela. Logo depois que saí da cadeia, eu devia dinheiro para a Sigla e a Elis sabia. Ela sabia de tudo. Me convidou para fazer parte de seu especial de fim de ano para a TV Bandeirantes. Fiquei tão comovida com isso que fizemos uma música especial para ela, *Doce Pimenta.* Pimenta, porém doce.

A primeira vez que conversei com Elis foi no dia da gravação desse especial. Ela foi supersimpática comigo, nem mencionou nada da prisão. Comentava de música, do lance do rock e que ela não era contra o rock.

Comentou aquilo que o Henfil tinha dito sobre mim — que eu fazia mal para o Brasil, que o Brasil não precisava de mim. E eu disse para ela que tinha ficado triste com isso, pois achava o Henfil um barato. Ela ficou louca, disse que ia nos reaproximar. E, de certa forma, acabou nos reaproximando.

Lembro que o César estava meio estranho nessa gravação. Acho que não gostou da idéia e se recusou a tocar junto. Fizemos o número com a banda da Elis, menos o César. Cantamos, ensaiamos pouquíssimo, e eu estava me cagando de medo diante da maior cantora do Brasil. Me lembro que a gente foi ao banheiro para fazer a maquiagem. Eu mexia nas coisas dela. Ela mexia nas minhas. Experimentamos batom uma da outra. Era uma coisa nova, que eu sentia que não tinha a menor intenção de machucar, de me escorraçar porque eu fazia rock, que até então era uma blasfêmia. O que eu sentia era uma vontade grande de ela saber como é que se fazia rock.

Ela não tinha preconceito nenhum. De repente, aparecia com o cabelo pintado de vermelho e dizia: "Pintei igual ao seu", sem o menor constrangimento, sem dizer nada. Ela sempre foi desse jeito comigo, a partir desse encontro no banheiro.

CAPÍTULO 8

Fradinho e os militares

Me perdoem, os dias eram assim.

VITOR MARTINS
(*Aos Nossos Filhos*)

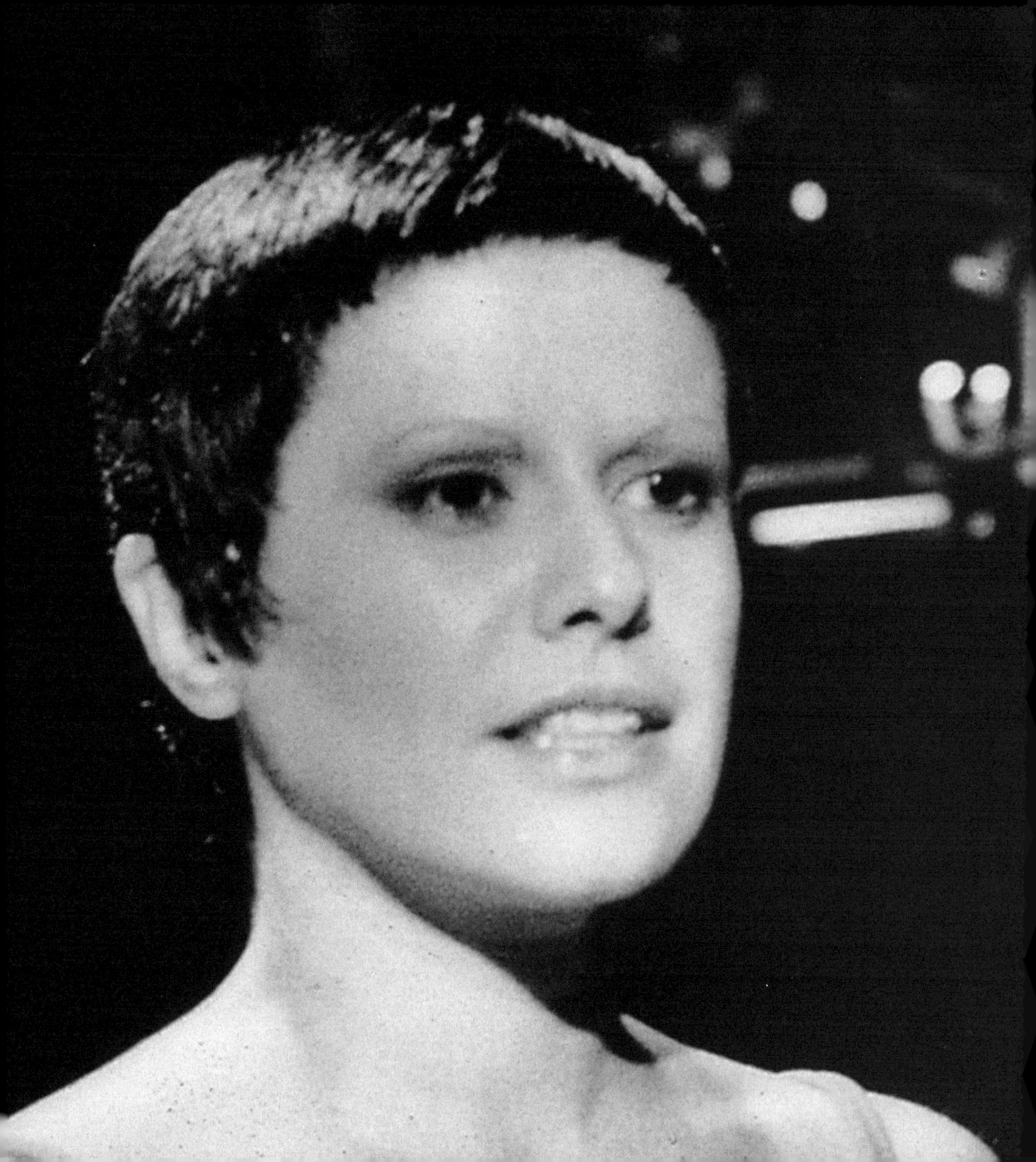

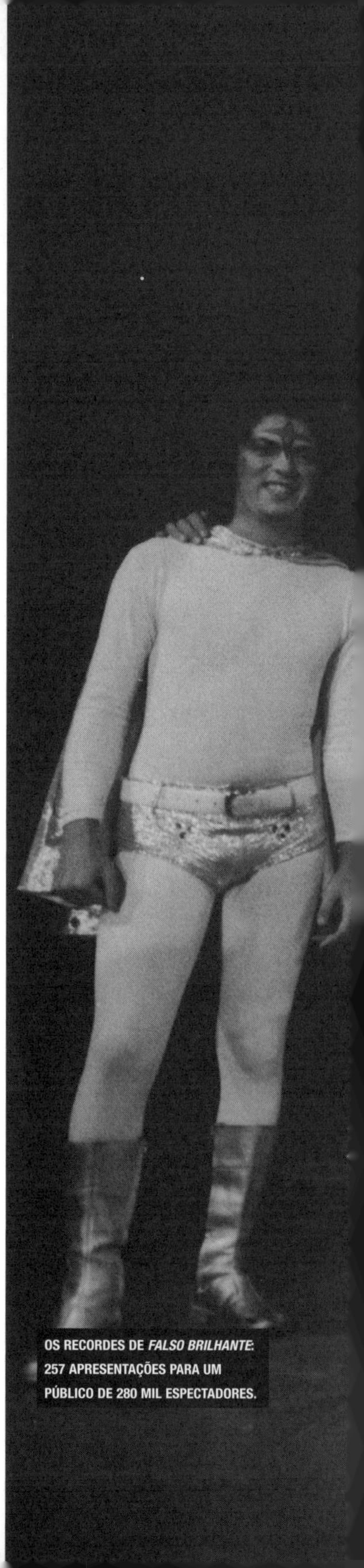

OS RECORDES DE *FALSO BRILHANTE*: 257 APRESENTAÇÕES PARA UM PÚBLICO DE 280 MIL ESPECTADORES.

LOGO NO INÍCIO DE 1977, ELIS FICOU GRÁVIDA PELA TERCEIRA VEZ. TIROU *FALSO BRILHANTE* DE CARTAZ EM FEVEREIRO E COMPROU UMA CASA NOVA. O ESPETÁCULO ENCERROU SUA TEMPORADA depois de catorze meses de sucesso. Elis e sua turma apresentaram-se 257 vezes para uma platéia de 280 mil pessoas. Ela também saiu da casa da rua Califórnia e foi morar no alto da serra da Cantareira, arredores da capital São Paulo, longe da poluição, perto do mato, sem telefone, com o marido, os dois filhos e um cachorro são-bernardo. Paz nas montanhas. Mas lá embaixo, na cidade, o outro lado da família de Elis estava em guerra.

Ela havia criado uma empresa, a Trama, para a produção de espetáculos. Tinha três sócios. Rogério era o diretor-executivo. Seu Romeu trabalhava na firma, mas não era sócio. Ou seja: Elis e Rogério eram patrões do pai. Evidentemente não deu certo. Rogério explica:

Comecei a me atritar com ele. Aquela coisa do pai que é funcionário do filho. Eu era o patrão e ele não me obedecia, fazia as coisas do jeito que achava que era para fazer. Não tinha o menor respeito por mim. Tive de despedi-lo. A Elis não conseguiu segurar a barra dele. Nunca mais se falaram.

Nunca mais mesmo. Elis conseguia ser gelada quando queria. Ao mudar-se para a Cantareira, deixou de pagar o aluguel da casa dos pais e seu Romeu ficou desempregado. Com o dinheiro da venda de um apartamento de Elis, seu Romeu comprou um bar no bairro de Indianópolis, o mesmo onde viveu até morrer, em 1984. O mesmo onde dona Ercy ainda trabalhava quando me deu seu depoimento.

Na Cantareira, Elis tinha o maior prazer em receber e cozinhar para os amigos, em exibir seu pequeno latifúndio: três mil metros quadrados

com uma casa pré-fabricada abaixo do nível da rua. Gostava de plantar, de brincar com o cachorro, de nadar na piscina. Curtia a gravidez de Maria Rita entre a casa e o trabalho. Com aquela barriga e o cansaço acumulado de *Falso Brilhante,* nem pensar em subir no palco. Incentivou o marido a fazer um show só dele com os músicos. Elis queria trabalhar como assistente de direção. O diretor escolhido foi Oswaldo Mendes, jornalista, ator e diretor de teatro. No fim da temporada de *Falso Brilhante,* César Mariano tinha composto várias músicas e temas relacionados com São Paulo. Elis convenceu César a usar esse material no espetáculo. Queria que ele mostrasse um trabalho só dele. Não o dela. Oswaldo Mendes conta:

Ela respeitava muito a hierarquia. Como um músico respeita o maestro. Anotava tudo, ia a todos os ensaios. Era muito caxias. Certo dia me mandou um bilhete: "Me desculpa, mas em casa não tem nada e eu preciso ir ao supermercado".

No fim dos ensaios, de assistente Elis passou a diretora, já que Oswaldo se viu obrigado a substituir a atriz Lígia de Paula na interpretação dos textos que ele escreveu para o show *São Paulo-Brasil.* Pouca gente foi ao imenso Teatro Bandeirantes, o mesmo onde o casal havia batido todos os recordes de bilheteria.

Grávida de sete meses, Elis fez um único show em São Paulo. Foi no Anhembi, uma promoção de *O Fino da Música,* da Rádio Jovem Pan, programa comandado por José Eduardo Homem de Mello, o Zuza. Ele me contou que Elis dividiu seu cachê com os artistas novatos que participaram do espetáculo.

Maria Rita nasceu em setembro de 1977. Dois meses depois, Elis estreou um novo espetáculo em Porto Alegre. Ela tinha um contrato com o Teatro Leopoldina e foi cumpri-lo. Não queria fazer apenas um recital, queria inventar alguma coisa. E, como sempre, escolheu parceiros para suas invenções. Dessa vez não foi buscá-los no teatro, mas na música: os letristas Aldir Blanc e Maurício Tapajós.

O espetáculo *Transversal do Tempo* era pretensioso. Elis me contou em entrevista publicada nas páginas amarelas da revista *Veja,* em outubro de 1978, quando o espetáculo finalmente estreou em São Paulo, que a idéia do show tinha nascido dentro de um táxi, no vale do Anhangabaú, durante uma manifestação estudantil. Na confusão, os carros não andavam. E ela lá, grávida, trancada dentro do táxi, esperando:

Você imagina saídas, mas o sinal não abriu, o que podemos fazer? Ficamos sentados dentro de um táxi, numa transversal do tempo, esperando. Não te perguntam nada, não te pedem opinião...

A angústia, a claustrofobia e também as várias fugas estão dentro do repertório. A alienação que pode vir através dos embalos de qualquer dia da semana. Na realidade, não é um espetáculo feito para dançar. Alerto que os bailantes se sentirão muito agredidos, portanto, não me cobrem. Se quiserem assistir, já estou avisando antes. Também não estou dizendo que todo espetáculo deva ser assim, e também não quero dizer que todos os outros farei desta forma. Mas eu peço desculpas, usando as palavras do Vitor Martins: "Me perdoem, os dias eram assim". A partir do momento em que resolvi que minha arte deve ter ligação com a realidade em que vivo, mínima que seja, lamento imensamente a cara amarrada, a falta de espaço, a falta de amigos. Também não fui preparada para isso, é o que me está sendo dado para digerir. Gostaria que fosse diferente. Mas também, como a maioria das pessoas, estou esperando o guarda acionar a mudança de cor do sinal. Enquanto isso, eu canto um sinal de alerta... o partido político, o MDB (Movimento Democrático Brasileiro, partido que deu origem ao PMDB) com o qual você conta para ser de oposição, arregla, e 41 saem da sala, se escondem debaixo do tapete ou no banheiro. Isso é uma porcaria quando você está às portas de 15 de novembro e tem de votar nesse partido de novo. Agora, vai votar no outro? Não, vota nesse e continua tudo na mesma. Esse é o impasse, a falta de escolha, a falta de espaço, de ar, de confiança, de relaxo.

Elis era articulada. Sabia propor e defender idéias. Às vezes passava por profunda conhecedora de assuntos sobre os quais apenas tinha ouvido falar. Parecia estar sempre com as antenas ligadas. No dia seguinte, era capaz de ensinar ao mestre o que aprendera na véspera, com um despudor desconcertante. A gente ficava pensando: será que ela está acreditando mesmo nisso? Hoje tenho certeza de que ela acreditava em suas histórias e fantasias. As pessoas que transitavam ao seu redor reconheciam seu poder de sedução. Ficava desconcertante falando verdades de cinco em cinco minutos.

Aquela nossa entrevista para as amarelas de *Veja* aconteceu na casa de Walter e Orfila Negrão, no bairro das Perdizes. Era uma espécie de segunda casa de Elis. Sem telefone na Cantareira, era na casa dos amigos que recebia recados e chamadas. Orfila, nessa época, mudara de atribuições, mas continuava trabalhando com Elis. Naquela época cabia a ela cuidar dos negócios pessoais da amiga. Foi ela quem vendeu a casa do Brooklin, quem comprou o apartamento da avenida Paulista, onde se instalou a Trama, e era quem aplicava o dinheiro da cantora.

Elis ocupou tanto espaço naquela casa que provocou ciúme na filha mais velha do casal, além de perturbar a rotina. Elis promovia festas, churrascos, reuniões da gravadora, entrevistas coletivas — e se esquecia de avisar os donos da casa. Embora constrangido, já que precisava trabalhar em casa, Walter Negrão se deliciava com a hóspede. Adorava conversar com ela e, de certo modo, sentia-se gratificado com o prazer de desfrutar o convívio com Elis.

Na entrevista para a *Veja*, perguntei a Elis uma coisa que me intrigava: quais eram as imposições, de cima para baixo, de que tanto reclamava? Ela disse:

Eu falo isso porque, quando pintei, tinha vinte anos e nem me permitiram, em determinado momento, fazer as estripulias normais de uma adolescente. Já começaram jogando uma sobrecarga violentíssima, que talvez eu tivesse condições de arcar com ela agora, aos 33. Foi uma violência, mas, se foi cometida, eu permiti. No final das contas, uma mão lava a outra. E as diversas fases pelas quais fui passando determinaram-se, evidentemente, por um processo de amadurecimento e também por sufocos momentâneos. Parti do princípio de que uma cabeça conturbada não consegue organizar atos lúcidos. Então acho que corri ao sabor do vento numa determinada época da minha vida. Mas agora, quando estou agindo, agitando, sentindo capacidade para desenvolver, criar, retomar e iniciar uma série de coisas, não é possível fazer julgamentos. Ouvi pessoas dizendo que Chico Buarque já era quando tinha 25 anos de idade.

A meu ver, um dos pontos altos daquela entrevista foram as explicações de Elis sobre a fase em que se apaixonou pelo som da própria voz:

Quer dizer, uma pessoa estrábica, baixinha, gordinha, tudo ao contrário, e de repente vira a Cinderela. Cinderela mesmo com abóbora à meia-noite e a fada madrinha — que era a TV Record, *O Fino da Bossa*. Mas as pessoas não dão tempo ao tempo, não desculpam a infantilidade. Isso realmente é uma pobreza. Eu me vi, de uma hora para outra, na sala com o príncipe, e podia até ser que o sapatinho de cristal coubesse no meu pé. Certa bronca que tenho é que não me deram tempo para curtir esse barato. Começou uma polêmica em torno de minha pessoa tão forte — sobre coisas que realmente eu tinha feito e outras que diziam que havia feito. Embolou, confundiu e até organizar tudo de novo demorou uns cinco, seis anos. Se a pressão não fosse tão forte, talvez eu tivesse passado por essa fase não em cinco, mas em um ano e meio. As pessoas muito jovens, quando se sentem pressionadas demais, parece que fazem questão de reincidir no erro para mostrar que elas é que estão certas. Foi assim não só com a minha carreira, mas também com minha vida pessoal. Até que fiquei grande, virei mãe, cresci. Não tinha mais mãe. Eu era a mãe. Aí voltei a me dar o direito de administrar minha vida e fazer dela o que bem entendesse, desde dormir com quem quisesse até trabalhar com quem resolvesse. E, mais recentemente, a me mandar profissionalmente. Ser meu próprio patrão. Acho que esse processo, mesmo lento, é uma chance que deveria ser dada a toda e qualquer pessoa. Porque, afinal, quem não deu as suas mancadas?

As mancadas de Elis. Em 1972, ano do Sesquicentenário da Independência, durante a Semana da Pátria, Elis foi convidada — ou convocada — a cantar nas Olimpíadas do Exército. E cantou o *Hino Nacional*. Foi esconjurada pela esquerda, mas só uma pessoa manifestou-se publicamente contra ela: o cartunista Henfil. No *Pasquim,* ele enterrou duas vezes Elis no cemitério dos mortos-vivos de seu personagem Caboco Mamadô.

Segundo o testemunho de Ronaldo Bôscoli, Elis foi obrigada a cantar nessa olimpíada sob ameaça de prisão. Ela havia dito em entrevista, na Holanda, que o Brasil era governado por "gorilas". A própria Elis me contou essa história, aumentada, romanceada, na qual ela assumia o papel de uma heroína dominada pelas Forças Armadas. Quando viu seu nome no cemitério dos mortos-vivos do Henfil, ficou vesga. Numa entrevista ao *Jornal do Brasil,* esculhambou Henfil e os cartunistas. Anos depois da briga, em 1985, Henfil contou sua versão da história:

Foi igualzinho hoje. De repente, os artistas são arrebanhados pelo governo, só que — eu não sabia — debaixo de vara, de ameaças, para fazerem uma campanha na Semana do Exército. O que vi, na realidade, foi o comercial de televisão. Me aparece o Roberto Carlos dizendo: "Vamos lá, pessoal, cantar o *Hino Nacional*". E, de repente, a Elis surge orquestrando um monte de cantores, de fraque de maestro, regendo o *Hino Nacional*. Nessa época, estávamos no *Pasquim,* e eu, mais que os outros, contra-atacando todos aqueles que aderiram à ditadura, ao ditador de plantão. Voltei duas vezes ao assunto, já que ela falou sobre mim no *Jornal do Brasil.* Só me arrependo de ter enterrado duas pessoas — Clarice Lispector e Elis Regina. Tentaram me forçar a desenterrar o Carlos Drummond de Andrade. Não me arrependo. Para mim, na época, as pessoas famosas eram figurinha de revista, retrato. E eu estava criticando isso. Não percebi o peso da minha mão. Sei que tinha uma mão muito pesada, mas eu não percebia que o tipo de crítica que fazia era realmente enfiar o dedo no câncer.

Quando nos encontramos, anos depois, por meio de Ione Cirillo, fomos jantar numa cantina perto do Teatro Bandeirantes e ela fez questão de sentar na minha frente. Estavam todos os músicos, e de repente ela começou a falar: "Pô, bicho, eu te amo tanto, bicho, te gosto tanto". E eu já não gostando daquela história de bicho, porque não gostava do jeito como ela falava, nunca gostei. Daí me irritei e disse: "Elis, o que você está querendo dizer com isso?". Ela começou a chorar. As pessoas, na mesa, enfiaram a cara no prato, todos sabiam o que eu tinha feito, só eu não sabia. Ela disse: "Pô, bicho, você me enterrou".

E começou a me esculhambar, dizendo que aquilo foi uma covardia, que ela estava ameaçada. Bom, tinha dois textos ali. Um deles era a explicação que ela estava me dando por estar chorando. O subtexto era: "Pô, gosto tanto de você, me identifico tanto com suas coisas, com o Fradinho".

Ali estava uma pessoa me declarando profunda amizade. Não falei nada. Nunca disse para a Elis que eu não teria de saber da vida particular dela para justificar sua atitude naquele momento. Elis nunca me perguntou se eu a estava atacando porque ela defendeu um regime militar que queria matar o meu irmão. Jornalista nenhum do mundo tem de perguntar a Mengele se ele estava com dor de dente quando mandou matar milhões de judeus. Resolvi engolir. Ela terminou de falar, entendeu o meu subtexto: "Tá, Elis, eu aceito".

Na verdade, levei uma cantada afetiva numa linguagem complicada, mas ela entendeu e voltamos a conversar. O resto da mesa... César Mariano, Ione Cirillo, os músicos levantaram os olhos do prato e jantaram entre si. Ela ficou falando só comigo. Contou uma série de coisas e, de vez em quando, voltava ao assunto. Então eu olhava de cara feia e ela mudava.

Sei que muitos personagens que viveram essa história das Olimpíadas do Exército faziam isso independente de motivos e de pressão militar por trás. Evidente que os militares estavam pressionando o país inteiro. Eu sabia disso, os militares faziam censura prévia no meu jornal, presença física, todo dia. Inclusive foram os militares que censuraram o cartum da Elis, em que estava escrito virundum, virundum, virundum. A referência à música não pôde ser publicada. E era justamente isso que eu estava criticando: se as pessoas não estavam resistindo à pressão, como é que iríamos segurar esse país? Eu era um dos que estavam enfrentando. Então tinha todo o direito de criticar uma pessoa que ia para a televisão se entregar. Não mudei em nada e ela percebeu isso.

Mas me interessou a amizade daí por diante. E, mesmo antes, por que vou deixar de gostar de uma pessoa por ela ter fraquejado?

Bem, reinauguramos a relação e eu fiquei curioso. Tinha um jogo afetivo no meio disso tudo. Desde criança eu desmonto relógios. A curiosidade é uma coisa brutal em mim. Fiquei curioso com ela, mas, ao mesmo tempo, com muito medo, porque sabia que aquilo era um vulcão afetivo e que quem entrasse podia se afogar. Eu percebia que algumas pessoas caíam no vulcão dela e que eram pessoas muito fracas também. Passei a dançar com ela com a mão no ombro. Com muito cuidado. Ela começou a me chamar muito para ajudar a bolar alguma coisa no show, no programa dela na televisão, na Bandeirantes. Bolei uma porção de coisas, mas o Guga mandou tirar tudo. Íamos contracenar juntos falando das greves — tínhamos bolado um palanque para falar de eleições e coisas assim. Enfim, comecei a participar e ela parecia querer uma relação maior do que eu queria. Queria que eu pudesse raciocinar com ela sobre determinadas coisas. No dia em que o programa da Bandeirantes foi ao ar, ela foi para casa da minha irmã para assistir lá. Minha irmã, surpresa, me telefonou dizendo que a Elis estava lá. Ela ficou timidíssima, encolhida na cadeira. Parecia um ratinho enfiado debaixo do cobertor.

Aí passamos a, de vez em quando, ter uma relação quase profissional. Eu dava palpites, mas nunca

pude entrar com as minhas idéias. Passamos então a cultivar uma vida dupla: conversar particularmente da forma mais aberta e criativa possível e nos sentindo incapazes de colocar isso em andamento. Ela — marcada ainda pelo episódio do enterro — tinha a preocupação de me provar que havia mudado, que continuava uma pessoa de confiança ideologicamente. Mas nunca chegou pra mim e disse: "Henfil, qual é a tua?".

Como se eu fosse o inspetor de quem não é de esquerda, ela ficava querendo provar para mim que seu comportamento continuava de esquerda. Me mandava dinheiro — do show que fez no Canecão — para eu entregar aos grevistas em São Bernardo. Fez isso duas vezes seguidas. E muitas vezes eu tinha de sair do Rio de Janeiro e arrumar um jeito de chegar em São Bernardo. Para evitar qualquer coisa, pedi um recibo. Ela ouvia dizer que tinha um manifesto rolando, me pedia para arranjar para ela assinar. Justo para mim, que não gosto de manifestos.

Na realidade, percebi que Elis não queria me namorar. Queria uma relação afetiva real comigo. Havia a vontade dela de ter um irmão, da maior confiança, a quem pudesse contar o que contaria a uma amiga, mas como parece que não há muita fidelidade entre as mulheres... Quando a pessoa começa a te dar certa ascendência é porque realmente não quer ter uma relação amorosa com você. E ela queria isso comigo: alguém com quem conversar sobre todos os assuntos. Tenho de falar tanto de mim porque ela me elegeu para ser uma coisa que ela queria. Ela queria muitos irmãos. Namorar, ela namorava com a turma da Zona Norte. Namorava aquele cara que representava certo risco, que não era do esquema dela. No mais, queria muitos irmãos que pudessem ajudá-la na hora em que a turma da Zona Norte estivesse exagerando. Segundo, que pudessem inventar com ela coisas que não inventaria com a turma da Zona Norte. Vários homens tiveram uma relação muito paternal com ela. O Ademar Guerra era assim. Elis queria arrumar encrenca na rua e que nós fôssemos salvá-la depois. Tinha de ser bem mais velho, bem mais largado para ampará-la em casa quando apanhava do namorado.

Ela telefonava todos os dias lá para casa, para conversar sobre diversos assuntos. A partir de determinado momento, eu não tinha mais condições de atender. Eram três ou quatro horas no telefone. Passei a fazer cartum com ela no telefone e começou a cair a qualidade. Aí passei a pular fora dos telefonemas. Um dia, ela ligou, peguei o telefone e falei: "Oh, que saudade. Quero te ver, vamo-nos se encontrar amanhã?". Ela marcou um almoço para o dia seguinte. Não foi. Dois meses depois, morreu.

Henrique de Souza Filho, o Henfil, mineiro de Ribeirão das Neves, morreu em 4 de janeiro de 1988, no Rio de Janeiro, aos 43 anos.

CAPÍTULO 9

o hino da anistia

O peixe é um animal que enxerga para a frente e para trás. Anda na vertical e na horizontal. Então ele pode se posicionar em relação a um ponto de inúmeras maneiras. Hoje está vendo pela direita. Amanhã pela esquerda, depois por cima e por baixo. As pessoas do signo de Peixes se dão o direito de mudar conforme estão sentindo a situação.

ANTÔNIO CARLOS SIQUEIRA HARRES, o BOLA

EM 1979, O GAÚCHO ANTÔNIO CARLOS SIQUEIRA HARRES, O BOLA, ELABOROU O MAPA ASTRAL DE ELIS REGINA, A PEDIDOS. DEDICADO ESTUDIOSO DA ASTROLOGIA, BOLA TEVE TRÊS ENCONTROS COM A cantora, no Rio. Ela estava preocupada com uma mudança de gravadora. Tinha uma proposta para assinar com a Warner e cantar no Festival de Jazz de Montreux, Suíça, além de uma outra, da gravadora Odeon. Com a interpretação do mapa de Elis, Bola esclareceu:

Nosso encontro foi em meio a um tumulto e percebi que ela levava uma vida agitada, tinha muita gente em torno dela. Estava com a perspectiva de fazer um trabalho com um músico americano. Eu disse que ela tinha condições astrológicas favorecidas para assuntos de longa distância. Mas nosso trabalho foi muito interrompido devido a constantes telefonemas. Me pareceu, por aquele contato, que era ela quem decidia tudo. Ao mesmo tempo em que eu ia observando seu mapa, interpretando, ia percebendo como ela reagia, como era naqueles momentos.

Ela tinha Plutão no signo de Leão, na primeira casa astrológica, e o meio do céu em Áries, que lhe dava características de liderança na profissão. Senti que em tudo ela queria botar a marca dela. Em todas as decisões, todos os detalhes, ela intervinha. Tanto comandava a empregada, como falava com o irmão ao telefone sobre problemas administrativos, como tratava com os músicos. Percebi por suas conversas pelo telefone que ela tinha um espírito crítico aguçado. Elis era Peixes, com Júpiter em Virgem. Essa característica astrológica revela uma pessoa que tem uma busca ansiosa pela perfeição. Sol em Peixes, ascendente em Câncer, caracteriza uma pessoa emotiva, sensível e muito perceptiva. As pessoas

ELIS E SUA PROLE: PEDRO, JOÃO MARCELO E MARIA RITA.

SEGUNDO ASTRÓLOGOS, AS PESSOAS NASCIDAS NO SIGNO DE PEIXES, COM ASCENDENTE EM CÂNCER TÊM UMA CASCA GROSSA PELO LADO DE FORA E UMA PARTE MOLE POR DENTRO.

de Peixes e Câncer têm uma casca grossa pelo lado de fora e uma parte mole pelo lado de dentro. Nos primeiros contatos você não consegue ter muita intimidade com elas. São pessoas, em geral, que falam pouco do seu íntimo. E é difícil ter acesso à intimidade delas. É por isso que buscam a arte, o canto, a poesia, a pintura, outras formas de expressão e comunicação para poderem traduzir esse sentimento interno que possuem. A palavra já é uma coisa difícil para elas. Acho que Elis devia se sentir contrariada de ser pressionada para se posicionar, para se colocar e explicar as suas posições. Essas situações sempre eram conseguidas à força. Naturalmente, não era pessoa de dar muita abertura.

As pessoas de Peixes e de Câncer: dois signos de água, de grande emotividade, sensibilidade, fantasia, imaginação e certa rigidez. Nos primeiros contatos são formais, mas você sente que elas estão captando tudo, filmando, sentindo. Essa é a dificuldade dos piscianos — Peixes e Câncer dão a impressão de não estarem interessados quando, na verdade, estão embebidos. Por dentro têm uma óptica hemisférica que engloba tudo, mas se colocam numa posição de defesa até sentir que podem confiar em você.

Depois que sentem isso, é uma mistura, um envolvimento muito grande e forte, no qual às vezes não têm nem capacidade de discernir o que claramente é deles e o que é do outro. Para conseguir fazer isso, às vezes é preciso conquistar na base da explosão.

Embora os piscianos sejam por natureza pacíficos, contemplativos, têm momentos de explosão. É a maneira de retornar ao seu centro, de se desintoxicar dessa mistura que criam nas relações com os outros.

Peixes e Câncer têm outra característica: costumam acumular o que não é colocado, o que não é dito. De repente, acontece a famosa gota d'água. Essa pessoa podia chegar em casa, não encontrar no lugar a cadeira em que gosta de sentar e fazer um escândalo. Ninguém entende que aquilo é apenas o que transbordou.

A astrologia não caracteriza as pessoas por qualidades ou por defeitos. Ela descreve naturezas. A mentira, por exemplo, não é uma característica, mas uma conseqüência de insegurança. O mapa de Elis mostra que sua origem humilde, proletária, fazia com que ela carregasse certo sentimento de inferioridade. Isso lhe dava uma necessidade de expandir, de crescer e de mostrar para o mundo que ela realmente tinha valor. Porém, precisava constantemente de reconhecimento dos outros e de uma afirmação dela mesma sobre os outros. Acredito que, no momento em que caía em si, percebia suas limitações, entrava em processos profundos de depressão. Era uma coisa talvez da qual fugisse, porque sabia o quão profundo podia ir. Acho que ninguém teve acesso a isso. Era uma maneira muito reservada de viver, muito privativa.

Tinha Saturno na casa 12, um quarto dentro dela a que só ela tinha acesso, a chave para entrar.

Essa necessidade de crescer, de se projetar, fazia parte de Elis. Tinha também uma quadratura de Lua em Marte, em Aquário, que mostrava uma natureza meio beligerante no sentido da discussão e de querer competir em termos de idéias. Gostava de disputas e tinha até um pavio curto para isso. Gostava da discussão e, nesse momento, jogava qualquer argumento que viesse à cabeça, não se importando se aquilo correspondia exatamente à realidade ou não. Fazia isso só pela necessidade da discussão e de não sair perdendo.

No nosso segundo encontro, ela praticamente só escutou, não me deu muitos elementos. E anotava tudo o que eu dizia. Na última vez que nos encontramos falei muito sobre os filhos, a questão da família.

Ela tinha uma quadratura de Saturno com Netuno, o que lhe dava uma sensação de estar sendo enganada. Sempre houve muita confusão com esses negócios de contratos, muitas coisas não esclarecidas. Certa nebulosidade nessa área. Era uma pessoa que tinha uma atratividade material bastante grande e uma capacidade para atrair esses recursos e os meios para ganhar isso.

Como tinha Sol em oposição a Júpiter, a figura do pai não lhe dava a sensação de uma pessoa para protegê-la como queria. E, com a mãe, um protecionismo muito grande dela para com a mãe e da mãe para ela. Mas, ao mesmo tempo, tinha uma necessidade de espaço, de liberdade, de poder respirar um ar diferente. Devia tratar a mãe hostilmente, no sentido de não ser possuída por ela. Quer dizer, a mãe tinha uma proteção muito grande sobre ela e certa possessividade. E ela, vice-versa com a mãe e os filhos. Elis tinha um alto grau de apego a todas as pessoas que agregava em torno dela. Mas, ao mesmo tempo, tinha uma necessidade de não admitir a simbiose da dependência. Era uma contradição, porque Marte em Aquário e Plutão na primeira casa indicam uma pessoa que quer ser independente.

O peixe é um animal que enxerga para a frente e para trás, anda na vertical e na horizontal dentro d'água. Então pode se posicionar em relação a um ponto de inúmeras maneiras. Hoje está vendo pela direita, amanhã pela esquerda, depois por cima e por baixo. As pessoas de Peixes se dão o direito de mudar conforme sentem a situação. Os outros não entendem isso. É uma característica da pessoa, os piscianos são paradoxais. Esperar uma linearidade de pensamento deles é bobagem. São totalmente instáveis e imprevisíveis. Mas extremamente férteis e ricos, abrem horizontes e mostram coisas que você jamais imaginava ver. Como Elis gostava do chamado bate-queixo, algumas pessoas certamente não a perdoaram. Quando explodia, falava tudo de uma só vez, e quem estivesse por perto que pagasse o pato. Ela tinha talento para apertar no ponto fraco das pessoas.

Cá na Terra, a carreira de Elis, naquele momento, realmente tentou um novo vôo internacional. Depois de assinar o contrato com a Warner e, ao mesmo tempo, com a Odeon, de cuja assinatura fui testemunha, num restaurante chinês que funcionava na alameda Santos, em São Paulo. Almoçamos ali, Elis, Mariozinho Rocha da Odeon e eu. Depois do cafezinho, ela assinou o contrato. Em fevereiro de 1979, foi obrigada a lançar um disco, *Elis Especial*, pela Philips, pois ainda devia dezesseis fonogramas à gravadora, o que fez a partir de interpretações de estúdio que haviam sido descartadas. Em maio, cantou para o *Show de Maio*, que arrecadou dinheiro para o fundo de greve dos metalúrgicos do ABC, no velho estúdio da Companhia Vera Cruz, em São Bernardo do Campo. E lançou, já pela Warner, um compacto com a canção *O Bêbado e o Equilibrista*, de João Bosco e Aldir Blanc, que se transformaria no Hino da Anistia, enfim decretada naquele ano de 1979.

Em julho, Elis viajou à Europa. No dia 15 apresentou-se no *Grand Palace* de Bruxelas, Bélgica, em show comemorativo pelos mil anos da cidade. O gaitista Toots Thielemans a acompanhou. E, no dia 19, foi um dos cartazes da *Noite Brasileira* no tradicional e conceituado Festival de Jazz de Montreux, que acontecia anualmente na cidade da Suíça. Segundo o relato de César Mariano, ele, Elis e os músicos entraram no palco nervosos demais. Tinham visto na platéia celebridades como Chick Corea e Rick Wakeman. Tremeram. Quando a banda entrou no palco e começou a aquecer para a entrada de Elis, mais nervosismo. Quando ela entrou, fazendo um vocalzinho lá do fundo, a platéia delirou. Todo mundo de pé, aplaudindo. Elis se desconcertou. Chorava e suava. Passou metade do show mexendo no olho, incomodada com o rímel que escorria. Alguém via isso dos bastidores. O presidente da Warner, André Midani:

Aquele show, como música, foi uma tragédia. E, como tragédia, foi uma grande tragédia grega. No meio do show, assisti a uma menina suando, branca, que não podia mais nem ficar em pé.

Peguei um copo de água e estendi o braço. Ela pegou o copo tremendo, bebeu um pouquinho e seguiu cantando. E melhor, e melhor, e apoteótico. No jantar, mais tarde, ela disse: “Eu me lembrei que era filha de uma lavadeira. Como é que eu estava naquele palco?”. Como, eu pensei, depois de ter pisado em vários palcos do mundo, Elis quase chega à beira do fracasso e, no meio, renasce?

Na volta de Montreux, Elis mandou Rogério me ligar. Queria marcar um encontro: um jantar na casa do irmão. Queria conversar comigo. Quando cheguei, surpresa. Elis estava na cozinha, mexendo com colher de pau os pratos de um jantar chinês. Cortava os temperos direitinho, com método e organização. Elis sabia controlar uma casa com crianças. Quando não tinha com quem deixá-las, levava junto.

Jantamos, Elis, César, Rogério, Biba e eu. Pedro e Maria Rita também estavam. Aquela noite, Elis falou o tempo todo sobre músicos, sobre como tinham outra

CORINTHIANS E GRÊMIO,
OS TIMES DO CORAÇÃO.

vida, como eram complicados. Dava muita risada. Depois do jantar, ela colocou para tocar a fita de sua apresentação em Montreux. Queria minha opinião. Estava cantando mal? A fita era uma consagração. Palmas no meio das músicas. A voz estava trêmula, mas ela não cantava mal. O encontro de Elis com Hermeto Pascoal em Montreux foi uma batalha, um insano duelo musical. Elis parecia querer desafiá-lo e mostrar mais e mais. Hermeto parecia querer domá-la ao piano.

Em 19 de julho de 1979, Nelson Motta estava em Montreux cobrindo o Festival de Jazz para a Rede Globo. Em seu livro, *Noites Tropicais,* ele narra os detalhes da apresentação:

Elis estava nervosa, mas procurava se acalmar cantando tecnicamente, à meia-voz, repetindo divisões rítmicas, ensaiando finais. A lotação do velho Cassino de Montreux estava esgotada há dias e Hermeto Paschoal, vindo de gravações com Miles Davis e idolatrado nos meios jazzísticos como um bruxo dos sons, faria a primeira parte da Nuit Brésilienne.

Nelson Motta conta ainda que, depois do ensaio, impressionado com a multidão que queria ver Elis e não tinha entradas, o diretor do festival, Claude Nobs pressionou o velho amigo André Midani, que convenceu Elis a fazer uma matinê extra, às três da tarde, no dia do show, em que Elis cantou com segurança, técnica e discreta emoção um repertório de alto nível, já muito conhecido pelos brasileiros, mas encantador para o público tradicional. Foi como como se fosse um ensaio geral, com uma preparação para a grande noite. Na apresentação de abertura. Hermeto Paschoal e seus músicos fizeram a casa vir abaixo, foram aplaudidos de pé durante quinze minutos, com o público gritando e exigindo mais e, depois de um intervalo de meia hora, com uma orquídea azul nos cabelos, como Billie Holiday, Elis entrou no palco do Cassino Montreux. Nelsinho:

Com um vestido longo e um penteado que a faziam mais velha, Elis parecia nervosa e tensa, cansada e intimidada, quando começou a cantar. Não cantava mal, cantava com precisão e cautela, sem tentar qualquer efeito.

Com dez minutos de show ela transpirava muito e parecia exausta, fazendo grande esforço para cantar. Na coxia, André entrou em pânico, pensou que Elis ia desmaiar. Entrou no palco com um copo d'água, que ela bebeu imediatamente. O show continuou. Para os jornalistas brasileiros, o repertório era por demais conhecido, os arranjos discretos demais, o desempenho de Elis com muita técnica e pouca emoção, quase burocrática. Já os estrangeiros estavam maravilhados com sua afinação, seu timbre belíssimo, sua técnica impecável, sua tensão criativa. No palco, Elis sofria intensamente, como se não estivesse fazendo o que mais gostava na vida, mas cumprindo um doloroso dever. O show terminou com muitos aplausos, mas muito menos intensos do que os de Hermeto. Elis estava exausta e saiu rapidamente do palco. No meio da gritaria, Claude Nobs chamou de volta à cena Hermeto Paschoal, que assistiu ao show de Elis na coxia. Recebido com uma espetacular ovação, o bruxo albino se encaminhou vitorioso para o piano enquanto, de surpresa, Claude chamava Elis de volta.

Sempre altamente competitiva, Elis sabia que tinha perdido a noite para Hermeto. Frustrada e furiosa, entrou no palco pisando duro e sorrindo tensa para o público. Silêncio total, piano e voz. Hermeto começa a tocar Corcovado e, quando Elis começa a cantar, suas

harmonias começam a se transformar, dissonâncias surpreendentes começam a brotar do piano, é cada vez mais difícil para Elis — ou para qualquer cantor do mundo — se manter dentro da mesma tonalidade, tantas e tão sofisticadas são as transformações que Hermeto impõe, tornando o velho clássico quase irreconhecível. E Elis lá, respondendo a todos os saques do bruxo com uma precisão que o espantava e o fazia mudar ainda mais os rumos de uma canção não-ensaiada.

Na corda bamba e sem rede, Elis cantava como uma bailarina, como uma guerreira, como um músico. Hermeto arregalava seus olhos vermelhos atrás dos óculos. Elis crescia a cada nota, a cada frase de seus improvisos e *scats*, a cada compasso de seu duelo com Hermeto. Foram delirantemente aplaudidos. Quando Hermeto começou a tocar *Garota de Ipanema* (que Elis odiava e jurava que jamais cantaria na vida), ela baqueou. Mas logo se recuperou e cantou, com todo vigor, como se fosse a última música de sua vida, improvisou como uma negra americana, virou a música pelo avesso, provocou Hermeto, voou com ele diante da platéia eletrizada.

Com o público de pé, Asa Branca, Elis e Hermeto no *round* final, o baião de Luiz Gonzaga em ambiente free-jazz e atonal, harmonias jamais sonhadas se cruzando com fraseados audaciosos de Elis...

Ao meu lado, meu velho amigo Nesuhi Ertegun, agora vice-presidente da Warner americana, estava pasmo e lívido. Experimentado crítico de jazz, que acompanhou a carreira de Miles Davis e outros gênios, Nesuhi disse que raras vezes tinha testemunhado um dueto tão emocionado e tão técnico, tão audacioso. Saiu do Cassino eufórico, me convidando para celebrarmos num jantar com André e Elis.

Festejada por Neshui, Elis foi a contragosto, quase não falou, mas disse para André, ameaçadora:

— Este disco não vai sair, não é?

André não respondeu, mas Elis sabia que o disco ao vivo em Montreux, que poderia impulsionar sua carreira internacional não sairia. Porque ela não queria, porque, tirando os números com Hermeto, ela achava que o resto não valia a pena, que não tinha cantado bem. Achava que tinha chutado um pênalti para fora. De volta ao Brasil, exigiu de André um juramento de que nunca lançaria aquela gravação, nunca, nem depois que ela morresse.

Encerrado Montreux, Elis começou a se preparar para o show de lançamento do disco *Essa Mulher*, seu primeiro trabalho para a gravadora Warner. Leonardo Netto, assistente de André Midani, uma cabeça jovem e inteligente no mundo do disco e hoje empresário de Marisa Monte, Regina Casé, Adriana Calcanhoto e Arnaldo Antunes, criou para Elis uma nova imagem de mulher. Cabelos mais compridos, ela passou a se vestir com discrição e classe. A maquiagem realçava uma beleza suave. Gravou também um disco suave.

Para ajudá-la na direção do show de lançamento do disco, Elis chamou Oswaldo Mendes, o mesmo com quem tinha trabalhado como assistente no show de César Mariano. Oswaldo conta:

No dia da estréia, no Anhembi, estava aquela coisa nervosa. Ela brigando com César. Gritava: "Não deixem ele entrar no camarim!". Quando chegava no palco, tudo mudava. Ensaiamos no mesmo dia e só uma coisa não tinha sido marcada: como ela entrava em cena. Estranhei aquela preocupação de Elis, porque entrar em cena é entrar em cena. Mas de noite, na hora de *As Aparências Enganam,* eu ia jogar uma contraluz e outra luz na frente, para iluminá-la inteira, totalmente. Eu não tinha visto ainda o vestido do Clodovil que ela ia usar. Na hora que joguei as luzes, ela ficou literalmente pelada, o vestido era transparente.

O maior sucesso do disco e show *Essa Mulher* foi, sem dúvida, a música *O Bêbado e a Equilibrista*, de Aldir Blanc e João Bosco, que realmente, como previa Henfil, transformou-se em hino da Anistia. Um personagem em especial acompanhou de perto o que foi para Elis ter gravado essa música e, mais ainda, o que representou para ela a vitória política na anistia: Henfil, cantado na letra da canção por causa de seu irmão Herbert de Souza, o Betinho, que vivia no exílio. Seu depoimento:

Do jeito que ela estava, percebi que era para largar tudo e ir. Quando cheguei, ela me mostrou uma fita de João Bosco cantando *O Bêbado e a Equilibrista.* Não me lembro de ter gostado ou não da música. Ela ficou chorando o tempo inteiro. O César estava perto e não sabia o que fazer, estava demais. Talvez ela tenha antevisto a importância que teria essa música, coisa que não percebi. Talvez já soubesse que tipo de voz ia colocar, repercussão que iria ter. Fiquei apenas feliz de finalmente ter meu nome numa música.

Quando ela me chamou a segunda vez para mostrar o que tinha feito com a música aí, sim, percebi muita coisa. O César percebeu mais do que ninguém o que aquela música significava para Elis, para mim. Percebeu que aquela música ia me jogar para o alto. Eu estava mal, numa fase afetiva ruim, morando em São Paulo de cabeça para baixo. Estava com um problema de estar na lista negra da televisão. O César fez um arranjo para aquela música que começa com aquele acordeom parecendo caixinha de tirar sorte. Olhei para ele, que me devolveu o olhar como se dissesse: "É sua". Aquela introdução é do tipo "prepare seu coração pras coisas que eu vou contar". Desmontei. Quando ela colocou a voz, e percebi principalmente que ela estava jogando mais a emoção do que a técnica, aí desbundei. Quando acabou a música, percebi que a anistia ia sair. Estávamos no começo da campanha, que mal juntava quinhentas pessoas na rua. Eu tinha todo o cuidado de falar do meu irmão nas cartas da *IstoÉ* quando o Aldir Blanc fez a letra que falava do meu irmão, ele nem sabia o nome dele.

Eu imaginava que a ditadura, o governo iria perceber que por trás daquela música não havia quem pudesse segurar o momento da anistia. Escrevi para meu irmão Betinho para ele se preparar: "Agora temos um hino e quem tem um hino faz uma revolução". E de fato não deu outra: o negócio cresceu de tal maneira que tenho certeza de que aquilo pesou para o comício pular das quinhentas para cinco mil pessoas. E aí, nos comícios, era só tocar a música e assistir. Acho que seis meses depois saiu a anistia, antes mesmo que a oposição tivesse condições de gerir aquilo, de propor outras fórmulas. No dia em que meu irmão chegou, ainda havia um clima de saber se ele ia ser preso ou não. Todas as pessoas levaram um gravador com a fita da música. No Aeroporto de Congonhas, só tocava *O Bêbado e a Equilibrista.* Até os policiais ficaram tocados. A TV Globo colocou a música no ar. Betinho chegou e, no mesmo dia, o levei ao Anhembi para ver o show da Elis. Ela interrompeu o espetáculo para dizer que um dos motivos daquela música, graças a Deus, estava presente. Já tinha voltado o irmão do Henfil. Era como se Elis me dissesse: "Estamos quites". Já não me olhava com jeito de culpada.

Elis era a voz do estômago do Brasil inteiro. Eu me sinto agora mais tranqüilo, porque passo a ser uma espoleta de uma grande explosão, de uma grande artista. E foi aí que aprendi uma coisa: arte e caráter não têm absolutamente uma coisa a ver com a outra, infelizmente. Ou felizmente.

CAPÍTULO 10

que saudade do Brasil!

Eu vi a Rita Lee lamber o microfone. Passei anos da minha vida com vontade de fazer isso e com medo de ser eletrocutada.

ELIS REGINA

EM 1980, TRÊS DIAS DEPOIS DE TER COMPLETADO 35 ANOS, ELIS ESTREOU NO CANECÃO, NO RIO, O ESPETÁCULO *SAUDADE DO BRASIL.* ERA O RESULTADO DE UM TRABALHO DE MESES. NO PALCO, 25 pessoas: Elis, treze músicos e onze bailarinos. Márika Gidali comandou a coreografia. Marcos Flaksman, o cenário. E, na direção, Ademar Guerra, que conta:

Deram a Elis um camarim belíssimo. O Canecão acreditava em estrelas, não em astros. O camarim da estrela era ótimo e os do resto da equipe eram cubículos. A primeira coisa que Elis fez foi dizer: "Quero redecorar tudo isso aqui!". Chamei-a de lado e falei: "O que é isso? O camarim está ótimo!". E ela: "Fique quieto, tem de ser assim, senão eles não respeitam!". E arrematou: "E, depois de quem esteve aqui antes, vou mandar benzer". Era a Bethânia.

Durante os ensaios, Elis era muito tímida. Fazia os exercícios com a Márika Gidali porque era solicitada a fazer. Queria fazer, mas morria de vergonha de ser normal, de não ser excepcional também numa aula de dança. Fazia piada, falava, tentava bagunçar o coreto. E não conseguia. Primeiro, porque a Márika é muito firme e, depois, porque a molecada que estava junto já tinha certa prática e não tinha vergonha. Ninguém embarcava.

Depois que estreou o show, Elis brigou comigo. Eu estava em São Paulo, ela telefonou e disse: "Você tem de vir ao Rio de qualquer jeito". Eu trabalhava em outro espetáculo, não podia ir. Elis ficou furiosa. Mas eu sabia que não tinha acontecido nada com o show. Na verdade, só estive na temporada carioca de *Saudade do Brasil* uma vez. Foi quando o Sindicato dos Atores do Rio de Janeiro queria demitir todo o elenco paulista

ELIS: FORÇA, MANHA, GRAÇA, GANA SEMPRE.

para colocar atores do Rio. Aí fui correndo. Elis não disse nada, mas notei pela cara dela que ficou furiosa, porque quando me chamou eu não fui. Não passava pela cabeça dela que eu tinha de intervir num problema como aquele dos atores. Talvez não entendesse que sem os atores originais o espetáculo acabaria.

Paulo Garfunkel, o Magrão, era um dos membros da banda no espetáculo *Saudade do Brasil.* Saxofone e flauta. Os dois ficaram amigos:

Quando viajamos para o Rio, antes da estréia, fui com Elis de carro. E eu tinha certa tensão na minha relação com ela, que era o fato de eu ser compositor, e se a Elis gravasse uma música minha ia ser a glória. Porque a Elis e o César, para nós, eram meio parâmetros de qualidade. E, logo de cara, falei para ela: "Faço música e quero que você saiba disso". Quis falar logo e rápido. Ela achou ótimo, foi superbacana. Nunca nos deu um toque profissional de maneira áspera, apesar de ser uma pessoa, algumas vezes, áspera. Mas eu sentia uma preocupação muito humana dela. Para mim, o que mais determinou a nossa relação foi o lado pessoal.

Eu vi o humor dela e vi a ira também. Ela possuía uma característica que também tenho, que é o culto da ira. Ser uma pessoa irada. Há pessoas que começam a falar, se inebriam e sentem um grande prazer nisso. Eu gosto, acho engraçado uma pessoa de mau humor. Simpatizo com os mal-humorados. Ela também. No Rio, ficamos num apartamento alugado pelo Canecão, em Copacabana, para todo mundo. Virou um gueto — não no sentido de segregar, mas no de ser todo mundo meio jacu, de São Paulo, paulista. Aí é que ficamos superamigos. Na penúltima sessão de *Saudade do Brasil* fizemos uma reza. Ela cantou olhando para todo mundo, e todo mundo meio chorando. Passou uma enorme energia para cada um de nós no olhar. Não conheci ninguém que se desse daquele jeito cantando.

Elis deixou um presente para seu amigão Magrão. Um poema, escrito durante as gravações do disco feito para a Odeon, em 1980. Nem ele nem ela sabiam o que seria feito com isso. Tinham a vaga idéia de transformá-lo numa letra de música:

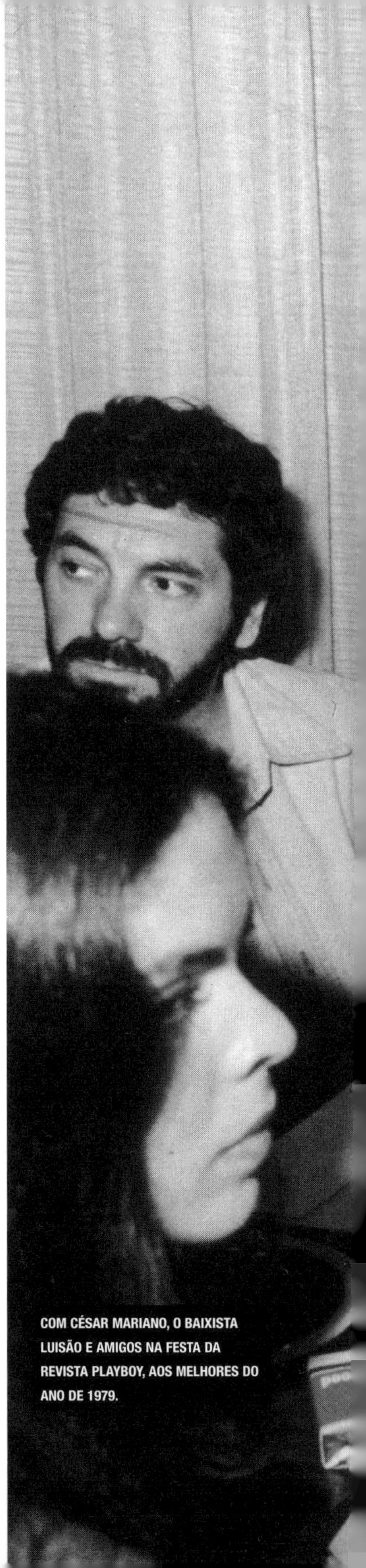

COM CÉSAR MARIANO, O BAIXISTA LUISÃO E AMIGOS NA FESTA DA REVISTA PLAYBOY, AOS MELHORES DO ANO DE 1979.

Barrica de milho
Vidro de puxa-puxa
Salame, azeite, pão
Vitrina da maria-mole
O Correio no balcão
Cachaça com Underberger
Balança de dois pratos
A venda do vovô
Camiseta e suspensório
Calça de pano riscado
O Patek de corrente
Sanduíche de lingüiça
Cerveja com tremoços
Caramanchão de chuchu
Vinho, escopa, boliche
As graças do meu avô
Cheiro de café nos sonhos
Relógio embalando o sono
As risadas dos guris
O pigarro do juízo
O baú verde no quarto
O bandoneon do Juca
A Dinda e o Lencinho Branco
Minha cama de sanfona
A casa do meu avô
O calor, o aconchego
Cumplicidade no ar
A perna esquerda mancando
O óculo redondinho
A cabecinha prateada
De repente, um medo louco
Um beijo num fim de tarde
Uma ambulância, na maca
Esse vazio, vovô...

Natan Marques tocava na boate *La Licorne*, famosa casa de prostituição de alto luxo em São Paulo, antes de entrar para o grupo e a vida de Elis Regina. À primeira vista, também pareceu uma pessoa desconfiada, mas o código da sinceridade foi o bastante para conquistar Natan. Ele jogava aberto. Muitos concordam que Natan foi uma das pessoas que mais entenderam Elis Regina. Não há fato sobre a cantora que ele não soubesse. Através dela ou de outros. Elis lhe contava os segredos da vida em conversas que sempre acabavam em galhofa, muita risada e brincadeiras. Para Natan, Elis era uma rainha, e ele era feliz por fazer parte do seu séqüito:

Durante a temporada de *Transversal do Tempo* em São Paulo, Elis estava numa encrenca danada com o César e isso começava a chegar ao palco. Era o inferno. Passei por muita encrenca entre os dois. Às vezes, sem querer, eu estava no meio. Fiquei muito íntimo. Nunca consegui ser aquilo que eu queria com o César. Não sei se, de repente, ele tinha de me aturar ou eu aturá-lo. E a Elis vivia me chamando: "Vamos lá para casa?".

Muitas vezes eu ia sem querer, não sabia dizer não. Não sei se eu servia para algum tipo de segurança para ela. A gente se juntava para jogar conversa fora.

De vez em quando, hospedado com os dois, eu acordava no meio da madrugada com aquele barulho. Eles quebravam tudo. Um dia o César me acordou: "Ela foi embora". Falei: "Vai dormir que ela volta. Não me enche o saco, quero dormir, não agüento mais".

Uma vez, estávamos no Gurgel e falei brincando com eles: "Não agüento mais ver vocês brigando de noite e de manhã acordarem feito pombinhos. Vou comprar uma arma para matar vocês!".

Quando terminou o show, ninguém mais se falou. Achei estranho, e mais estranho ainda quando eles foram para Montreux e levaram outro guitarrista. A Elis tomou um porre lá com o Luisão e me mandou um cartão-postal, dizendo que foi a maior sacanagem que tinha feito comigo. Mas em 1980 eu estava em casa e tocou o telefone: era o César me chamando para conversar. Fui. Eu estava louco para trabalhar de novo com eles, mas estava magoado. Quando o César me viu, disse: "Tá bom, pode me xingar". Fiquei quieto e voltei ao grupo.

Final da temporada de *Saudade do Brasil,* Rio, churrascaria Plataforma, madrugada, mesa de oito: Elis e César, Natan e Odete, Rogério e Biba, Sérgio e Celina. Celina é filha de Walter Silva, o Pica-Pau, e seria sua última secretária. Celina não esquece o que aconteceu aquela noite na churrascaria de Alberico Campana:

De repente chegou uma menina na mesa e Elis achou que ela estava paquerando o César. Começou a falar alto, dizendo que ia virar a mesa. De repente, me chamou para ir ao banheiro. Chegou lá, levantou a roupa e me perguntou: "Você acha que eu sou horrível? Estou velha, gorda, feia?". E começou a chorar. Quando voltamos para a mesa, começou a infernizar o César de novo, e infernizou tanto que ele virou a mesa. O cabelo do Natan ficou cheio de arroz.

Antes que terminasse o contrato de Elis com a Warner ela fez um especial de tevê para a Rede Globo. *Elis Regina Carvalho Costa*, direção de Daniel Filho, exibido em 3 de outubro de 1980. Para esse especial foi criada uma camiseta com a bandeira do Brasil estampada no peito. No lugar de *Ordem e Progresso*, mandaram escrever *Elis Regina*. A censura não gostou e a camiseta circulou apenas fora do vídeo.

Poucas semanas depois, logo no início de 1981, Elis realmente virou a mesa. Seu nome entrou para as colunas de fofocas:

Elis e Fábio Jr. viajam juntos para os Estados Unidos.

De fato, Elis viajou com Fábio Jr. para Nova York e ele ficou lá apenas uma noite. Na manhã do dia seguinte, embarcou de volta para o Brasil. Mônica Figueiredo contou um pouco dessa rápida passagem de Elis por Nova York:

Quando Elis foi para Nova York com o Fábio Jr., procurou um amigo comum, o Márcio Martins Moreira, um publicitário que mora lá. Os três se encontraram na Broadway para assistir a *Chorus Line* e depois foram para um restaurante em frente. Ele me disse que Elis ficou brincando de imaginar como seria sair da Broadway e esperar a crítica do *Times* sair. Márcio levou Elis e Fábio ao hotel e, no dia seguinte, ela telefonou dizendo que o Fábio tinha ido embora.

Elis pegou as malas e foi para Los Angeles. Hospedou-se na casa do saxofonista e arranjador Wayne Shorter e, de lá, telefonou para César Mariano.

Elis tinha me falado que precisava ir sozinha para Los Angeles, para provar para ela mesma que independia de mim. Quando ela disse isso, no quarto das crianças, na Joatinga, no dia em que a gente se separou, entendi mais ainda tudo. Eu disse: "Vá para provar que Elis Regina é Elis Regina, que sobrevive sozinha em qualquer parte do mundo".

E ela foi e se deu bem. Estava com o Wayne, com o Quincy Jones e o Herbie Hancock. Era o início de um projeto de uma carreira internacional mais forte. Ela ia também gravar um disco lá. Foi quando voltou a insegurança de Elis e acho que alguma coisa além de inse-

ELIS E CÉSAR NO ESPETÁCULO *SAUDADE DO BRASIL*, UM SHOW ESPETACULAR.

gurança. No meio dessa gente toda, ela me ligou pedindo para que eu fosse para lá, porque todos estavam perguntando por mim. Diziam que precisavam de mim para gravar o disco. Mandei a Elis para aquele lugar. Não fui, brigamos no telefone. Aí ela resolveu gravar o disco aqui no Brasil e trazer os arranjos. Quando voltou dos Estados Unidos, reatamos.

O disco de Elis com Wayne Shorter não saiu. Existe uma estranha história envolvendo mais essa tentativa de Elis de ser internacional, num trabalho de qualidade. O testemunho é de César Mariano:

Wayne Shorter ficou hospedado lá em casa, na Joatinga. Ele exigiu uma banda que tivesse o Natan, o Luisão, o Picolé. Exigiu essa banda 24 horas por dia. E ficamos lá em casa mais de um mês, com teclados, bateria, baixo, tudo. Ele acordava de manhã de *jogging*, Elis fazia ovos com bacon para ele e ele rezava três vezes por dia na religião budista. Elis aprendeu com ele. E o Shorter compondo, compondo. Até esse momento, não se falava em letra, em Elis cantando, ele não tinha uma participação determinada para Elis no disco — o disco era dos dois. Ficamos perguntando entre nós: quando é que a Elis vai entrar?

Uma vez, interrompi o trabalho e perguntei. Aí ele coçou a cabeça e disse:

"Aqui tem oito compassos em que ela pode fazer um vocalise". Bom, mas quem ia fazer a letra, o que ela ia cantar? Em nenhuma hipótese conseguimos falar com o empresário, Joe Rufflos, o cara que tinha armado tudo. Na CBS, ninguém entendia o que estava acontecendo. Quando chegamos no estúdio da Som Livre (via CBS), havia quatro temas prontos. E complicadíssimos, tanto que tive de traduzir a escrita dele, que é de jazz clássico, com códigos esquisitos. No estúdio, às nove da noite, havia um engenheiro de som e um técnico americanos, independentemente dos brasileiros, que estavam de braços cruzados, mais outro auxiliar e uma quantidade fantástica de equipamento. Tinha mesa de gravação, outra mesa para acoplar na da Som Livre. Lá dentro, um piano elétrico, um amplificador de baixo, de guitarra e uma superbateria armada, toda microfonada com um baterista americano, que já tinha passado o som. Ninguém entendeu nada. Havia vinte canais disponíveis para a bateria. Elis foi ficando brava. Detalhe: ninguém falava com a gente, só com o Wayne Shorter. Ficamos para ver o que acontecia. O Wayne distribuiu as partituras, deu a do baterista e me disse: "Não precisa se preocupar muito, só em fazer a sua parte, porque baixo e guitarra nós vamos colocar nos Estados Unidos. Vocês vão servir de guia". Eu falei: "'Como é que é?".

Minha cabeça começou a estalar e não tive reação na hora, sou meio retardado para reações. Aí resolvemos passar, e o Wayne Shorter chegou perto de mim, pegou minhas duas mãos de cima do piano, tirou de um lado e passou para o outro: "Toca aqui", ele disse. Desliguei o piano, levantei e falei: "Não tem mais gravação, desculpa, o nosso produtor não está aqui, não estou sabendo o que está acontecendo. Elis não sabe o que vai cantar e culmina com essa história do baterista". Ele disse então: "Thank you". Pegou seu saxofone, passou em casa, pegou suas coisas e foi embora.

Havia muita expectativa sobre esse disco. Falava-se demais da minha projeção internacional, pouco se falava do projeto que era na carreira de Elis. Acabou sobrando para mim: fui acusado de ter sido o causador da dissolução do projeto. Paciência...

CAPÍTULO 11

um músico a mais na orquestra

Decifra-me ou devoro-te? Não vai me devorar, nem me decifrar nunca. Eu sou a esfinge, e daí? Nesse narcisismo generalizado, me dá licença de eu ser narciso um pouquinho comigo mesma? De fazer comigo o que bem entender, ser amiga de quem quiser, de levar para minha casa as pessoas de quem eu gosto? Bem poucas pessoas vão conhecer a minha casa. Sou a Elis Regina Carvalho Costa, que poucas pessoas vão morrer conhecendo.

ELIS REGINA

NO COMEÇO DE 1981, O ÚLTIMO ANO DE SUA BREVÍSSIMA VIDA, ELIS VOLTOU DOS ESTADOS UNIDOS E PARTICIPOU, COMO CONVIDADA ESPECIAL, DO PROGRAMA DE GAL COSTA PARA A TV GLOBO. Da platéia do teatro Fênix, no Jardim Botânico, pude ver Elis, num longo azul-nenê e maquiagem carregada. Parecia mais tímida do que de costume. Cantava com os olhos fechados e mal conseguia encarar os olhares insistentes e carinhosos de Gal Costa. Estranho. Algumas outras pessoas acharam a apresentação fantástica pela verdade de Elis naquele momento: uma timidez absurda diante de uma grande cantora que a realçava em seu próprio programa. Caetano Veloso foi um deles:

"Fiquei impressionadíssimo com a Elis. Fantástica. Era um músico".

A cantora Gal Costa relembrou todo o seu passado com Elis, ao contar o que se passou exatamente naquela noite:

— Conheci Elis ainda em Salvador, quando ela foi fazer um show. Saímos juntas. Eu ia cantar num festival de música e ela foi comigo.

A primeira vez que fiz o *Fino da Bossa*, não tinha camarim para mim e ela me chamou para ficar no dela. Sei que Elis era uma pessoa muito difícil, mas sempre se mostrou carinhosa comigo. Na época de meu show *Fantasia*, quando a imprensa fez críticas violentas ao espetáculo, ela me ligou. Sempre teve algo especial comigo. Mandava cartões. Fui ver *Falso Brilhante* e depois ela me mandou um bilhetinho. Me ligava para tentar emprego para músicos. E, quando fiz aquele especial para a Globo, disse para o Daniel Filho:

ELIS FOI A CONVIDADA DE GAL COSTA EM SEU ESPECIAL PARA A TV GLOBO, DE 1981.

UM SOLO EM *SAUDADE DO BRASIL.*

— Vou chamar a Elis.

Ele falou:

— Imagine, a Elis não vem.

— Mas claro que vem!..

Ligamos para ela em Los Angeles. Ela respondeu:

— Mas claro que vou, amanhã.

E ela foi mesmo. Quando cantamos juntas, ela não me olhava na cara.

Eu dizia:

— Elis, olha para mim, quero ver você.

Ela:

— Sou vesga, você vai rir do meu olho.

Eu dizia:

— Imagina, quero ver sua cara, seu olho, quero dividir isso com você..

E ela:

—Não, eu sou vesga, você vai rir. Tenho grilo porque sou vesga.

Mas ela ficou contente. Às vezes eu a achava um pouco fria cantando. Quando digo fria, quero dizer muito técnica. Engraçado, a Elis conseguia chorar e cantar, eu não consigo. Quando começo a chorar, minha voz treme logo. Como cantora, era o máximo. Ela falava as palavras, em cima das notas, muito sofisticada na emissão das notas. Eu a admirava demais. Tinha uma musicalidade fantástica. Ela, como eu, se achava mais um músico na orquestra.

Tentando recuperar sua relação com César Mariano, Elis começou os preparativos de um show *Trem Azul*, numa nova casa de espetáculos que abria em São Paulo, o Canecão-Anhembi. A casa era uma catástrofe, com colunas no meio do salão que atrapalhavam a visão do palco. Mas Elis acreditava estar abrindo novo espaço de trabalho para a categoria. Antes de começar os ensaios, ela viajou ao Chile, no dia 9 de julho de 1981 para cumprir um contrato. No dia 12 já estava de volta e começando a ensaiar. Chamou Fernando Faro para dirigir e o artista gráfico e multimídia Elifas Andreato para fazer o cenário. O clima era de desconfiança quando Elis foi apresentada a Elifas. Na verdade, os dois se odiavam. Conheciam-se muito de ouvir falar e cada um tinha péssimos adjetivos para qualificar o outro. De qualquer maneira, Elifas resolveu tentar:

"Nossa primeira conversa foi interessante. Saí mais ou menos convencido de que daria para trabalhar com ela. Levei uma maquete, fomos para o Canecão e aí tudo aconteceu. Elis brigou com César Mariano. Ela chegou um dia com hematomas, óculos escuros e disse:

— 'Não quero mais o César aqui dentro'.

Ninguém sabia o que fazer. Ela disse que não o queria nem no show nem na vida dela. O Faro não sabia o que fazer. Elis não queria sequer que o nome do César fosse pronunciado lá dentro. Um dia ela chegou a mandar o Faro embora por causa de uma brincadeira:

—'Baixinha, sabe com quem estive hoje? Com o César'.

Ela estourou, ficou furiosa. O Fernando Faro queria ir embora e passar a direção para mim".

Mas isso não aconteceu. Com sua paciência e sabedoria, Fernando Faro, o Baixo, continua até hoje na ativa. Seu currículo no comando de programas musicais (ou não), na TV é invejável. Comanda o *Ensaio*, em que as perguntas são feitas em *off* e num jogo de luzes revela traços da personalidade do personagem em foco. Faro foi convidado por Elis para dirigir o espetáculo na inauguração do Canecão-Anhembi paulista.

Uma noite ela foi jantar em casa com o César. Tinha outra coisa que eu queria te pedir. Me chamaram para inaugurar o Canecão. Eu não queria, mas é um espaço a mais para o músico. E eu queria que você dirigisse o show. Uma coisa simples. Ai saímos e fomos ver o espaço. Era um negócio incrível. Tinha colunas no meio, atrapalhando a visão do palco. Inventei o seguinte: televisão com monitores, câmeras, pra ajudar um pouco e meter aquela história de eu sou uma estrela. E foi bem. Sei que nos ensaios, ela chegava e dizia:

— Cadê o texto?

Eu estava meio chateado com ela, não sei por que. Ela tanto insistiu que eu disse vamos fazer. Ela ficava no palco e o Rogério gravando em fita. Fizemos umas dez vezes. Eu dizia: não pode ser assim, você está sorrindo. O que está escrito no texto dói, estão tirando a sua pele. E ela modificou. Meia hora depois, a Suely Valente, minha assistente, pedi para chamar Elis. Ela chegou e me disse:

— Baixo, me dá um beijo.

Dei um beijo no rosto.

— Não, Baixinho, na boca.

Ela me deu o beijo e fiquei com cara de palhaço, todo borrado de batom. Eu disse para ela:

— Vai lá, Baixa, grita, expulsa os demônios para fora.

Sei que ela foi e eu fui cuidar da luz, que era uma pobreza incrível. Fizemos o show e foi bonito. Quando acabou, ela chegou na beira do palco e eu disse:

— Legal, Baixa.

Ela se atirou em cima de mim, me derrubou:

— Nós matamos eles, baixo, nós matamos eles!!!

E eu nunca soube quem eram "eles".

Durante os ensaios, também, Fernando Faro foi avisado por Suely Valente que Elis não estava bem:

Um dia, no Trem Azul, Suely Valente chegou pra mim e disse:

— Baixo, a Elis está passando mal!

Chamamos o médico, ele tirou a pressão e estava baixíssima, 5 por 2. O médico disse que havia sido uma queda momentânea de pressão e que iria passar logo. De fato passou e ela conseguiu trabalhar.

César Mariano certamente não esperava que a separação daquela vez fosse definitiva. Não esperava que Elis fosse capaz de, às vésperas da estréia do novo show, três ou quatro dias antes, demitir o pianista e o marido ao mesmo tempo:

"Sempre disse para Elis, e vou morrer dizendo, que ela era a pessoa mais normal que já conheci. Anormal sou eu. Quem soube entender a genialidade dela passou por cima de tudo. O problema da convivência era de paciência. Eu aceitava aquilo, aturava seus ataques, até públicos. Ficava bravo era com a minha impotência diante das situações. Nunca fiquei bravo com ela. Aliás, só fiquei no dia em que rompeu comigo. E pelo lado profissional, porque faltavam poucos dias para a estréia. Não entrou na minha cabeça que Elis pudesse tomar aquela decisão. Mas mesmo assim entendi que era um grande lance para ela. Ela disse:

— 'Sai fora que eu vou sozinha'.

Saí fora, fui para um hotel e fiquei em contato pelo telefone com o Natan e o Faro. Não assisti ao show nunca".

Sem César, Elis apelou para Natan. Deu a ele a missão de fazer os arranjos e cuidar da direção musical de *Trem Azul*. Elis tentou convidar o velho amigo Luís Loy para tocar piano no lugar de César Mariano. Loy não pôde aceitar: convalescia de um implante de cabelos. O pianista escolhido foi Paulinho Testa (Esteves), que dividiu os teclados com Sérgio Henriques. Natan teve pouco tempo para essa missão, mas estava com Elis. Enquanto ela fez uma rápida viagem ao Chile, para cumprir um contrato, com uma emissora de televisão, Natan preparou e ensaiou o espetáculo. Foi um show revelador, e a primeira vez em que o público se levantou no meio de uma música, para aplaudir Elis. Seu figurino era bastante parecido com o macacão que Rita Lee usou em seu especial para a TV Globo. Mas isso era o de menos. Elis estava cantando como nunca.

Trem Azul estreou no dia 22 de julho e seguiu temporada até dezembro. Passou por Porto Alegre, em única apresentação em 19 de setembro e, em outubro voltou a estrear no teatro João Caetano, Rio de Janeiro. Foi a última vez que vi Elis Regina. No camarim, ela me convidou para trabalhar com ela. Nem tivemos tempo de conversar sobre o assunto. Dois dias antes, eu a havia encontrado no hotel Caesar Park, onde a gravadora Som Livre, de João Araújo, produziu um coquetel em homenagem ao fato de Elis ter assinado um contrato com a gravadora.

Samuel MacDowell era advogado de Elis Regina. Alguns dias antes da estréia prevista de *Trem Azul,* ela procurou seu escritório no centro de São Paulo. Queria adiar o show. Samuel conta:

"Eu era uma pessoa idolatrada por ela, que me respeitava e me concedia certa ascendência. Tanto é que o César, depois de se separar da Elis pela última vez, me procurou dizendo que eu era uma das pessoas que ela mais respeitava. Nesse dia eu tinha chamado Elis à minha sala para saber o que estava acontecendo. Ela queria adiar o show. Acho que tinha muita relação com a separação do César e o fato de estar trabalhando sem ele. Fora isso, também parecia infeliz. Chegou a dizer que estava com medo de estrear o show. Aí dei uma bronca nela. Foi uma conversa longa, de pelo menos uma hora. Ela chorou e não falou muito. Ouviu. Mas foi e resolveu fazer o show.

"Fui vê-la na estréia. Nunca tinha assistido a um show que tivesse me impressionado tanto. Fomos jantar com um bando de gente. E o que mais me impressionou em Elis foi a pureza dela. As mentiras que inventava eram sempre ditas em defesa de alguma verdade. Era ingênua. Esse é um ponto fundamental, chave de sua personalidade — considerar que uma pessoa mente para poder afirmar a verdade".

Elis Regina e Samuel MacDowell começaram a namorar. Poucas semanas depois da estréia de *Trem Azul,* o compositor Roberto de Carvalho foi ver Elis no Canecão paulista. Sua mulher, Rita Lee, aos nove meses de gravidez, ficou em casa. Roberto viu o show e depois foi ao camarim. Assistiu a uma cena inesquecível:

"Elis estava passando mal. Os olhos meio revirando, o corpo balançando. O camarim era meio apertado. Ela foi caindo e fechamos a porta do camarim. Parecia que estava com falta de ar e desmaiou. Demorou uns dez, quinze minutos para voltar a si, e me lembro de ter desenrolado sua língua. Quando acordou, Elis disse que isso era alguma coisa que estavam fazendo contra ela. Alguma coisa ruim que queriam fazer contra ela".

Difícil de acreditar. Elis não gostava de drogas. Jamais gostou. Falava mal de quem gostava. A única vez que me falou sobre maconha foi em 1980, durante o show *Lança Perfume,* no Anhembi. Rita Lee revelou que certa vez Elis foi visitá-la e mostrou uma carteira com vários cigarros, muito bem enroladinhos. Elis se dava muito bem com o casal Rita e Roberto. Rita conta por quê:

"A primeira vez que Elis nos pediu uma música, fizemos *Alô, Alô, Marciano.* Ela avisou que queria uma coisa nossa, não uma coisa para ela. Quando Elis nos mostrou a gravação, estava bem diferente do que tínhamos feito. Ritmo, tudo. Ficamos chapados. Foi aquela coisa de dar uma pincelada, fazer os *comics* dela, os *high societies*. Fiquei surpresa com o carinho que ela tinha com tudo o que fazia. Gostamos. Na nossa versão, era uma coisa mais Jorge Ben, mais acelerada. Ela fez um jazz meio para o *space*, uma coisa meio suingada, indolente. Claro, qual era a dela de fazer uma coisa igual à que a gente mandou? A dela era de co-autoria mesmo.

"Depois de *Alô, Alô, Marciano,* viramos amigas de telefone. Era toda semana, uma coisa assim meio de massagista. Se eu tinha visto não sei o quê na revista, o que eu achava, se eu tinha visto fulano falar dela ou se eu estava a fim de fazer as pazes com Chico Buarque porque tinha de acabar com esse negócio de uma vez por todas. Outras vezes telefonava perguntando se a gente não queria fazer uma excursão até o Xingu, uma caravana cigana comandada por Tom Jobim, Roberto Carlos, Chico Buarque, Milton Nascimento, todo mundo, e nós duas atrás, com os filhos todos chegando lá e fazendo uma revolução, para tomar o Brasil. Ela enfeitava bem mais a passeata dela, não era um processo em preto-e-branco, era colorido, tinha rock, tinha tudo. Podia tudo.

"Nosso outro encontro foi no *Mulher 80.* Ela ficou de braço dado comigo o tempo todo e falava assim:

— Eu não me dou com esta, não me dou com aquela, daquela não gosto, então vou ficar com você.

"A idéia da Elis era fazer uma cooperativa comigo e com o Roberto. Enquanto eu fazia show, ela fazia disco. Elis achava que podíamos rachar a produção, rachar os custos com equipamento. E aconteceu uma coisa incrível quando o Rogério estava trabalhando com a gente. No especial *Saúde,* estávamos gravando no Anhembi para a televisão e eles pegaram uma bronca minha por causa do som. Na montagem da Globo, na hora da minha gritaria, aparecia a cara do Rogério. Eu não estava gritando com ele, mas com os técnicos do Poladian. A Elis ligou para mim indignada e expliquei que tinha sido um problema de edição.

"Nos telefonemas, a gente conversava sobre o que estava rolando. Ela dizia assim:

'Amiga, a gente mora aqui em São Paulo, não fica fazendo gracinha para a revista *Amiga,* não faz *topless* em Ipanema'.

Me chamou para ir para a Cantareira, tanto que acabei comprando um sítio lá. Teve uma fase que Elis ligava todo dia, toda hora, enchia até. Tinha vezes em que eu tinha de cortar a conversa.

"No primeiro especial do *Lança Perfume* que gravamos na Globo, ela apareceu em casa para assistir junto com a gente. Eu estava nervosa, nunca tinha feito um programa assim para a tevê. Ela entrou e eu disse:

'Pô, Elis, vou assistir ao especial perto de você? Você vai ficar vendo todas as minhas desafinadas, vou ficar péssima'. E ela disse: 'Que nada, não adianta, você não vai me expulsar da sua casa. E pára com esse negócio de dizer que não sabe cantar'.

Fiquei nervosíssima de todo jeito. Tapava o ouvido dela quando eu sabia que ia desafinar, conversava alto. Morria de vergonha de cantar perto dela. Do João Gilberto não, mas da Elis sim. Ela era uma perfeição. Certa vez operei os calos das minhas cordas vocais — eu tinha dois — e o médico me disse que eu teria de ficar um mês sem falar, era o segredo da operação. Depois falei com ela e perguntei:

'Você ficou um mês sem falar quando operou as cordas vocais?' Ela me respondeu:

'Imagine se eu vou ficar um mês sem falar!'

"A Gal canta com a voz da cabeça. A Elis cantava com todas as partes do corpo. Para mim, ela era um Jimi Hendrix.

"Quando estava se separando do César, me ligava para dizer: 'Nós duas temos maridos músicos, é foda, mas tudo bem, a gente segura'. Era uma coisa de cumplicidade. Às vezes, quando brigava com o César, achava que eu tinha brigado com o Roberto também, de alguma maneira. Ela ligava para conferir. Às vezes batia, mas raramente, porque nós dois não somos de ficar remoendo, fazemos as pazes logo. Ela virou meio filha depois que se separou do César. Me ligava para dizer que tinha saído com não sei quem; uma menininha. E a última lembrança forte que tenho de Elis foi quando gravou *Me Deixas Louca,* na Som Livre. Eu também ia entrar no estúdio e fui mais cedo para falar com ela. Ela disse:

'Você vai escutar pela primeira vez'.

Estava tão emocionada que sentei na frente da mesa de mixagem, ela se deitou no meu colo feito uma criança. E ouvimos a música assim. Ela enfiava o dedo na boca e eu batia na bunda dela e dizia: 'Sua danadinha'".

Não te vi. Aumenta meu saldo negativo. Amanhã, como vai ser? Não quero imaginar. Sinto uma saudade enorme e que cava um buracão aqui dentro. Sei que você não vai desculpar essa ausência, sei que deve estar completamente doido de raiva de tudo. Sei que estou mal com você, perante você.

Sei tudo. Nem precisa tocar no assunto.

Entretanto, não consigo me sentir pesada, culpada, odiosa mesmo. Porque sinto, sinceramente, que fiz o que precisava e desejava fazer. Fiz o que minha ansiedade pedia, fiz o que meu universo precisava. Re-tomei minha história com meu irmão e/ou filho.

Ainda que você esteja me detestando, não consigo me sentir uma coisa que não merece ser gostada. Eu estou me gostando mais que ontem. Estou mais legal com a minha bagagem. Quando nós nos reencontrarmos hoje, no fim da tarde, sei que vou estar melhor para você. Porque estou bem comigo.

Viva a Vida, que é feita de dias atrás de outros dias!!!

Não deixei de lembrar de você o tempo inteiro. Você estava sempre comigo. Te amo mais cada dia. Te quero absurdamente muito. Preciso do seu carinho. Quero, careço e preciso de ver você e seu olhar cor de caramelo. Estou morrendo de saudade da sua boca e do seu gosto.

Me queira bem. Me ame muito. Me ame bom.

Te amo, sou tua.

Elis.

Durante a temporada de *Trem Azul,* Elis também resolveria, por escrito, sua relação com um afeto que virou desafeto e que tentava recuperar: Caetano Veloso. Os dois se conheciam desde a época da TV Record. Na platéia do *Trem Azul* do Canecão, São Paulo, Caetano Veloso recebeu um bilhete de Elis. A relação dos dois nunca foi muito íntima nem muito assídua. Mas era uma história forte. Caetano conta:

"Ela foi a primeira artista sofisticada da música popular a se tornar conhecida através da televisão. Isso tem valor histórico, que, mesmo que Elis fosse uma péssima cantora, já seria uma coisa de grande porte. O problema de Elis era sem dúvida um problema de insegurança intelectual e de prestígio, no sentido de saber se o que estava fazendo era uma coisa séria. E o Tropicalismo mexeu com tudo isso, o que era sério ou não, o que era respeitável ou não, o que era *kitsch*, o que era chique. Tenho a impressão de que o Tropicalismo não deve ter parecido a ela uma coisa ameaçadora ou má. Acho que ela ficou balançada, é isso — aquilo ia para todos os lados e acho que ela ficou sem saber.

"Conversamos algumas vezes. Ela conversava de uma maneira que variava de tom. Ela estava falando de uma coisa meio genérica e, no meio, entrava uma rixa com alguma pessoa. Podia começar a rir no meio ou assobiava feito moleque, com os dois dedos. Era uma pessoa muito engraçada.

"Quando Elis foi gravar *Boa Palavra,* fiquei superfeliz porque fiquei imaginando aquela voz. Quando ouvi, não adorei tanto porque o refrão da música tinha uma harmonia e uma coisa interessante na composição, que o arranjo mudou. Para isso Elis mudava um pouco a melodia. Gostei mais de *Samba em Paz* e, quando ouvi *No Dia em Que eu Vim me Embora,* em *Falso Brilhante,* desbundei. O show era deslumbrante. Nós nos víamos algumas vezes, conversámos e era bom. Ela era muito desconfiada e tenho a impressão de que uma vez falou para alguém: 'Nunca sei se, quando o Caetano fala de mim, fala aquilo como realmente um elogio ou se tem alguma ironia'. Me lembro de uma premiação em São Paulo e depois de um coquetel, quando ficamos conversando, eu, ela e o César. Era um lugar muito careta e então sentamos no chão. Eu disse: 'Elis, você cantou lindo *Nega do Cabelo Duro'.* Ela ficou assim meio estrábica, olhou bem para mim e disse: 'Por quê?' 'Mas como, por quê?', eu falei 'eu gostei à beça de você cantando'. Aí o César ficou quieto, dando aquele sorriso. Depois a Elis riu, nos abraçamos. Quando estávamos sentados lá, chegou um senhor meio careca e falou para mim: 'Você, anos atrás, escreveu um artigo contra o meu livro'. Era o José Ramos Tinhorão. Ele começou a falar comigo de uma maneira gentil, porque eu realmente tinha escrito aquele artigo e ele sabia que minhas opiniões sobre música brasileira não coincidem com as dele. O Tinhorão começou a dizer coisas para a Elis, indiretamente. Falou que ia escrever um artigo sobre a mentira do sucesso dos brasileiros no exterior, porque muita gente dizia que ia para o Olympia e abafava. Elis não falou nada. Ficou zarolha e quieta.

"O show *Transversal do Tempo* motivou a carta-bilhete que ela me escreveu quando fui ver *Trem Azul,* em São Paulo. Não gostei da parte do show quando ela cantava *Gente* e descia aquele cartaz de Coca-Cola escrito 'Beba gente'. Considerei aquilo agressivo. No dia em que fui assistir, não falei com ela. Saí, cumprimentei o Aldir Blanc e o Maurício Tapajós, que estavam no *hall*, e fui embora. Achei uma bobagem. E o show também era esquisito, muito para baixo. Foi na época em que eu estava fazendo o *Bicho Baile Show.* Foi na época em que o Henfil falava mal de mim e o Cacá Diegues falou sobre as patrulhas ideológicas. O Henfil nos apelidou de *patrulha odara*. E essa música *Gente* era do *Bicho Baile Show,* que eu queria que fosse um espetáculo de danceteria. Quando vi o que ela tinha feito no *Transversal do Tempo,* não fiquei com raiva. Mas até que eu chegasse à platéia do *Trem Azul,* último show de sua vida, não falamos sobre isso. Naquele dia estávamos eu e a Sônia Braga, o Gil e a Flora. Elis mandou um bilhete para o Gil e outro para mim. O meu era enorme, parecia uma carta. Era para dizer que me adorava e que no *Transversal do Tempo* ela não queria me agredir, que foram os diretores, que ela não concordava e que estava arrependida. Era uma carta explicativa. Depois fomos ao camarim e ela estava bebendo conhaque e rindo muito. Contou que chamou meu pai de João e o nome dele é José: não adiantava, ela iria sempre chamá-lo de João. Ela estava bem louca aquele dia. E, no show, com uma voz incrível, explorando mais possibilidades.

Quando a Elis morreu e a *Veja* publicou aquela matéria, considerei odioso. Falei na televisão, e dizia para que os filhos de Elis não tivessem vergonha, que Billie Holiday também morreu por causa de drogas. Ninguém tem o direito de medir a necessidade de uma pessoa chegar a isso. Não sabem como isso pode ser uma coisa boa também. Quando vi Elis em *Trem Azul,* fiquei pensando que o contato dela com a cocaína foi, artisticamente, muito positivo. E, depois, para uma pessoa com aquele tipo de insegurança intelectual, a cocaína resolvia — em geral a droga dá esse tipo de segurança. Teria sido genial se ela tivesse conseguido equilibrar essas conquistas com a capacidade de continuar vivendo. Infelizmente, não conseguiu".

Elis tinha uma relação muito particular com a cocaína. Quando voltou de uma viagem, distribuiu algumas *presenças* a membros da produção da TV Cultura, onde gravou sua última entrevista, no programa *Jogo da Verdade,* em 5 de janeiro de 1982. Como entrevistadores, Zuza Homem de Mello, Mauricio

A INTERPRETAÇÃO EMOCIONADA: ELIS CONSEGUIA CANTAR E CHORAR AO MESMO TEMPO, SEM INTERRUPÇÕES, SEM DESAFINAR.

Kubrusly e Salomão Esper. Durante a temporada de *Trem Azul*, o diretor Fernando Faro também sabia da existência da droga com Elis.

Mas não tocava no assunto nem com o irmão Rogério, nem com o namorado Samuel MacDowell, nem com os amigos íntimos. Alguns sabiam.

Quando começou o ano de 1982, Elis morava num apartamento alugado na Rua Mello Alves, no bairro dos Jardins, em São Paulo. Era o seu primeiro apartamento sem marido. Colocou seus retratos na parede, como nunca fizera. Pendurou os cartazes dos shows, os discos de ouro. Decorou-o como se fosse uma mulher solteira com três filhos. Para esse apartamento, Elis chamou dona Ercy, que se recuperava de uma operação de hérnia. Quase não se viam mais, por causa da briga com o pai. Elis queria uma reaproximação. Dona Ercy:

"Ela passava noites em claro e chamava sempre alguém para conversar com ela. Eu não conhecia essas pessoas. Sempre tinha alguém. E eu lá. Eu não entendia. Ela também não ouvia ninguém. Elis, depois que subiu na carreira, mudou completamente. Até subir era tudo legal, mas depois ficou estranha, estranha mesmo. Não conversava comigo. Fiquei algumas vezes com as crianças, quando ela não tinha babá. Mas não entendo por que ela não ia me ver. Não entendo muitas outras coisas. Não é porque morreu que vou dizer que ela era um doce de coco. Não era".

Celina Silva tinha virado uma espécie de secretária de Elis. Não saía do apartamento:

"Quando dona Ercy estava lá, Elis parecia mais forte. Elas ficavam em casa, falando de costura. Com dona Ercy lá, também, perto da mãe, ela era ótima com as crianças".

No último Natal de sua vida, em dezembro de 1981, Elis viajou com Pedro e Maria Rita para Foz do Iguaçu. João Marcelo não quis ir. Quando voltou, ela mandou Celina comprar um monte de presentes. Cada músico recebeu uma jóia — uma plaquinha com uma corrente de ouro. Afinal, ela os chamava de "meus sete homens de ouro". As mulheres e os filhos também ganharam presente. Com uma bolsa vermelha na cabeça, Elis dizia, correndo pela sala:

"Eu sou a Mamãe Noela!".

Entre o Natal e o ano-novo, chamou uma velha amiga para uma viagem curta à praia de Juquehy, no litoral norte do Estado de São Paulo. Uma velha amiga que ela viu crescer, Patrícia Figueiredo, a filha de Abelardo e Laura e irmã de Mônica:

"Fomos com as crianças e Elis estava ótima. Achei engraçado porque ela falava do César como falava do Ronaldo, parecia meio um videoteipe. Mas a coisa que mais me incomodou foi que ela falava igual dos dois. E ficava vesga. Naquela temporada de Juquehy, percebi como Elis estava cheirando bastante. Me disse que nem o Rogério nem o Samuel sabiam".

O ano de 1982 começou com mil projetos: o casamento com o advogado Samuel MacDowell, uma gravadora nova, a Som Livre, um disco novo — sem César Mariano. Uma banda nova. Uma casa nova, que ela estava procurando.

Trem Azul ganhou da crítica paulista o título de melhor do ano. Na noite em que soube disso, Elis estava com um casaco de peles, entrando no seu MP Lafer, quando gritou feito criança para Patrícia Figueiredo:

"Consegui, consegui ganhar da Gal e da Bethânia".

CAPÍTULO 12

uma dose mais forte

Às vezes, só porque fico nervosa, eu rebento,
Ou necessariamente só porque estou viva.

ELIS REGINA em *Rebento*,
de Gilberto Gil

ANO NOVO, VIDA NOVA.

ELIS ESTAVA CHEIA DE PLANOS PARA 1982. POR ISSO, PARA ELA E SAMUEL A NOITE DE 31 DE DEZEMBRO DE 1981 TEVE SIGNIFICADO especial. Depois de seis meses de namoro, eles haviam resolvido casar, viver juntos. No aspecto profissional, Elis se mostrava ansiosa para gravar o primeiro disco na Som Livre. Tinha certeza de que a nova gravadora haveria de batalhar o disco, incluir uma das faixas como trilha de novela da Globo e, quem sabe, torná-la uma campeã de vendagem — o que em sua já longa carreira só tinha ocorrido uma vez, e fazia muito tempo, com o primeiro LP, *Dois na Bossa*, que ela gravou com Jair Rodrigues, em 1965. Amor-sucesso-dinheiro: com esse trinômio, 1982 só poderia ser ótimo.

Nada melhor para entrar bem no ano novo do que uma festa de *réveillon*. Elis e o namorado Samuel MacDowell foram a duas. A primeira, na casa do músico e amigo Natan Marques. Lá pelas duas da manhã, os dois seguiram para outra celebração, desta vez na casa de um amigo de Samuel. Ao ver o casal, o ator Gianfrancesco Guarnieri (1934-2006) um dos convidados, fez um discurso de saudação à nova dupla. Elis encostou a cabeça no ombro de Samuel, chorou um pouco e segredou para o noivo: "É a primeira vez que um amigo seu me introduz numa roda".

Elis não teria um ano para realizar todos os seus planos e desejos. Mas apenas dezenove dias. E foram agitados, ocupados e nervosos. Ela trabalhou sem parar, ouvindo fitas e fitas, à procura de repertório para o disco novo. Tinha o hábito de ouvir rigorosamente tudo o que lhe mandavam. Ao mesmo tempo, tratava de organizar uma equipe, seu *staff* pessoal. Escolheu Léa Millon para administradora. Tia Léa, como era conheci-

NO *SHOW TREM AZUL*, O ÚLTIMO DA CARREIRA, EM 1981.

NO CAMARIM DO ESPETÁCULO *TREM AZUL*.

da no meio artístico, já cuidava dos negócios particulares dos baianos — Gil, Caetano, Gal. Animada com a escolha, Elis anotou com todo capricho em sua agenda as funções que caberiam à nova colaboradora.

A entrada em cena de tia Léa não significava, em absoluto, que Celina Silva não teria mais o que fazer. Até porque tia Léa morava no Rio e Elis precisava de alguém ali, bem próximo. Todos os dias, quando chegava à casa de Elis, Celina encontrava uma espécie de organograma do dia. Pisciana caprichosa, Elis anotava tudo o que a secretária tinha de resolver. De uma coisa Elis fazia questão de se ocupar pessoalmente: encontrar uma casa para ir morar com os filhos e Samuel, assim que casassem. Nos seis meses de namoro, Samuel raramente dormia no apartamento de Elis. Mãe zelosa, temia confundir a cabeça das crianças. Afinal, o rompimento com César ainda era bem recente.

Quem sabe, sabe: não existe transtorno maior do que mudança. Elis não queria, de jeito nenhum, que esse transtorno ocorresse simultaneamente à gravação do disco, que começaria dia 26 de janeiro. E já estava agoniada por não encontrar um imóvel que lhe agradasse. Finalmente, no dia 16, depois de muitas idas e vindas, ela e Samuel encontraram o que queriam e fecharam negócio: uma casa na rua Chile, Jardim América, um bairro "perto de tudo", como definem os paulistanos. Elis delirou: ia derrubar uma parede, mexer aqui, mexer ali. Distribuiu mentalmente os cômodos e decidiu: semana que vem, sem falta, organizaria a mudança. Queria entrar no estúdio inteiramente despreocupada.

Descarregado esse fardo, surgiu outro, e inesperado: Samuel vacilou. Pai de três filhos, questionou com Elis a influência que poderia ter essa mudança nas *suas* crianças. E mais: ele próprio não sabia como ia ser a convivência com as crianças *dela*. Os dois passaram o fim de semana — o último de Elis — discutindo isso.

Na segunda-feira, dia 18, logo de manhã, Elis foi ver de novo a casa. Foi sozinha e não demorou, tinha convidados para o almoço: Rogério, a cunhada Biba e os sobrinhos Carolina e Rodrigo. O irmão e a família estavam fora havia vinte dias: tinham ido passar as festas de fim de ano em São Pedro da Aldeia, no Rio de Janeiro. O almoço seria uma espécie de comemoração tardia do Natal, com direito a presentes e tudo.

Foi muito divertido, lembra Rogério:

Elis já sabia que eu não estava mais a fim de empresariá-la e, enfim, ela compreendeu. Quando cheguei, foi logo me dando uma bronca porque viajei sem deixar telefone. No meio da tarde, fui com a Biba levar a minha filha Carolina ao médico. A Maria Rita foi junto. Lá pelas nove da noite, voltei ao apartamento levando Maria Rita de volta. A Biba nem subiu, permaneceu no carro. Fiquei alguns minutos e fui embora. Estava tudo normal.

No fim do almoço, o telefone tocou. Era Ronaldo Bastos. Elis:

Quer que eu fique aqui o dia inteiro te esperando? Venha já pra cá!

Ronaldo Bastos nasceu em Niterói e sempre viveu no Rio. Mesmo assim, muita gente pensa que ele é mineiro, por causa de suas parcerias com Milton Nascimento, Beto Guedes e o grupo mineiro. Antes de conhecer Elis, morria de medo dela. Depois, ficaram amigos. Grandes amigos:

Quando cheguei, Rogério, Biba e as crianças estavam na sala. O Natan e a Celina também. Deixamos o pessoal lá e fomos, Natan e eu, para o quarto de Elis. Passamos a tarde inteira lá, ouvindo fitas. A gente estava ajudando Elis a escolher o repertório.

Logo ela se juntou a nós e ficamos ouvindo um monte de músicas. Não vi a Elis cheirar pó. Eu e Natan tomamos duas cervejas, duas latinhas que o João Marcelo trouxe. Lá pelas sete da noite, ela pediu que a gente saísse do quarto e fosse para a sala: queria tomar banho. Aí chegou Samuel. Ficamos por lá, papeando e ouvindo música, ambiente ótimo. Elis não queria de jeito nenhum que a gente fosse embora. Só consegui sair do apartamento lá pelas dez da noite.

Além de ajudar Elis na escolha do repertório, Natan sugeria nomes para a banda que ia gravar com ela:

Na última semana, ela estava animada não só com o disco, mas também com a formação do novo grupo, porque tínhamos conseguido armar uma banda em São Paulo. No dia 18, fiquei lá no apartamento ouvindo fita. O repertório ainda não estava definido. Certo mesmo, só *Nos Bailes da Vida*, do Milton e Fernando Brant, que ia ficar sensacional. Íamos pegar a harmonia de *Something*, dos Beatles, e juntar com a da música do Milton.

Na noite do dia 18, Elis me deu uma fita com músicas do Gonzaguinha, e a última coisa que me disse no elevador, antes das dez da noite, quando saí, foi: "Puxa, que pena que o estúdio só está marcado para segunda-feira. Estou louca para entrar nisso aí amanhã ou depois de amanhã". Eu disse: "Por que você não arranja isso? Você tem força". Elis terminou combinando o encontro para o dia seguinte, às três da tarde.

Elis e Samuel ficaram então, e finalmente, sós. As duas empregadas já haviam se recolhido. As crianças dormiam. Abriram uma garrafa de vinho branco e sentaram-se para jantar. O assunto que mais os preocupava não tardou a vir à tona: a mudança, o casamento, as crianças, o receio de Samuel, o receio de Elis... Mas ela já parecia enjoada daquele assunto. A certa altura da conversa, para demonstrar o quanto aquele papo a aborrecia, enquanto Samuel falava, pegou uma capa de disco, colocou-a bem na frente do rosto e fingiu ler. Ele se levantou e foi embora para casa. Eram onze e meia da noite.

Antes de dormir, Samuel ainda esperou que Elis telefonasse ou aparecesse, para desfazer o mal-estar. Nada. Ela não ligava. À meia-noite e meia, então, ligou ele. A discussão do fim de semana e do jantar continuou por telefone. Elis, exaltada, reforçava suas frases e argumentos com palavrões. E declarou encerrada a conversa batendo o telefone na cara dele. Daí a cinco minutos arrependeu-se do gesto e ligou para Samuel. Mais discussão, desentendimento, palavrões e nova desligada abrupta. Samuel não se conformou e tornou a ligar. Uma, duas, três, mil vezes... Elis tinha ligado a secretária eletrônica. Samuel insistiu até às três da manhã. Então cansou e foi dormir.

Samuel MacDowell de Figueiredo guarda até hoje absoluta reserva sobre esses telefonemas. Recusa-se a falar sobre eles e sobre as últimas horas de vida de Elis Regina. Procurei-o diversas vezes, ao longo de muitos meses, para colher seu depoimento. Ele consentiu, enfim, em me receber numa noite de julho de 1985. Quando cheguei à sua casa no bairro do Morumbi, ele me esperava com um texto manuscrito, rabiscado e sem nada muito relevante. Logo no começo desse texto, na verdade, uma carta dirigida a mim, dizia:

Elis é uma pessoa pública, você dirá. Não eu; e nossa relação, do mesmo modo, também não é. Dela todos já sabem, você já sabe, sabem todos o suficiente sobre nós para que eu me sinta no direito de proteger o pouco da nossa intimidade que não tenha sido devorada nos jornais e nas revistas. Sempre fui muito cioso do que lhe digo agora. Não há razões para mudar.

Às nove e meia da manhã de terça-feira, 19 de janeiro de 1982, tocou o telefone no escritório do advogado Samuel MacDowell Figueiredo. Era Elis. Recomeçou a discussão sobre o casamento e a mudança. Ela contou que tinha passado a noite em claro. O telefonema começou áspero, mas pouco a pouco os dois foram se entendendo. Samuel conseguiu fazer com que Elis o ouvisse. Claro que ele queria se casar com ela e morar com ela. Que não se sentisse insegura: o vacilo era natural, principalmente com crianças envolvidas.

Segundo Samuel, depois de muitas explicações, ela enfim pareceu ceder. Suave, meiga, amorosa, dizia do outro lado da linha: "Eu te amo, eu te amo, você é o homem da minha vida".

Samuel disse que notou então, que a voz dela passou a soar meio pastosa. As palavras saíam aos arrancos, incompletas. E, de repente, silêncio. Alô, alô, ele gritava. Nada. Nem um som. Aflito, desligou e discou para a casa dela. Ocupado. Ligou de novo. Ocupado. De novo. Sempre ocupado.

Não teve dúvida. Saiu correndo do escritório, pegou um táxi e voou para a rua Mello Alves.

Encontrou a empregada e a babá com Pedro e Maria Rita no *playground* do edifício. Elas disseram que estavam ali fazendo hora, esperando a patroa acordar para dar o dinheiro da feira, e que João Marcelo estava lá em cima, na sala, ouvindo música bem alto para acordar a mãe. Samuel pegou a chave e subiu para o quinto andar. A porta do corredor que dava para a suíte de Elis estava trancada. Samuel a esmurrou. Nenhuma resposta. Pediu então ao menino que pegasse as ferramentas e o ajudasse a arrombar a porta, pois Elis tinha deixado a chave na fechadura do lado de dentro, e quem estava de fora não conseguia abrir. Os dois arrebentaram a fechadura. E encontraram nova porta trancada, a do quarto. Outro arrombamento. Quando enfim a porta cedeu, Samuel e João Marcelo viram Elis caída no chão, entre a cama e a estante. Ao lado, o telefone fora do gancho. Samuel afastou João Marcelo, entrou, fechou a porta, abaixou-se e sacudiu Elis. Ela não se mexia. Nenhum sinal de vida.

Samuel pegou o telefone e fez duas ligações: para o Hospital das Clínicas, pedindo uma ambulância, e para o sócio Marco Antônio Barbosa, pedindo um médico. Sua camisa estava ensopada de suor quando Celina Silva, a secretária, chegou:

A porta da cozinha estava aberta, o João Marcelo passou por mim e saiu. Aí veio o Samuel todo ensopado, nervoso, transfigurado. “A ambulância”, ele dizia, “Não sei o que está acontecendo”. Ele tinha acabado de abrir a porta. Eu nem entrei no quarto, fui telefonar. Mas depois corri para o quarto e ela estava no chão. Deitada de frente, largada. Me chamaram a atenção seus pés, roxos.

O Samuel dizia: “Estou tentando chamar a ambulância, mas eles não vêm, estão demorando”. Eu não entendia nada. Ele só falava em ambulância, socorro, vamos rápido. Eu tentava, mas não conseguia ambulância. A Elis estava mole, sem qualquer reação. O lábio estava roxo, a metade do rosto bem mais escura e uma olheira absurda. Samuel estava de perna bamba quando resolvemos enrolar Elis numa manta. Não sei se ela estava morta, mas não tinha sinal algum de retorno ou de respiração. O corpo estava quente mas os pés e as mãos, frios.

Tudo isso durou, no máximo, dez minutos. De pânico. Levamos a Elis para o elevador. O Samuel voltou para dentro para pegar os documentos dela e eu fiquei segurando Elis sozinha, no *hall*. Eu perguntava o que estava acontecendo. Fiquei louca, eu chacoalhava, mexia. E nada, nenhum sinal de vida. Descemos pelo elevador e o Samuel a segurou enquanto eu parava o táxi.

Quando a estávamos colocando no carro, chegou outro carro com o médico da família, Álvaro Machado Júnior, e o Marco Antônio Barbosa, sócio do Samuel. Fui com o Marco num carro e o médico e o Samuel com a Elis, no táxi. No Hospital das Clínicas levei os documentos da Elis para fazer a ficha enquanto uns cinco, dez médicos pulavam em cima dela, batendo. Foi tudo muito rápido. Deve ter demorado quinze, vinte minutos. O médico chegou para nós e disse: “Ela não agüentou”.

A notícia que se espalhou por todo o Brasil não podia, infelizmente, ser desmentida. Ao meio-dia daquela trágica manhã de terça-feira, 19 de janeiro de 1982, os médicos do Hospital das Clínicas declararam Elis Regina Carvalho Costa oficialmente morta.

Celina correu para o telefone e ligou para os amigos mais chegados. Desnorteados, foram chegando ao hospital. Ninguém sabia o que fazer. Como Elis não tinha morrido de causas naturais, tornava-se obrigatório fazer uma autópsia. Enquanto seu corpo era encaminhado ao Instituto Médico Legal, a poucos metros do Hospital das Clínicas, chegava o irmão Rogério: ele acabara de ouvir a notícia no rádio do carro.

Às quatro da tarde, seu corpo voltou ao palco do Teatro Bandeirantes, onde seis anos antes apresentara, durante quatorze meses, o maior sucesso de sua carreira, o show *Falso Brilhante*. Nesse palco ela seria velada durante toda a noite e a madrugada por uma multidão que lotou o teatro e se espalhou por uma longa fila pela avenida Brigadeiro Luís Antônio. Era, principalmente, gente humilde, gente do povo, pessoas que provavelmente nunca puderam vê-la de perto. Gostavam dela de longe.

Na manhã seguinte, no longo trajeto entre o teatro e o cemitério do Morumbi, outras multidões comovidas saudaram Elis. Em toda a história do Brasil, só dois artistas haviam provocado tamanha comoção popular: Chico Alves e Carmen Miranda.

Vinte e quatro horas depois de morta, tudo parecia acabado ali naquela cova.

Mas ainda não. No dia 21, quinta-feira, era divulgado o laudo do Instituto Médico Legal com a *causa mortis*. Pelo laudo, Elis havia morrido em conseqüência de uma intoxicação provocada por bebida alcoólica e cocaína.

Surpresa geral. Parentes e amigos chegados insistiam na tese de que ela não usava drogas. Imediatamente suspeitou-se do laudo, assinado pelo diretor do IML, o médico Harry Shibata. O mesmo Shibata que, em 1975, havia assinado o célebre laudo sobre a morte do jornalista Vladimir Herzog, o Vlado, declarando-o suicida sem ter examinado o corpo a ele encaminhado pelo II Exército, sob cuja jurisdição funcionava o temível DOI-Codi, onde Herzog morreu. Atuando como um dos advogados da família Herzog, Samuel MacDowell de Figueiredo conseguiu provar que a União era a responsável pela morte do jornalista. Sete anos depois, o legista Shibata poderia estar indo à forra, complicando a vida do advogado MacDowell.

O caso rendeu na imprensa. Abriu-se um inquérito para apurar se houve suicídio ou mesmo indução ao suicídio. No dia 26 de fevereiro de 1982, o juiz Antônio Filardi Luiz determinou o arquivamento do inquérito com um belíssimo parecer, de cinco laudas, onde exalta a personalidade de Elis Regina e conclui:

A prova colhida não demonstra, nem mesmo em tese, o delito de induzimento, instigação ou auxílio ao suicídio, mesmo porque não se pode falar, com segurança, em suicídio[2].

Elis morreu, de fato, de uma dose letal de Cinzano e cocaína. Um erro de dose. Um acidente.

Ou, como bem resumiu o amigo Fernando Faro:

"Morreu de inocência. Não sabia lidar com a droga".

---

2 Em 21 de janeiro, Geraldo Branco de Camargo, delegado do 4º Distrito Policial de São Paulo, divulgou os resultados da autópsia e dos exames toxicológicos. O laudo de número 415/82, expedido pelo Laboratório de Toxicologia do Instituto Médico Legal revelou "resultado positivo para cocaína e álcool etílico, este na quantidade de uma grama e 600 miligramas de álcool etílico por litro de sangue; a quantidade de álcool encontrada em nível sangüíneo revelou estar a vítima sob estado de embriaguez, e a presença de cocaína caracterizou o estado tóxico, que em somatório pode responder pelo evento letal".

Em 29 de janeiro é divulgado o Exame Complementar número 00415, exame toxicológico. "A análise quantitativa de cocaína efetuada em fígado e urina forneceu os seguintes resultados: Urina: 23 ml/100 ml (23 miligramas de cocaína por 100 milímetros de urina). Fígado: 2,4 mg/100 g de tecido (2,4 miligramas de cocaína por 100 gramas de fígado). Observações: as dosagens acima foram efetuados em cromatografia liquidogás, utilizando-se padrão de cocaína extrapura cristalizada de procedência alemã (Merck)". O laudo foi assinado por Maria E. M. da Costa Amaral, Vera Elisa Reihardt, Maria Isabel Garcia e Evilin Mansur.

SAÍDA DO CORPO DE ELIS DO TEATRO BANDEIRANTES, NO CARRO DO CORPO DE BOMBEIROS: O POVO NÃO CULTUA EM VÃO SEUS MORTOS QUERIDOS.

Outros outubros virão. Elis morreu, e não há nada pior do que a sua morte. Na discussão sobre as causas que a mataram, o povo ficou de fora. Preferiu sentir a dor de sua perda e transformou seu funeral numa comoção nacional. O povo não cultua em vão seus mortos queridos, escreveu o jornalista Geraldo Mayrink, na revista *IstoÉ*. Elis, enterrada com a bandeira do Brasil no peito, havia cumprido sua missão.

Uma vida e carreira tão intensas deixaram uma marca indestrutível na cultura do país. As rádios tocam cada vez mais suas músicas. Um grupo de jovens se encontrava toda semana na *Associação Elis em Movimento* para lembrá-la. Escolas, ruas e praças ganharam seu nome. No *Festival dos Festivais,* da Rede Globo, quase cem compositores inscreveram músicas louvando Elis. Em julho de 1985, quando o Auditório Elis Regina foi inaugurado em São Paulo, dona Ercy estava lá. Embaraçada com a quantidade de políticos municipais presentes e poucos conhecidos, ela reergueu o orgulho da família Carvalho Costa ao declarar, diante das câmeras da TV Globo:

Ela merecia.

Por seus erros, por se descontrolar, por se desentender com os outros e consigo própria, Elis descobriu ao longo da vida o direito de mudar de idéia. Lutou desesperadamente por isso em seus poucos 36 anos de existência. Ela tinha a força dos obstinados. Rompeu com a prudência e se atirou ágil e rapidamente em seus desejos. Fez e disse o que queria. Superou acusações, rótulos, cobranças. Confundiu, anarquizou, gritou e esperneou. Não levou desaforo para casa. Foi uma mutante especialíssima, uma mulher valente, uma artista excepcionalmente talentosa.

Era um furacão. Devastadora. Nessa busca nervosa de sua personalidade inteira, sem meias-verdades, Elis arrebentou meus conceitos, abriu espaços para a compreensão e me revelou o universo sutil da alma de um artista. Finíssima lição de vida, embalada por um canto forte e brasileiro. Maria, Maria, uma mulher que merece viver e amar como outra qualquer do planeta.

Uma dose mais forte, lenta. Oito ou oitenta. Elis não teve a unanimidade em vida, mas na morte a conseguiu. No palco do Teatro Bandeirantes, onde foi velada, uma platéia respeitosa pôde ver sua fisionomia serena, enfim pacificada.

A música popular perdeu sua maior porta-bandeira. Os amigos, a irrequieta mola propulsora, a que instigava, a que desnorteava. Linda e louca. Nervosa e doce, difícil de agarrar. Herdou de dona Ercy a altivez. Herdou de dona Ercy a mania de não dar o braço a torcer.

"Eu gosto de encher o saco dos outros", costumava me dizer.

"Será que sou obrigada a aceitar quem passa pela minha frente?"

Não, Elis, definitivamente não. Não é preciso aceitar nada. É preciso apenas viver.

Epílogo

depois do Furacão

DESDE QUE FOI PUBLICADO, EM 1985, NUNCA MAIS HAVIA RELIDO FURACÃO ELIS. PARECIA QUE MINHAS CONTAS COM A GRANDE CANTORA E A MULHER ARREBATADORA, DE SANGUE QUENTE E PERSOnalidade fascinantes, estavam quites. Numa tarde morna à beira da piscina de sua casa da Cantareira, Elis e eu conversamos longamente sobre a vida e o futuro. Combinamos ali que eu poderia escrever algum dia, um livro sobre ela. Anos depois de sua morte, ao lançar esta biografia, guardava um sentimento profundo de que já havia cumprido minha missão. O que se seguiu correspondeu exatamente ao que se poderia esperar. Afinal, resolvi contar a história de uma pessoa controvertida, uma mulher para quem a vida estava dividida em 8 ou 80, amor ou ódio. Muitos ficaram magoados, indignados e até enraivecidos. Sinceramente, eu não sabia o que era estar do outro lado. Passei anos escrevendo sobre o trabalho alheio e era importante, para entender melhor a minha profissão, que eu descobrisse o que sentem os criticados. Não é nada bom, confesso, mas nenhuma dor que me impedisse de realizar o trabalho. O livro estava feito. Por isso demorei tantos anos – quase dez e agora, 25 — para reeditá-lo. Isto porque, por uma inútil discussão judicial a respeitos de direitos autorais rompi com as editoras que lançaram a primeira edição. Inútil porque a questão de direitos autorais no Brasil está longe de ser resolvida. Depois de sete edições em livraria e quase 15 mil exemplares vendidos pelo Círculo do Livro, Furacão Elis deixou de existir. Quantos e quantos telefonemas, cartas e pedidos tive que recusar por não dispor mais de nenhum exemplar do livro! Quantas pessoas não me perdoaram por escrever este livro. Sinto. Jamais fugi da verdade e por ela sigo vivendo.

Ao decidir finalmente relançar Furacão Elis, em 1994, pela editora Globo, pouco mexi no texto, apenas corrigi informações e acrescentei um depoimento da cantora Gal Costa sobre um episódio específico. Mas agora, quando se completaram 25 anos da morte de Elis, uma novíssima edição, esta realmente atualizada, revista e ampliada, chega às livrarias pela Ediouro, na certeza de que o interesse pela personagem só cresceu ao longo de todo esse tempo.

A carreira de Furacão Elis foi incentivada de várias maneiras. Uma das melhores surpresas, certamente, veio do Canadá e de minha correspondência com Robert St. Louis. Por esses acasos inacreditáveis, Robert encontrou Elis num disco recebido de presente de uma amiga argentina. Depois de ouví-la, não sossegou até descobrir quem era aquela mulher de voz tão especial. Descobriu Furacão Elis na Biblioteca do Congresso, em Washington e me localizou através da internet. Foi tão boa a nossa troca de impressões e informações que Robert, mesmo não dominando a língua (leu o livro com um dicionário de português ao lado), que resolveu traduzir Furacão para o inglês. Em outro acaso, Gerry William, na época adida cultural adjunta do Serviço de Divulgação e Relações Culturais (USIS), no Consulado dos Estados Unidos em São Paulo, também descobriu meu telefone. Outra apaixonada por Elis. Consegui apresentar um ao outro pela internet. Os dois me contaram sobre a quantidade de pessoas de todo o mundo, em lugares inesperados, que fazem parte do fã-clube internacional de Elis.

Quando se completou 10 anos da morte de Elis, em 1992, declarei à revista Manchete que Elis estava esquecida. Não posso dizer o mesmo hoje, 25 anos depois. Basta acompanhar os relançamentos de seus discos (e DVDs), que o filho João Marcelo vem lançando pela gravadora Trama.

Ouvindo novamente os sons da minha adolescência, a certeza me volta com a força de um furacão. Elis viveu anos à frente de seus poucos 36 anos. Foi uma grande lançadora de novos autores, compositores e tendências. Quantas vezes esperávamos que seu novo LP chegasse às lojas para saber como ela gravaria determinada canção, quais as surpresas sonoras que nos reservaria. Era uma parceira de compositores, de músicos e de arranjadores. Presenciei várias vezes a maneira de igual para igual como ela se dirigia a seus músicos. E, por que não, se ela se considerava mais um na orquestra? Rainha Midas, como bem disse a jornalista Inês Godinho, tudo o que cantava virava ouro puro.

Por tudo isso, Furacão Elis está de volta. Esta é a história de Elis Regina Carvalho Costa que eu conheci. Por favor, me contem outras.

A estrela que nunca se apaga
ANOS DEPOIS DE SUA TRÁGICA MORTE, ELIS REGINA
NUA A SER LEMBRADA PELOS BRASILEIROS E VAI GAN
OMENAGENS NO TEATRO, NA TELEVISÃO E NO DISCO
DONIZETI COSTA
A baixinha está cada vez mais viva. Vinte anos depois de os brasileiros ficarem com um nó na garganta ao ouvir a notícia na manhã de 19 de janeiro de 1982 – Elis Regina morreu sozinha em seu apartamento nos Jardins, em São Paulo, em circunstâncias misteriosas –, seu nome não descansa em nossa memória. A toda hora CDs são relançados e novas intérpretes (incluídas algumas estrangeiras, como a islandesa Björk)
O CASAMENTO COM Ronaldo Bôscoli durou apenas quatro anos, em clima às vezes pesado. César Camargo Mariano foi seu marido até 1981 e dividiu com ela a criação de João Marcello, Pedro e Maria Rita
13 DE JANEIRO DE 2002
O FURACÃO EL
Pela primeira vez um especial musical une uma rede de televisão aberta e um canal
Bravo Brasil, O Canal de Filmes e Artes da TVA, e a Rede Bandeirantes de Televisão jun
homenagem ao aniversário de Elis Regina, o especial "O FURACÃO ELIS". Um pro
muito da vida e mostrar os maiores sucessos dessa, que é considerada
maiores cantoras brasileiras de todos os tempos.
Participação especial: Tom Jobim, Milton Nascimento e Rita L
DIA 17/03 - SEGUNDA FEIRA ÀS 23H
SIMULTANEAMENTE NA REDE BANDEIRANTES E NO BRA
BAND
Elis vive!
Amiga ESPECIAL
TUDO
(EDIÇÃO HISTÓRICA)
CLUSIVAS DO ENTERRO
ÃO PAULO
BRASIL CHORAR
um laudo discutido
IDA,
MORES
ELIS
da cantora, cujos 20 anos de morte serão
com filme, peça e minissérie sobre sua vida
ELIS REGINA
Um canto triste em temp

Bravo Brasil
UM CANAL EXCLUSIVO TVA
B
ANO 7 • Nº 73
ISSN 1413-7941
Elis
a estrela da vida inteira
Carta inédita de Mário de Andrade revela solidã
Parabéns,
ajudou a reescrever a música brasileira e é considerad
Elis, 50 an
CD ao vivo é uma das poucas homenagens à cantora que sabia descobrir novos autores e ainda desperta paixão no público e nos artistas
EDMUNDO BARREIROS
CRÍTICA

discografia

“Madalen
“FECHADO PRA BALAN
“FALEI E DIS

Por categoria de produto e em ordem cronológica crescente

LONG PLAYS

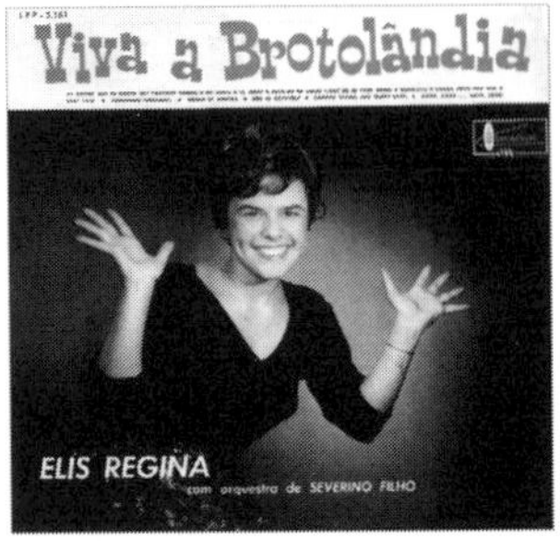

VIVA A BROTOLÂNDIA. Elís Regina com Orquestra de Severino Filho. Continental, 1961.

Lado A:

1. Dá sorte (Eleu Salvador)
2. Sonhando (Dreamin') (Barry de Vorzon, Ted Ellis/ Versão: Juvenal Fernandes)
3. Murmúrio (Luiz Antônio, Djalma Ferreira)
4. Tu serás (Ângelo Martignani, Othon Russo)
5. Samba feito pra mim (Paulo Tito)
6. Fala-me de amor (Take me in your arms) (Fred Markusa, Fritz Rotter/ Versão: Max Gold)

Lado B:

1. Baby face (Davis, Akst/ Versão: Fred Jorge)
2. Dor de cotovelo (João Roberto Kelly)
3. Garoto último tipo (Puppy love) (Paul Anka/ Versão: Fred Jorge)
4. As coisas que eu gosto (My favorite things) (Richard Rogers, Oscar Hammerstein II/ Versão: Fernando Cesar)
5. Mesmo de mentira (Carlos Imperial)
6. Amor, amor... (Love, love) (Bill Caesar/ Versão: Carlos Imperial)

Viva a Brotolândia teve duas reedições em vinil: a primeira pela gravadora Continental, em 1982, em álbum duplo intitulado Nasce uma Estrela que reunia também Poema de amor; e a segunda, de mesmo nome da primeira reedição, mas como álbum simples do selo Phonodisc, em 1989.

Em 1994 o álbum foi relançado sob o título Elis Regina: dose dupla que, assim como a coletânea dupla Nasce uma Estrela, traz os dois primeiros discos da cantora, porém em CD. Como a arte foi modificada nesse álbum, em 2006 a gravadora Som Livre lançou a caixa Elis, os primeiros anos, que traz as capas originais dos títulos, em dois CDs.

POEMA DE AMOR. Continental, 1962.

Lado A:

1. Poema (Fernando Dias)
2. Pororó-popó (João Roberto Kelly)
3. Dá-me um beijo (É per sempre) (C. Dannell, A. Trovajoli/ Versão: Romeu Nunes)
4. Nos teus lábios (Haroldo Eiras, Ataliba Santos)
5. Vou comprar um coração (Paulo Tito, Romeu Nunes)
6. Meu pequeno mundo de ilusão (My little corner of the world) (Bob Hillard, Lee Pockriss/ Versão: José Mauro Pires)

Lado B:

1. Las secretárias (Pepe Luis/ Versão: Martha de Almeida)
2. Saudade é recordar (Renan França, Verinha Falcão)
3. Pizzicati pizzicato (Emile Stern, Eddy Marnay/ Versão: Fred Jorge)
4. Canção de enganar despedida (Waltel, Joluz)
5. Confissão (Umberto Silva, Paulo Aguiar, Luiz Mergulhão)
6. Podes voltar (Othon Russo, Nazareno de Brito)

Conforme descrição acima, Poema de amor foi relançado em 1982 junto a Viva a Brotolândia em coletânea dupla intitulada Nasce uma estrela. Em 1989, o título teve sua segunda reedição, desta vez em álbum simples do selo Phonodisc,

renomeado como A estrela brilha. Foi lançado em CD em 1994 na coletânea Elis Regina: dose dupla, juntamente com Viva a Brotolândia, e como CD único em 2006, na caixa Elis, os primeiros anos.

ELLIS REGINA. CBS, 1963.

Lado A:

1. Silêncio (Túlio Piva)
2. 1, 2, 3, balançou (Alcyr Pires Vermelho, Nazareno de Brito)
3. À noite (Tonight) (Sondheim, Bernstein/ Versão: Roberto Côrte Real)
4. Ressurreição (Pernambuco, Marino Pinto)
5. Flertei (Castro Perret)
6. Adeus amor (Newton Ramalho, Almeida Rêgo)

Lado B:

1. A Virgem de Macarena (La Virgen de Macareña) (B. B. Monterde, Calero/ Versão: A. Bourget)
2. Tango italiano (Malgoni, Pallesi, Beretta/ Versão: Romeu Nunes)
3. Dengosa (Castro Perret)
4. Formiguinha triste (Joãozinho)
5. Tristeza de carnaval (Mutinho, Bidu)
6. Outra vez (Again) (Cochran, Newman/ Versão: Osvaldo Santiago)

O nome de Elis Regina aparecia grafado com dois “eles” porque o álbum visava atingir o mercado internacional. Não há ficha técnica no disco. Lançado em CD em 1999, pela gravadora Sony Music.

O BEM DO AMOR. CBS, 1963.

Lado A:

1. Alô saudade (Umberto Silva, Paulo Aguiar)
2. Sem teu amor (Luiz Mauro)
3. Saudade e carinho (Renato França, Verinha Falcão)
4. Mania de gostar (Luiz Mauro)
5. Manhã de amor (Serginho Malta, Joluz)
6. Se você quiser (Baden Powell, Mario Telles)

Lado B:

1. Há uma história triste (Othon Russo, Niquinho)
2. Domingo em Copacabana (Roberto Faissal, Paulo Tito)
3. Meus olhos (Sérgio Napp)
4. Retorno (Aecio Kaufmann)
5. Mundo de paz (Tulio Piva)
6. O bem do amor (Rildo Hora, Clóvis Mello)

Orquestra sob a direção de Astor. Assinado como Ellis Regina. O disco não aprsenta ficha técnica. Lançado em CD em 1999 pela gravadora Sony/ Columbia.

SAMBA - EU CANTO ASSIM. Companhia Brasileira de Discos/ Philips, 1965.
Lado A:
1. Reza (Edu Lobo, Ruy Guerra)
2. Menino das laranjas (Théo)
3. Por um amor maior (Ruy Guerra, Francis Hime)
4. João Valentão (Dorival Caymmi)
5. Maria do Maranhão (Carlos Lyra, Nelson Lins de Barros)
6. Resolução (Edu Lobo, Luiz Fernando Freire)

Lado B:
1. Sou sem paz (Adylson Godoy)
2. Pot-pourri: Consolação/ Berimbau/ Tem dó (Baden Powell, Vinícius de Moraes)
3. Aleluia (Edu Lobo, Ruy Guerra)
4. Eternidade (Luiz Chaves, Adylson Godoy)
5. Preciso aprender a ser só (Marcos Valle, Paulo Sérgio Valle)
6. Último canto (Francis Hime, Ruy Guerra)

Gravado em janeiro de 1965, nos estúdios da Cia. Brasileira de Discos e da Rio Som.
Ficha técnica: produção: Armando Pittigliani; técnicos de som: Célio Martins e Norman Sternberg; engenheiro de som: Sylvio Rabello.
Lançado em CD em 1994, pela gravadora Universal. Em 2002 o título ganhou uma reedição pela gravadora japonesa Kelti, incluindo a faixa Arrastão como bônus.

DOIS NA BOSSA. Elis Regina e Jair Rodrigues. Companhia Brasileira de Discos/ Philips, 1965.
Lado A:
1. Pot-pourri: O morro não tem vez (Tom Jobim, Vinícius de Moraes)/ Feio não é bonito (Carlos Lyra, Gianfrancesco Guarnieri)/ Samba do carioca (Carlos Lyra, Vinícius de Moraes)/ Esse mundo é meu (Sérgio Ricardo, Ruy Guerra)/ A felicidade (Tom Jobim, Vinícius de Moraes)/ Samba de negro (Roberto Corrêa e Sylvio Son)/ Vou andar por aí (Newton Chaves)/ O sol nascerá (a sorrir) (Cartola, Elton Medeiros)/ Diz que fui por aí (Zé Keti, H. Rocha)/ Acender as velas (Zé Keti)/ A voz do morro (Zé Keti)/ O morro não tem vez (Tom Jobim, Vinícius de Moraes)
2. Preciso aprender a ser só (Marcos Valle, Paulo Sérgio Valle)
3. Ziguezague (Alberto Paz, Edson Menezes)
4. Terra de ninguém (Marcos Valle, Paulo Sérgio Valle)

Lado B:
1. Arrastão (Edu Lobo, Vinícius de Moraes)
2. Reza (Edu Lobo, Ruy Guerra)
3. Tá engrossando (Alberto Paz, Edson Menezes)
4. Deus com a família (César Roldão)
5. Ué (Osmar Navarro, Alcina Maria)
6. Menino das laranjas (Théo)

Gravado ao vivo no Teatro Paramount, São Paulo.
Ficha técnica: direção artística: Mario Duarte; produtor: Walter Silva; técnicos de gravação: Manoel Barenbein e Rogério Gauss; layout: Rodrigo Octavio; foto: Agib Allit. Lançado em CD em 1994, pela gravadora Universal.

O FINO DO FINO. Elis Regina e Zimbo Trio. Companhia Brasileira de Discos/ Philips, 1965.

Lado A:

1. Zambi (Edu Lobo, Vinícius de Moraes) - Elis Regina.
2. Aruanda (Carlos Lyra, Geraldo Vandré) - Zimbo Trio.
3. Canção do amanhecer (Edu Lobo, Vinícius de Moraes) - Elis Regina.
4. Só eu sei o nome (Luiz Chaves) – Zimbo Trio.
5. Esse mundo é meu (Sérgio Ricardo, Ruy Guerra)/ Resolução (Edu Lobo, Luiz F. Freire) – Elis Regina.
6. Samba meu (Adylson Godoy) – Zimbo Trio.

Lado B:

1. Expresso 7 (Rubinho Barsotti) – Zimbo Trio.
2. 'Té o sol raiar (Baden Powell, Vinícius de Moraes) – Elis Regina.
3. Chuva (Durval Ferreira, Pedro Camargo) – Zimbo Trio.
4. Amor demais (Sylvio César, Ed Lincoln) – Elis Regina.
5. Samba novo (Durval Ferreira, Newton Chaves) – Zimbo Trio.
6. Chegança (Edu Lobo, Oduvaldo Vianna Filho) – Elis Regina.

Gravado ao vivo no Teatro Record.
Ficha técnica: direção musical: Zimbo Trio; direção artística: Mário Duarte; produção: Manoel Carlos; técnicos de gravação: Homem de Melo, Célio Martins e Julio C. Anidez; layout: Prosperi. Lançado em CD em 1994.

DOIS NA BOSSA NÚMERO 2. Elis Regina e Jair Rodrigues. Acompanhamento: Luiz Loy Quinteto e Bossa Jazz Trio. Companhia Brasileira de Discos/ Philips, 1966.

Lado A:

1. Pot-pourri: Introdução (Elis Regina, Jair Rodrigues)/ Samba de mudar (Geraldo Vandré, Baden Powell)/ Não me diga adeus (Paquito, Luiz Soberano, João da Silva)/ Volta por cima (Paulo Vanzolini)/ O neguinho e a senhorita (N. Rosa Oliveira, A. da Silva)/ E daí (Miguel Gustavo)/ Samba de mudar (Geraldo Vandré, Baden Powell)/ Enquanto a tristeza não vem (Sérgio Ricardo)/ Carnaval (Djalma Ferreira, A. Alves)/ Na ginga do samba (Ataulfo Alves)/ Guarda a sandália dela (Sereno, G. Mathias)/ Samba de mudar (Geraldo Vandré, Baden Powell) - Elis Regina e Jair Rodrigues.
2. Canto de Ossanha (Baden Powell, Vinícius de Moraes) - Elis Regina.
3. Tristeza (Haroldo Lobo, Niltinho) - Jair Rodrigues.
4. Tristeza que se foi (Adylson Godoy) - Elis Regina.
5. São Salvador, Bahia (Paulo da Cunha) - Jair Rodrigues.

Lado B:

1. Louvação (Gilberto Gil, Torquato Neto) - Elis Regina e Jair Rodrigues.
2. Upa, neguinho (Edu Lobo, Gianfrancesco Guarnieri) - Elis Regina.
3. Mascarada (Zé Keti, Elton Medeiros) - Jair Rodrigues.
4. Amor até o fim (Gilberto Gil) - Elis Regina.
5. Santuário do morro (Adylson Godoy) - Jair Rodrigues.

Gravado ao vivo no Teatro Record, em São Paulo.
Ficha técnica: produtor: Mário Duarte; direção musical: Adylson Godoy; acompanhamentos: Luiz Loy Quinteto e Bossa Jazz Trio; técnicos de som: J. E. Homem de Mello e Célio Martins. Lançado em CD em 1994.

ELIS. Companhia Brasileira de Discos/ Philips, 1966.
Lado A:
1. Roda (Gilberto Gil, João Augusto)
2. Samba em paz (Caetano Veloso)
3. Pra dizer adeus (Edu Lobo, Torquato Neto)
4. Estatuinha (Edu Lobo, Gianfrancesco Guarnieri)
5. Veleiro (Edu Lobo, Torquato Neto)
6. Boa palavra (Caetano Veloso)

Lado B:
1. Lunik 9 (Gilberto Gil)
2. Tem mais samba (Chico Buarque)
3. Sonho de Maria (Marcos Valle, Paulo Sérgio Valle)
4. Tereza sabe sambar (Francis Hime, Vinícius de Moraes)
5. Carinhoso (Pixinguinha, João de Barro)
6. Canção do sal (Milton Nascimento)

Ficha técnica: produtor: Luiz Mocarzel; arranjos e regência: Francisco Moraes; técnico de som: Rogério Gauss; layout e fotografia: Prosperi. Lançado em CD em 1994.

DOIS NA BOSSA NÚMERO 3. Elis Regina e Jair Rodrigues. Companhia Brasileira de Discos/ Philips, 1967.
Lado A:
1. Imagem (Luiz Eça, Ronaldo Bôscoli) - Elis Regina.
2. Pot-pourri de Mangueira: Mangueira (Assis Valente, Zequinha Reis)/ Fala, Mangueira (Mirabeau, Milton de Oliveira), Exaltação à Mangueira (Enéas Brites da Silva, Aloísio Augusto da Costa)/ Mundo de zinco (Nássara, Wilson Batista)/ Levanta, Mangueira (Luiz Antonio)/ Despedida de Mangueira (Aldo Cabral, Benedito Lacerda)/ Pra machucar meu coração (Ary Barroso) - Elis Regina e Jair Rodrigues.
3. O ser humano (Osmar Navarro) - Jair Rodrigues.
4. Cruz de cinza, cruz de sal (Walter Santos, Tereza Souza) - Elis Regina.
5. Serenata em teleco-teco (Gilberto Gil) - Jair Rodrigues.

Lado B:
1. Manifesto (Guto, Mariozinho Rocha) - Elis Regina.
2. Pot-pourri romântico: Minha namorada (Vinícius de Moraes, Carlos Lyra)/ Eu sei que vou te amar (Tom Jobim, Vinícius de Moraes)/ A volta (Roberto Menescal, Ronaldo Bôscoli)/ Primavera (Vinícius de Moraes, Carlos Lyra) - Elis Regina e Jair Rodrigues.
3. Amor de carnaval (Zé Keti) - Jair Rodrigues.
4. Marcha da quarta-feira de cinzas (Vinícius de Moraes, Carlos Lyra) - Elis Regina.
5. Capoeira camará (Paulo da Cunha) - Jair Rodrigues.

Gravado ao vivo no Teatro Paramount (Record-Centro) de São Paulo.
Ficha técnica: técnico de gravação: Homem de Mello; direção da produção: Armando Pittigliani. Lançado em CD em 1994.

ELIS ESPECIAL. Companhia Brasileira de Discos/ Philips, 1968.

Lado A:

1. Samba do perdão (Baden Powell, Paulo César Pinheiro)
2. Tributo a Tom Jobim: Vou te contar (Tom Jobim)/ Fotografia (Tom Jobim)/ Outra vez (Tom Jobim)/ Vou te contar (Tom Jobim)
3. De onde vens (Dori Caymmi, Nelson Motta)
4. Bom tempo (Chico Buarque)
5. Da cor do pecado (Bororó)

Lado B:

1. Corrida de jangada (Edu Lobo, Capinan)
2. Carta ao mar (Roberto Menescal, Ronaldo Bôscoli)
3. Viramundo (Gilberto Gil, Capinan)
4. Upa, neguinho (Edu Lobo, Gianfrancesco Guarnieri)
5. Tributo a Mangueira: Mangueira (Assis Valente, Zequinha Reis)/ Fala, Mangueira (Mirabeau, Milton de Oliveira), Exaltação à Mangueira (Enéas Brites da Silva, Aloísio Augusto da Costa)/ Levanta, Mangueira (Luiz Antonio)/ Despedida de Mangueira (Aldo Cabral, Benedito Lacerda)/ Pra machucar meu coração (Ary Barroso)

Ficha técnica: direção musical: Erlon Chaves; direção de produção: Armando Pittigliani; foto de capa: Elio Santos, de Manchete. Lançado em CD em 1994.

ELIS - COMO & POR QUÊ. Companhia Brasileira de Discos/ Philips, 1969.

Lado A:

1. Aquarela do Brasil (Ary Barroso)/ Nega do cabelo duro (Rubens Soares, David Nasser)
2. O sonho (Egberto Gismonti)
3. Vera Cruz (Milton Nascimento, Márcio Borges)
4. Casa forte (Edu Lobo)
5. Canto de Ossanha (Baden Powell, Vinícius de Moraes)

Lado B:

1. Giro (Antonio Adolfo, Tibério Gaspar)
2. O barquinho (Roberto Menescal, Ronaldo Bôscoli)
3. Andança (Danilo Caymmi, Edmundo Souto, Paulinho Tapajós)
4. Récit de Cassard (do filme Les parapluies de Cherbourg) (J. Demy, Michel Legrand)
5. Samba da pergunta (Pingarilho, Marcos Vasconcellos)
6. Memórias de Marta Saré (Edu Lobo, Gianfrancesco Guarnieri)

Ficha técnica: direção de produção: Armando Pittigliani; arranjos do conjunto: Roberto Menescal; arranjos de orquestra: Erlon Chaves; foto da capa: Paulo Garcez; layout: Lincoln. Lançado em CD em 1994.

AQUARELA DO BRASIL - ELIS REGINA E TOOTS THIELEMANS. Phonogram International B. V./ Fontana Especial, 1969.

Lado A:

1. Wave (Tom Jobim)
2. Aquarela do Brasil (Ary Barroso)/ Nega do cabelo duro (David Nasser, Rubens Soares)
3. Visão (Antonio Adolfo, Tibério Gaspar)
4. Corrida de jangada (Edu Lobo, Capinan)
5. Wilsamba (Roberto Menescal)
6. Canto de Ossanha (Baden Powell, Vinícius de Moraes)

Lado B:

1. O barquinho (Roberto Menescal, Ronaldo Bôscoli)
2. O sonho (Egberto Gismonti)
3. Five for Elis (Toots Thielemans).
4. Você (Roberto Menescal, Ronaldo Bôscoli)
5. Honeysuckle rose (A. Razaf, F. Waller)
6. A volta (Roberto Menescal, Ronaldo Bôscoli)

Disco sem ficha técnica. LP gravado na Suécia em 1969, porém lançado no Brasil apenas em 1978. Lançado em CD em 1988, com as faixas em outra ordem.

ELIS REGINA IN LONDON. Phonogram Ltd. UK/ Philips, 1969.

Lado A:

1. Corrida de jangada (Edu Lobo, Capinan)
2. A time for love (Webster, Mandel)
3. Se você pensa (Roberto Carlos, Erasmo Carlos)
4. Giro (Antonio Adolfo, Tibério Gaspar)
5. A volta (Roberto Menescal, Ronaldo Bôscoli)
6. Zazueira (Jorge Ben)

Lado B:

1. Upa, neguinho (Edu Lobo, Gianfrancesco Guarnieri/ Versão: Gilbert)
2. Watch what happens (Michel Legrand, Norman Gimbel)
3. Wave (Tom Jobim)
4. How insensitive (Tom Jobim, Vinícius de Moraes/ Versão: Norman Gimbel)
5. Você (Roberto Menescal, Ronaldo Bôscoli/ Versão: Gilbert)
6. O barquinho (Roberto Menescal, Ronaldo Bôscoli/ Versão: Kayo)

Gravado em Stanhope House nos dias 6 e 8 de maio de 1969.
Ficha técnica: direção musical e regência: Peter Knight; baixo: Jurandir Meirelles; bateria: Wilson das Neves; guitarra: Roberto Menescal; percussão: Hermes Contesini; piano: Antonio Adolfo. Lançado no Brasil apenas em 1982. Lançado em CD em 1998.

... EM PLENO VERÃO. Companhia Brasileira de Discos/ Philips, 1970.
Lado A:
1. Vou deitar e rolar (Quaquaraquaquá) (Baden Powell, Paulo César Pinheiro)
2. Bicho do mato (Jorge Ben)
3. Verão vermelho (Nonato Buzar)
4. Até aí morreu Neves (Jorge Ben)
5. Frevo (Tom Jobim, Vinícius de Moraes)
6. As curvas da estrada de Santos (Roberto Carlos, Erasmo Carlos)

Lado B:
1. Fechado pra balanço (Gilberto Gil)
2. Não tenha medo (Caetano Veloso)
3. These are the songs (Tim Maia). Participação especial de Tim Maia.
4. Comunicação (Edson Alencar, Hélio Matheus)
5. Copacabana velha de guerra (Joyce, Sérgio Flaksman)

Ficha técnica: direção da produção: Nelson Motta; orquestração: Erlon Chaves; estúdio: C.B.D.; técnicos de gravação: Ary Carvalhaes, Célio e Oswaldo Cruz Vidal; foto da capa: Gil Prates; layout: Lincoln. Lançado em CD em 1993.

ELIS NO TEATRO DA PRAIA com Miele, Bôscoli, Menescal, Jurandir, Zé Roberto, Wilson das Neves, Hermes. Companhia Brasileira de Discos/ Philips, 1970.
Lado A:
1. Introdução: Casa forte (Edu Lobo)/ Reza (Edu Lobo, Ruy Guerra)/ Noite dos mascarados (Chico Buarque)/ Samba da bênção (Baden Powell, Vinícius de Moraes)/ Making whoopee (W. Donaldson, G. Kahn).
2. Zazueira (Jorge Ben)
3. Minha (Francis hime, Ruy Guerra)
4. Irene (Caetano Veloso)

Lado B:
1. Musical de gala: Eu e a brisa (Johnny Alf)/ Preciso aprender a ser só (Marcos Valle, Paulo Sérgio Valle)/ Carolina (Chico Buarque)/ Nunca mais (Dorival Caymmi)/ Franqueza (Denis Brean, O. Guilherme)/ Se todos fossem iguais a você (Tom Jobim, Vinícius de Moraes).
2. Aquele abraço (Gilberto Gil)
3. Can't take my eyes off you (B. Crewe, B. Gaudio)
4. Se você pensa (Roberto Carlos, Erasmo Carlos)

Gravado ao vivo no Teatro da Praia, Rio de Janeiro.

Ficha técnica: arranjos e acompanhamentos: Conjunto Elis 5; direção da produção fonográfica: Roberto Menescal; técnico de gravação: Jorge Karan; técnicos da mixagem e montagem: Ary Carvalhaes e Célio Martins (montado e mixado nos estúdios da Cia. Brasileira de Discos); fotos: Paulo Garcez; layout: Lincoln. Show produzido e dirigido por Miele e Bôscoli. Lançado em CD em 1998.

ELA. Companhia Brasileira de Discos/ Philips, 1971.
Lado A:
1. Ih! Meu Deus do céu (Ivan Lins, Ronaldo Monteiro de Souza)
2. Black is beautiful (Marcos Valle, Paulo Sérgio Valle)
3. Cinema Olympia (Caetano Veloso)
4. Golden slumbers (John Lennon, Paul McCartney)
5. Falei e disse (Baden Powell, Paulo César Pinheiro)
Lado B:
1. Aviso aos navegantes (Baden Powell, Paulo César Pinheiro)
2. Mundo deserto (Roberto Carlos, Erasmo Carlos)
3. Ela (César Costa Filho, Aldir Blanc)
4. Madalena (Ivan Lins, Ronaldo Monteiro de Souza)
5. Os argonautas (Caetano Veloso)
6. Estrada do sol (Tom Jobim, Dolores Duran)

Ficha técnica: direção de produção: Nelson Motta; direção de estúdio: Roberto Menescal; técnico de gravação: Mazola; arranjos: Chiquinho de Morais; estúdio de gravação: C.B.D.; capa: Aldo Luiz. Lançado em CD em 1994.

ELIS. Companhia Brasileira de Discos/ Philips, 1972.
Lado A:
1. 20 anos blue (Sueli Costa, Vitor Martins)
2. Bala com bala (João Bosco, Aldir Blanc)
3. Nada será como antes (Milton Nascimento, Ronaldo Bastos)
4. Mucuripe (Fagner, Belchior)
5. Olhos abertos (Zé Rodrix, Guttemberg Guarabyra)
6. Vida de bailarina (Américo Seixas, Dorival Silva)
Lado B:
1. Águas de Março (Tom Jobim)
2. Atrás da porta (Francis Hime, Chico Buarque)
3. Cais (Milton Nascimento, Ronaldo Bastos)
4. Me deixa em paz (Ivan Lins, Ronaldo Monteiro de Souza)
5. Casa no campo (Zé Rodrix, Tavito)
6. Boa-noite amor (José Maria de Abreu, Francisco Matoso)

Ficha ténica: direção de produção: Roberto Menescal; assistente de produção: Sepé; técnicos de gravação: Ary, João e Toninho; estúdio: Phonogram; arranjos: César Camargo Mariano; corte de acetato: Joaquim Figueira; fotos: José Maria de Melo; capa: Aldo Luiz. Lançado em CD em 1988.

ELIS. Companhia Brasileira de Discos – Phonogram/ Philips, 1973.
Lado A:
1. Oriente (Gilberto Gil)
2. O caçador de esmeralda (João Bosco, Aldir Blanc, Cláudio Tolomei)
3. Doente morena (Gilberto Gil, Duda)
4. Agnus sei (João Bosco, Aldir Blanc)
5. Meio de campo (Gilberto Gil)

Lado B:
1. Cabaré (João Bosco, Aldir Blanc)
2. Ladeira da preguiça (Gilberto Gil)
3. Folhas secas (Nelson Cavaquinho, Guilherme de Brito)
4. Comadre (João Bosco, Aldir Blanc)
5. É com esse que eu vou (Pedro Cactano)

Ficha técnica: direção de produção: Mazola; coordenação de produção: Roberto Menescal; coordenação musical, arranjos: César Camargo Mariano; técnicos de gravação: Ary Carvalhaes e Luigi; estúdio: Phonogram; capa: Aldo Luiz; fotos: Jacques Avadis. Lançado em CD em 1993.

ELIS E TOM. Elis Regina e Tom Jobim. Companhia Brasileira de Discos – Phonogram/ Philips, 1974.
Lado A:
1. Águas de março (Tom Jobim)
2. Pois é (Tom Jobim, Chico Buarque)
3. Só tinha de ser com você (Tom Jobim, Aloysio de Oliveira)
4. Modinha (Tom Jobim, Vinícius de Moraes)
5. Triste (Tom Jobim)
6. Corcovado (Tom Jobim)
7. O que tinha de ser (Tom Jobim, Vinícius de Moraes)

Lado B:
1. Retrato em branco e preto (Tom Jobim, Chico Buarque)
2. Brigas, nunca mais (Tom Jobim, Vinícius de Moraes)
3. Por toda a minha vida (Tom Jobim, Vinícius de Moraes)
4. Fotografia (Tom Jobim)
5. Soneto da separação (Tom Jobim, Vinícius de Moraes)
6. Chovendo na roseira (Tom Jobim)
7. Inútil paisagem (Tom Jobim, Aloysio de Oliveira)

Gravado entre os dias 22 de fevereiro e 9 de março de 1974, em Los Angeles, Califórnia, EUA.
Ficha técnica: direção de produção: Aloysio de Oliveira; técnico: Humberto Gatica; estúdio: MGM; fotos: Nelson Mascarenhas; layout: Lobianco (capa) e Aldo Luiz (parte interna). Lançado em CD em 1988.
Músicos: arranjos: César Camargo Mariano, Tom Jobim; baixo: Luizão; bateria: Paulinho; guitarra: Helinho; percussão: Chico Batera; piano: César Camargo Mariano, Tom Jobim; piano elétrico: César Camargo Mariano; regência: Bill Hitchcock; violão: Helio, Oscar Castro Neves, Tom Jobim.
A gravação de Elis & Tom foi um presente dado pela Philips à Elis, em seu aniversário de dez anos naquela gravadora. O álbum teve uma reedição em 2005, quando a gravadora Trama, dando origem à remasterização da obra de Elis Regina, lançou o título em CD e DVD-áudio. Às faixas originais foram incorporadas pequenas falas de Elis, Tom e dos músicos e técnicos registradas no momento das gravações. Presentes no DVD-áudio, como faixas bônus, a música Bonita e uma versão alternativa de Fotografia.

ELIS. Companhia Brasileira de Discos – Phonogram/ Philips, 1974.
Lado A:
1. Na batucada da vida (Ary Barroso, Luiz Peixoto)
2. Travessia (Fernando Brant, Milton Nascimento)
3. Conversando no bar (Fernando Brant, Milton Nascimento)
4. Ponta de areia (Fernando Brant, Milton Nascimento)
5. O mestre sala dos mares (João Bosco, Aldir Blanc)

Lado B:
1. Amor até o fim (Gilberto Gil)
2. Dois pra lá, dois pra cá (João Bosco, Aldir Blanc)
3. Maria Rosa (Lupicínio Rodrigues, Alcides Gonçalves)
4. Caça à raposa (João Bosco, Aldir Blanc)
5. O compositor me disse (Gilberto Gil)

Ficha técnica: direção de produção: Mazola; direção musical: César Camargo Mariano; direção de estúdio: Mazola; coordenação: Roberto de Oliveira (Clack); estúdio: Sonima (São Paulo); técnico de gravação: Zorro; arranjos: César Camargo Mariano; estúdio de mixagem: Phonogram (Rio de Janeiro); técnico de mixagem: Mazola; montagem: Jairo Gualberto; corte da matriz: Joaquim Figueira.
Músicos: bateria: Toninho; percussão, marimbas e bells: Chico Batera; baixo: Luisão; guitarra e viola de 12 cordas: Nathan Marques; piano, piano elétrico, cravo, clavinete, órgão e phaser: César Camargo Mariano.
Em Dois pra lá, dois pra cá, participação especial de: bongô: Paulinho Braga; guitarra: Hélio Delmiro; coro: Classic VIII.
Lançado em CD em 1993.

FALSO BRILHANTE. Companhia Brasileira de Discos – Phonogram/ Philips, 1976.
Lado A:
1. Como nossos pais (Belchior)
2. Velha roupa colorida (Belchior)
3. Los hermanos (A. Yupanqui)
4. Um por todos (João Bosco, Aldir Blanc)
5. Fascinação (Fascination) (F. D. Marchetti, M. de Feraudy/ Versão: Armando Louzada)

Lado B:
1. Jardins de infância (João Bosco, Aldir Blanc)
2. Quero (Thomas Roth)
3. Gracias a la vida (Violeta Parra)
4. O cavaleiro e os moinhos (João Bosco, Aldir Blanc)
5. Tatuagem (Chico Buarque, Ruy Guerra)

Ficha técnica: direção de produção: Mazola; direção musical: César Camargo Mariano; arranjos, teclado e violão: César Camargo Mariano; bateria, violão e piano elétrico (em Tatuagem): Nenê; guitarra, violão, viola e percussão: Nathan Marques; contrabaixo, baixo elétrico e percussão: Wilson; guitarra, teclado, violão e percussão: Crispin del Cistia; técnico de gravação: Ary Carvalhaes; técnico de mixagem: Mazola; estúdio: Phonogram – 16 canais; auxiliares de estúdio: Paulo Sergio, Jairo, Jorge; copy room: Jairo Gualberto; corte: Joaquim Figueira; layout: Naum Alves de Souza (capa) e Aldo Luiz (capa interna); arte final das ilustrações e vinheta: Nilo de Paula; fotos: Cristiano Mascaro. Lançado em CD em 1988.
Falso brilhante ganhou uma reedição em 2006 em CD e DVD-áudio, pela gravadora Trama. O álbum foi remasterizado e, assim como a reedição de *Elis & Tom*, foram incorporadas falas de Elis e dos músicos às faixas. No DVD-áudio há fotos em preto e branco do show *Falso brilhante.* A arte se manteve a mesma do original.

ELIS. Companhia Brasileira de Discos – Phonogram/ Philips, 1977.
Lado A:
1. Caxangá (Milton Nascimento, Fernando Brant)
2. Colagem (Claudio Lucci)
3. Vecchio novo (Claudio Lucci, José Márcio Pereira)
4. Morro velho (Milton Nascimento)
5. Qualquer dia (Ivan Lins, Vitor Martins)
Lado B:
1. Romaria (Renato Teixeira)
2. A dama do apocalipse (Nathan Marques, Crispin del Cistia)
3. Cartomante (Ivan Lins, Vitor Martins)
4. Sentimental eu fico (Renato Teixeira)
5. Transversal do tempo (João Bosco, Aldir Blanc)

Ficha técnica: direção de produção e de estúdio: César Camargo Mariano; técnico de gravação: Roberto Marques; estúdio: Estúdios de Gravações Reunidos – 16 canais; assistente de estúdio: Souza; arranjos: César Camargo Mariano; mixagem: Roberto Marques e César Camargo Mariano; foto: Penna Prearo.
Músicos: piano acústico, piano Fender, órgão Hammond, RMI, syntorchestra, arranjos: César Camargo Mariano; guitarra Gibson Les Paul, violão, violão-12, violão-aço, voz: Nathan Marques; guitarra Fender, violão, viola-12, violão-aço, teclados: Crispin del Cistia; baixo Rickenbacker: Wilson Gomes; bateria, percussão: Dudu Portes.
Grupo Água: violão e voz: Renato Teixeira; viola e voz: Carlão; flauta e voz: Sérgio Mineiro; flauta: Márcio Werneck.
Participação especial: cello em Morro velho: Antonio Carlos dell Claro; violão Ovation em Morro velho, e violão Ovation, viola-12 e voz em Caxangá: Milton Nascimento; piano acústico e voz em Qualquer dia e Cartomante: Ivan Lins; voz em Caxangá: Sirlan; voz em Cartomante: Thomas Roth, Lucinha Lins e Zé Luiz. Lançado em CD em 1993.

ELIS – TRANSVERSAL DO TEMPO. Companhia Brasileira de Discos – Phonogram/ Philips, 1978.
Lado A:
1. Fascinação (Fascination) (F. D. Marchetti, M. de Feraudy/ Versão: Armando Louzada)
2. Sinal fechado (Paulinho da Viola)
3. Deus lhe pague (Chico Buarque)
4. O rancho da goiabada (João Bosco, Aldir Blanc)/ Construção (Chico Buarque)
5. Saudosa maloca (Adoniran Barbosa)
Lado B:
1. Boto (Tom Jobim, Jararaca)
2. Cão sem dono (Sueli Costa, Paulo César Pinheiro)
3. Meio-termo (Lourenço Baeta, Cacaso)/ Corpos (Ivan Lins, Vitor Martins)
4. Querelas do Brasil (Maurício Tapajós, Aldir Blanc)
5. Cartomante (Ivan Lins, Vitor Martins)

Gravado ao vivo no Teatro Ginástico, Rio de Janeiro, entre os dias 6 e 9 de abril de 1978, diretamente da mesa operada por Rogério Costa. Álbum traz músicas do show homônimo.
Ficha técnica do disco: técnicos de som: Luigi Hoffer, Ary Carvalhaes, Ivan Lisnik, Rafael Azulay; técnico de manutenção: Paulo César Succar; produção: César Camargo Mariano, Mauricio Tapajós, Aldir Blanc; mixagem: Luigi Hoffer, César Camargo Mariano; fotos: Garrido; layout: Mello Menezes; arte final: Aldo Luiz.
Ficha técnica do show: roteiro e direção: Maurício Tapajós, Aldir Blanc; direção musical: César Camargo Mariano; programação visual: Mello Menezes; teclado e arranjos: César Camargo Mariano; guitarras, violão e viola: Nathan Marques; guitar-

ras e teclado: Crispin del Cistia; bateria e percussão: Dudu Portes; baixo elétrico e acústico: Fernando Sizão; locução: Marcus Aurélio; operação de som: Rogério Costa; operação de luz: Luiz Carlos Risso; cenotecnia: José Dantas; contra-regra: Gilberto Martins; administração: Biba Costa; produção: Trama Serviços Especiais S/C Ltda. Lançado em CD em 1989.

ELIS ESPECIAL. Polygram/ Philips, 1979.
Lado A:
1. Noves fora (Fagner, Belchior)
2. Violeta de Belford Roxo (João Bosco, Aldir Blanc)
3. Ou bola ou búlica (João Bosco, Aldir Blanc)
4. Credo (Milton Nascimento, Fernando Brant)
5. Dinorah, Dinorah (Ivan Lins, Vitor Martins)
6. Joana francesa (Chico Buarque)

Lado B:
1. Bodas de prata (João Bosco, Aldir Blanc)
2. Entrudo (Carlos Lyra, Ruy Guerra)
3. Valsa rancho (Chico Buarque, Francis Hime)
4. Bonita (Tom Jobim)
5. Deixa o mundo e o sol entrar (Marcos Valle, Paulo Sérgio Valle)

Não há ficha técnica no disco. Último álbum de Elis Regina lançado pela gravadora Philips, que lançou o título com faixas de seu arquivo. Lançado em CD em 1994.

ELIS, ESSA MULHER. WEA, 1979.
Lado A:
1. Cai dentro (Baden Powell, Paulo César Pinheiro)
2. O bêbado e a equilibrista (João Bosco, Aldir Blanc)
3. Essa mulher (Joyce, Ana Terra)
4. Basta de clamares inocência (Cartola)
5. Beguine dodói (João Bosco, Aldir Blanc, Cláudio Tolomei)

Lado B:
1. Eu, hein, Rosa! (João Nogueira, Paulo César Pinheiro)
2. Altos e baixos (Sueli Costa, Aldir Blanc)
3. Bolero de Satã (Guinga, Paulo César Pinheiro)
4. Pé sem cabeça (Danilo Caymmi, Ana Terra)
5. As aparências enganam (Tunai, Sérgio Natureza)

Ficha técnica: produção, direção artística: Mazola; co-produção, direção artística: César Camargo Mariano; técnico de gravação: Vitor Farias; auxiliar técnico: Cláudio Farias; auxiliar de gravação: Rafael Azulay, Aníbal; engenheiro de mixagem: Mazola; auxiliar de mixagem: César Camargo Mariano, Rafael Azulay, Aníbal; estúdio de gravação: Transamérica (Rio de Janeiro); corte: Kendun Records LA; coordenação de capa: Cláudio Carvalho; capa: Mello Menezes. Elis dedicou o disco "à presença do Bituca. À ausência do Tenório Jr." Lançado em CD em 1987.

SAUDADE DO BRASIL. WEA/ Elektra, 1980. Álbum duplo.

Disco 1

Lado A:

1. Abertura (César Camargo Mariano)/ Arrastão (Edu Lobo, Vinícius de Moraes)/ Lapinha (Baden Powell, Paulo César Pinheiro)
2. Terra de ninguém (Marcos Valle, Paulo Sérgio Valle)
3. Maria, Maria (Milton Nascimento, Fernando Brant)
4. Agora tá (Tunai, Sérgio Natureza)
5. Alô, alô marciano (Rita Lee, Roberto de Carvalho)

Lado B:

1. Canção da América (Milton Nascimento, Fernando Brant)
2. As aparências enganam (Tunai, Sérgio Natureza)
3. O primeiro jornal (Sueli Costa, Abel Silva)
4. Moda de sangue (Jerônimo Jardim, Ivaldo Roque)
5. Marambaia (Henricão, Rubens Campos)

Disco 2

Lado A:

1. Presidente bossa-nova (Juca Chaves)
2. Conversando no bar (Milton Nascimento, Fernando Brant)
3. Onze fitas (Fátima Guedes)
4. Menino (Milton Nascimento, Fernando Bastos)
5. Aos nossos filhos (Ivan Lins, Vitor Martins)

Lado B:

1. Sabiá (Tom Jobim, Chico Buarque)
2. Mundo novo, vida nova (Gonzaguinha)
3. Aquarela do Brasil (Ary Barroso)
4. O que foi feito deverá (Milton Nascimento, Fernando Brant)
5. Redescobrir (Gonzaguinha)

Gravado em abril de 1980 no Canecão, Rio de Janeiro, álbum traz repertório do show Saudade do Brasil.

Ficha técnica do disco: produção: Guti, César Camargo Mariano; direção de produção: Guti; direção musical e arranjos: César Camargo Mariano; assistentes de produção: Rogério Costa, Gregório Gomes Nogueira; estúdio de gravação: Transamérica (Rio de Janeiro); técnicos de gravação: Vitor Farias, Wanderley, Cláudio; auxiliar de gravação: Sartori (Magro); mixagem: Vitor Farias, Guti, César Camargo Mariano; capa: Carlos Vergara, Ruth Freihof; desenhos e logotipo: Carlos Vergara; coordenação gráfica: Ruth Freihof; fotos: Paulo Vasconcellos, Vergara; Paulo Saavedra; supervisão de capa: Leonardo Netto; arranjo em Canção da América: Nathan Marques, Magrão, Chiquinho.

Ficha técnica do show: direção: Ademar Guerra; direção musical e arranjo: César Camargo Mariano; roteiro: Elis Regina e César Camargo Mariano; coreografia: Marika Gidali; assistente de coreografia: Marina Athie; figurinos: Kalma Murtinho; cenografia: Marcos Flaksman; programação visual: Carlos Vergara; coordenação de produção, som: Rogério Costa.

Músicos: regência: César Camargo Mariano; teclados: César Camargo Mariano, Sérgio Henriques; trompete: Nonô Camargo, Cláudio Faria; sax tenor: Octavio Bangla, Lino Simão; clarineta: Octavio Bangla, Paulo Garfunkel; sax alto, flautim: Paulo Garfunkel; flauta, flauta doce: Paulo Garfunkel, Chiquinho Brandão; percussão: Chacal; guitarra, viola de 12 cordas, violão aço: Nathan Marques; baixo, violão: Kzam; trombone: Bocato; bateria: Sagica.

Elenco e coro: Orlando Barros, Serjão, Jorge Bueno, Carlos Nabarrete, Luiz Antonio Marigo, Jorge Deffune, Rosaly Papadol, Albino Saré, Regina Machado, Waltinho e Brasília.

O álbum foi lançado em três versões: em caixa especial, com tiragem limitada e numerada de 25.000 exemplares que trazia dois discos mais libreto documentando o show; em álbum duplo simples; e como dois volumes avulsos, vendidos em separado. Em todas as edições, foi usada a mesma arte. Lançado em CD em 1989.

ELIS. EMI-Odeon, 1980.
Lado A:
1. Sai dessa (Nathan Marques, Ana Terra)
2. Rebento (Gilberto Gil)
3. Nova estação (Luiz Guedes, Thomas Roth)
4. O medo de amar é o medo de ser livre (Beto Guedes, Fernando Brant)
Lado B:
1. Aprendendo a jogar (Guilherme Arantes)
2. Só Deus é quem sabe (Guilherme Arantes)
3. O trem azul (Lô Borges, Ronaldo Bastos)
4. Vento de maio (Telo Borges, Márcio Borges). Participação especial de Lô Borges. Música incidental: Um girassol da cor do seu cabelo (Lô Borges, Márcio Borges)
5. Calcanhar de Aquiles (Jean Garfunkel, Paulo Garfunkel)
Ficha técnica: produtor fonográfico: EMI-Odeon; direção de produção: Renato Corrêa; produção executiva: Mayrton Bahia; direção musical: César Camargo Mariano; técnico de gravação: Guilherme Reis; técnicos de remixagem: Nivaldo Duarte, Franklin Garrido; corte: Osmar Furtado; arte e projeto gráfico: Vergara; foto arte de capa: Bina Fonyat, Luiz Afonso; arte da capa sobre detalhe de foto da Abril Press/ Pedro Martinelli; fotos encarte: Wilton Montenegro; coordenação gráfica: Tadeu Valério.

Músicos: Arranjos, teclados, Arp, regência: César Camargo Mariano; baixo: Kzam, Nathan Marques, Pedro Baldanza; baixo acústico: Ezequiel, Fernando Sizão; bateria: Nenê, Picolé, Rubinho; bongô, marimba, caneco, timbales: Chico Batera; cavaquinho: Carlinhos; flauta: Jorginho; guitarras: Frederiko, Nathan Marques, Pisca; órgão: Helvius Vilela; piano acústico, violão acústico: Marilton Borges; percussão: Eliseu Luna, Geraldo, Jorginho, Marçal Filho, Milton Marçal, Sergio Della Mônica; piston: Maurílio; ritmo: Chico Batera; viola: Crispin del Cistia; violão: Milton Nascimento, Nathan Marques; viola de 12 cordas: Pisca; violão Ovation: Nathan Marques, Pisca; violão 6 cordas: César Farias; violão 7 cordas: Dino; sax: José Roberto; saxofone: José Nogueira, Netinho; trombone: Nelsinho; coro: As gatas, César Camargo Mariano, Crispin del Cistia, Cristina, Elis Regina, Fernando Sizão, José Luiz, Gonzaguinha, Lô Borges, Marisa Fossa, Márcio Borges, Marilton Borges, Milton Nascimento, Nathan Marques, Nico Borges, Novelli, Pedro Baldanza, Pisca, Telo Borges, Yé Borges.
Lançado em CD em 2002, com quatro faixas bônus:
10. Tiro ao Álvaro (Adoniran Barbosa, Osvaldo Molles). Participação especial de Adoniran Barbosa.
11. Se eu quiser falar com Deus (Gilberto Gil)
12. O que foi feito devera (de Vera) (Milton Nascimento, Fernando Brant, Márcio Borges). Participação especial de Milton Nascimento.
13. Outro cais (Marilton Borges, Duca Leal). Participação especial de Os Borges.
Em 2006 a gravadora Trama, assim como já havia feito com o título Elis & Tom, lançou versão remasterizada do álbum em CD e DVD-áudio, com cinco faixas Bônus e o documentário Jogo da verdade.
Em 2006 o álbum foi reeditado pela gravadora Trama, em CD remasterizado e DVD que contém a entrevista no programa *Jogo da Verdade*, apresentado pela TV Cultura sob a direção de Tito Lima e apresentação de Salomão Esper, além de galeria de fotos. Foi mantida a arte do disco original.

LONG PLAYS PÓSTUMOS COM GRAVAÇÕES INÉDITAS

ELIS REGINA – MONTREUX JAZZ FESTIVAL. WEA/ Elektra, 1982.
Lado A:
1. Cobra criada (João Bosco, Paulo Emilio)
2. Cai dentro (Baden Powell, Paulo César Pinheiro)
3. Madalena (Ivan Lins, Roberto Monteiro de Souza)
4. Ponta de areia (Milton Nascimento, Fernando Brant)/ Fé cega, faca amolada (Milton Nascimento, Ronaldo Bastos)/ Maria, Maria (Milton Nascimento, Fernando Brant)

Lado B:
1. Na baixa do sapateiro (Ary Barroso)
2. Upa, neguinho (Edu Lobo, Gianfrancesco Guarnieri)
3. Corcovado (Tom Jobim). Participação de Hermeto Pascoal.
4. Garota de Ipanema (Tom Jobim, Vinícius de Moraes). Participação de Hermeto Pascoal.
5. Asa branca (Luiz Gonzaga, Humberto Teixeira). Participação de Hermeto Pascoal.

Gravado em julho de 1979 no 13° Festival de Jazz em Montreux.
Ficha técnica: direção de produção: André Midani, Guti; direção musical: César Camargo Mariano; produção executiva: Chico Neves; coordenação em Montreux: Liminha, Mazola; técnico de gravação: David Richards; assistentes de gravação: Eugene Chaplin, Tom Price; estúdio de gravação em Montreux: Mountain Recording Studio; técnico de mixagem e montagem: Vitor Farias; assistentes de mixagem: Magro, Cláudio Farias; estúdio de mixagem: Transamérica (Rio de Janeiro); fotos: Mimito Gomes; capa: Artistas Gráficos.
Músicos: teclados: César Camargo Mariano; guitarra: Helio Delmiro; baixo: Luizão; bateria: Paulinho Braga; percussão: Chico Batera.

Lançado em CD em 1987. Em 2001 a gravadora Warner relançou o álbum na série Warner Arquivos, remasterizado e com faixas extras, sendo elas:

10. Amor até o fim (Gilberto Gil)
11. Mancada (Gilberto Gil)
12. Samba dobrado (Djavan)
13. Rebento (Gilberto Gil)
14. Águas de março (Tom Jobim)
15. Onze fitas (Fátima Guedes)
16. Agora tá (Sérgio Natureza, Tunai)

Na versão em vinil consta a seguinte frase, assinada por André Midani: "Elis recebeu uma ovação, de pé, de 11 minutos, que eu queria deixar como símbolo de sua importância... infortunadamente tinha pouco espaço no disco".

ELIS – TREM AZUL. Som Livre, 1982. Álbum duplo.

Disco 1

Lado A:

1. Abertura/ Aprendendo a jogar (Guilherme Arantes)
2. Alô, alô marciano (Rita Lee, Roberto de Carvalho)
3. O medo de amar é o medo de ser livre (Beto Guedes, Fernando Brant)
4. O trem azul (Lô Borges, Ronaldo Bastos)
5. Vento de maio (Telo Borges, Márcio Borges)

Lado B:

1. Se eu quiser falar com Deus (Gilberto Gil)
2. Flora (Gilberto Gil)
3. Valsa de Eurídice (Vinícius de Moraes)
4. Unencounter (Canção da América) (Milton Nascimento, Fernando Brant)
5. Me deixas louca (Me vuelves loco) (A. Manzanero/ Versão: Paulo Coelho)

Disco 2:

Lado A:

1. Apresentação dos músicos/ Sai dessa (Nathan Marques, Ana Terra)
2. Aqui é o país do futebol (Milton Nascimento, Fernando Brant)
3. Texto (Fernando Faro)/ Baila comigo (Rita Lee, Roberto de Carvalho)
4. Amante a moda antiga (Roberto Carlos, Erasmo Carlos)
5. Fantástico (Guto Graça Mello, Boni)
6. Começar de novo (Ivan Lins, Vitor Martins)
7. Trapalhões (Zé Menezes)
8. Menino do Rio (Caetano Veloso)
9. The fuzz (Tema do Jornal Nacional) (Frank de Vol)
10. Lança-perfume (Rita Lee, Roberto de Carvalho)

Lado B:

1. Nove luas (Nathan Marques)
2. O que foi feito devera (Milton Nascimento, Fernando Brant, Márcio Borges)
3. Caxangá (Milton Nascimento, Fernando Brant)
4. Maria, Maria (Milton Nascimento, Fernando Brant)
5. O trem azul (Lô Borges, Ronaldo Bastos)

O álbum Trem azul é o registro do show homônimo, o último de Elis Regina.

Ficha técnica do disco: direção de produção: Max Pierre; produção executiva e gravação original: Rogério Costa; laboratório e mixagem: Antonio Canazio (Mug); capa: Elifas Andreato; foto: Paulo Vasconcellos; corte: Oswaldo (RCA); arte-final: Alexandre Huzak.

Ficha técnica do show: som: Rogério Costa; luz: José Naildo, Isac Abreu; assistente de direção: Suely Valente; assistente de arte: Alexandre Huzak; direção de produção: Tânia Perotto; cenotécnico: Jarbas Lotto; contra-regra: Luiz Brahma'n; camareiras: Gibele, Maria do Carmo; fotos: Paulo Vasconcellos.

Músicos: baixo: Luizão; bateria: Téo Lima; bateria (em Me deixas louca): Picolé; guitarra, violão: Nathan Marques; sax tenor, soprano: Octavio Bangla; teclados: Paulinho Esteves, Sergio Henriques; trompete, flugelhon: Nilton Rodrigues.

Lançado em CD em 1992.

Em 1997 o selo Globo Disk, da gravadora Som Livre, lançou uma coletânea que era vendida somente por telefone ou internet e reunia os álbuns Trem azul e Luz das estrelas, embalados em lata decorativa. O álbum ganhou ainda uma reedição em 2003, pela mesma gravadora, na série Reviva.

ELIS – LUZ DAS ESTRELAS. Som Livre, 1984.

Lado A:

1. Para Lennon e McCartney (Lô Borges, Márcio Borges, Fernando Brant)
2. No dia em que eu vim embora (Caetano Veloso)
3. O mestre sala dos mares (João Bosco, Aldir Blanc)
4. Velho arvoredo (Paulo César Pinheiro, Hélio Delmiro)
5. A banca do distinto (Billi Blanco)

Lado B:

1. Corsário (João Bosco, Aldir Blanc)
2. Bodas de prata (João Bosco, Aldir Blanc)
3. Gol anulado (João Bosco, Aldir Blanc)
4. Triste (Tom Jobim)
5. Doente morena (Gilberto Gil, Duda)

Gravado e mixado nos estúdios da Sigla/ Rio, entre outubro e novembro de 1984. Álbum traz músicas gravadas por Elis para um especial de televisão, em 1976.

Ficha técnica: produzido por: Max Pierre, Rogério Costa; projeto: Max Pierre; produção técnica, transcrição, gravação e mixagem: Antonio "Mug" Canazio; gravação original em 16 canais: Rogério Costa; engenheiros de gravação: Célio Martins, Luis Paulo, Jorge "Gordo" Guimarães, Jorge Teixeira, Andy, Eduardo (em A banca do distinto); assistentes de estúdio: Jackson Paulino, Sérgio Murilo, D'Orey, Marquinhos, Julio Martins, Beto, Mario, Leco; capa: Elifas Andreato; arte-final: Nicolau Maximiuc Junior.

Músicos: arranjos, regência: Dori Caymmi, Eduardo Souto, Guto Graça Mello, Lincoln Olivetti, Nathan Marques, Wagner Tiso; baixo: Fernando Alves, Jamil Joanes, Jorge Luiz, Nando, Nico Assumpção; bateria: Lincoln Olivetti, Picolé, Serginho Herval, Téo Lima; cellos: Alceu A. Reis, Jaques Morelenbaum, Jorge Kundert, Marcio Mallard; clarone: Biju; dinomy piano: Eduardo Souto, Gilson Peranzetta; dx7: Eduardo Souto, Luiz Paulo Bello Simas; flautas: Lenir Siqueira, Mauro Senise; flautas e picolo: Celso Woltzenlogel, Franklin Correa; gaita: Mauricio Einhorn; guitarra: Nathan Marques, Robson Jorge, Victor Biglione; percussão: Armando Marçal, Gerson, Luna, Marçal, Peninha; piano: Jorjão (Jorge Waldir), Jotinha; ritmo: Robson Jorge; sax: Léo Gandelman, Mauro Senise; teclados: Jorjão (Jorge Waldir), Lincoln Olivetti, Robson Jorge, Wagner Tiso; trombone: Serginho Trombone; trompas: Svab, Toninho; trompetes: Bidinho, Donald Harris, Marcio Montarroyos; violas: Arlindo Pentiado, Frederik Stephany, Hindemburgo, Murillo S. Loures, Nelson Macedo; violão: Helio Delmiro, Nathan Marques, Toninho Horta; violinos: Aizik, Alfredo Vidal, Carlos E. Hack, Francisco Perrota, Giancarlos Parechi, João Daltro de Almeida, Jorge Faini, José Alves, Luiz Carlos, Michel Bessler, Paschoal Perrota, Virgilio Arraes, Walter Hack.

Lançado em CD em 1994, porém com outra capa. Em 1997, o disco foi lançado junto a Trem azul em coletânea embalada em lata decorativa pelo selo Globo Disk da gravadora Som Livre, conforme dito anteriormente.

ELIS REGINA – NO FINO DA BOSSA - AO VIVO. Elis Regina, Jair Rodrigues e convidados. Velas, 1994. Caixa com 3 CDs.

Volume 1:

1. Tema do prefixo: Terra de ninguém (Marcos Valle, Paulo Sérgio Valle)/ Influência do jazz (Carlos Lyra). Com Elis Regina e Orquestra de Carlos Piper, 19/07/65.
2. Formosa (Baden Powell, Vinícius de Moraes). Com Elis Regina, Ciro Monteiro, Baden Powell e Zimbo Trio, 17/05/65.
3. Elis recebe Dorival Caymmi: Lá vem a baiana (Dorival Caymmi)/ Saudades da Bahia (Dorival Caymmi)/ Das rosas (Dorival Caymmi). Com Elis Regina, Dorival Caymmi e Zimbo Trio, 29/11/65.
4. Pra dizer adeus (Edu Lobo, Torquato Neto). Elis Regina e Zimbo Trio, 11/07/66.
5. Discussão (Tom Jobim, Newton Mendonça). Com Elis Regina, Pery Ribeiro e Luiz Loy Trio, 09/08/65.
6. Pot-pourri de Antonio Carlos Jobim: Insensatez (Tom Jobim, Vinícius de Moraes)/ Corcovado (Tom Jobim)/ A felicidade

(Tom Jobim, Vinícius de Moraes)/ Desafinado (Tom Jobim, Newton Mendonça)/ Esse seu olhar (Tom Jobim)/ Só em teus braços (Tom Jobim)/ Samba do avião (Tom Jobim)/ Garota de Ipanema (Tom Jobim, Vinícius de Moraes)/ Se todos fossem iguais a você (Tom Jobim, Vinícius de Moraes). Com Elis Regina, Jair Rodrigues e Zimbo Trio, 04/08/65.
7. Garota de Ipanema (Tom Jobim, Vinícius de Moraes). Com Baden Powell, 17/05/65.
8. Aleluia (Edu Lobo, Ruy Guerra). Com Elis Regina e Edu Lobo, 04/08/65.
9. Samba do avião (Tom Jobim). Com Elis Regina, Lennie Dale e Luiz Loy Trio, 28/06/65.
10. Vem balançar (Walter Santos, Tereza Souza). Com Elis Regina e Quinteto de Luiz Loy, 11/67.
11. Roda de samba (Lucio Alves)/ Despedida de Mangueira (Benedito Lacerda, Aldo Cabral)/ O morro não tem vez (Tom Jobim, Vinícius de Moraes)/ Zelão (Sérgio Ricardo)/ O morro (Tom Jobim, Billy Blanco). Com Elis Regina, Elza Soares, Agostinho dos Anjos e Lucio Alves, 30/11/65.

Volume 2:
1. Devagar com a louça (Haroldo Barbosa). Com Elis Regina, Elza Soares e Quinteto de Luiz Loy, 10/04/67.
2. Mulata assanhada (Ataulfo Alves). Com Elis Regina, Ataulfo Alves e Zimbo Trio, 24/05/65.
3. Lunik 9 (Gilberto Gil). Com Elis Regina e Quinteto de Luiz Loy, 11/07/66.
4. Eu vim da Bahia (Gilberto Gil). Estréia de Gilberto Gil no programa, 13/06/66.
5. Consolação (Baden Powell, Vinícius de Moraes)/ Carcará (João do Vale, José Candido)/ Aleluia (Edu Lobo)/ Zelão (Sérgio Ricardo). Com Elis Regina, Jair Rodrigues, Baden Powell e Zimbo Trio, 12/07/65.
6. Tristeza em mim (Baden Powell). Com Baden Powell e Rosinha de Valença, 12/07/65.
7. Amor em paz (Tom Jobim, Vinícius de Moraes). Com Elis Regina e Zimbo Trio, 15/11/65.
8. Bocochê (Baden Powell, Vinícius de Moraes). Com Elis Regina e Baden Powell, 12/10/66.
9. Estamos aí (Mauricio Einhorn, Durval Ferreira, Regina Werneck). Com Quinteto de Luiz Loy, 21/06/66.
10. Sucessos de Elis em 1965: Reza (Edu Lobo, Ruy Guerra)/ Esse mundo é meu (Sérgio Ricardo, Ruy Guerra)/ Aleluia (Edu Lobo, Ruy Guerra)/ Zambi (Edu Lobo, Vinícius de Moraes)/ Tem dó (Baden Powell, Vinícius de Moraes)/ Tempo feliz (Baden Powell, Vinícius de Moraes)/ Arrastão (Edu Lobo, Vinícius de Moraes)/ Menino das laranjas (Théo de Barros). Com Elis Regina e Quintento de Luiz Loy, 20/12/65.
11. Agora ninguém chora mais (Jorge Ben). Com Elis Regina, Jorge Benjor e Zinho, 08/11/65.
12. Falsa baiana (Geraldo Pereira)/ Sufixo: Imagem (Luiz Eça). Com Elis Regina, Wilson Simonal e Quinteto de Luiz Loy, 22/05/67.

Volume 3:
1. Mas que nada (Jorge Ben). Com Elis Regina e Quinteto de Luiz Loy, 08/11/65.
2. Você (Roberto Menescal, Ronaldo Bôscoli). Com Elis Regina, Pery Ribeiro e Luiz Loy Trio, 09/08/65.
3. Telefone (Roberto Menescal, Ronaldo Bôscoli). Com Elis Regina e Os Cariocas, 18/10/65.
4. Zé não é João (Alô João) (Ciro Monteiro, Baden Powell). Com Ciro Monteiro e Baden Powell, 17/05/65.
5. Somewhere (Leonard Bernstein, Stephen Sondheim). Com Elis Regina e O quarteto no "Show em Simonal", 07/06/66.
6. Sambou sambou (J. Mello, João Donato). Com Zimbo Trio tendo Amilton ao vibrafone, Heraldo do Monte à guitarra e Hermeto Pascoal à flauta, 21/11/66.
7. Elis recebe Adoniran Barbosa: Saudosa maloca (Adoniran Barbosa)/ Luz da Light (Adoniran Barbosa)/ Prova de carinho (Adoniran Barbosa, Hervê Cordovil)/ As mariposa (Adoniran Barbosa)/ Um samba no Bexiga (Adoniran Barbosa)/ Bom dia tristeza (Adoniran Barbosa, Vinícius de Moraes)/ Trem das onze (Adoniran Barbosa). Com Elis Regina, Adoniran Barbosa e Mario, 12/07/65.
8. Eu só queria ser (Vera Brasil, Miriam Ribeiro). Com Elis Regina, Claudete Soares e Orquestra de Ciro Pereira, 12/10/6.
9. Pot-pourri de Carlos Lyra: Minha namorada (Carlos Lyra, Vinícius de Moraes)/ Primavera (Carlos Lyra, Vinícius de Moraes)/ Cartão de visita (Carlos Lyra, Vinícius de Moraes)/ Feio não é bonito (Carlos Lyra, Gianfrancesco Guarnieri)/ Maria Moita (Carlos Lyra, Vinícius de Moraes)/ Maria Ninguém (Carlos Lyra)/ Maria do Maranhão (Carlos Lyra, Nelson

Lins, Barros)/ Aruanda (Carlos Lyra, Geraldo Vandré)/ Samba do carioca (Carlos Lyra, Vinícius de Moraes). Com Elis Regina, Jair Rodrigues e Zimbo Trio, 08/11/65.
10. Esse mundo é meu (Sérgio Ricardo). Com Elis Regina e Zimbo Trio, 12/07/65.
11. Se acaso você chegasse (Lupiscínio Rodrigues, Felisberto Martins)/ Sufico: Terra de ninguém (Marcos Valle, Paulo Sérgio Valle). Com Elis Regina, Elza Soares, Jair Rodrigues, Zimbo Trio e Orquestra de Carlos Piper, 29/11/65.

Ficha técnica: gravação original em gravador portátil monoaural: Zuza Homem de Mello; revisão das fitas originais: Egídio Conde (Automobile, São Paulo); transcrição original para referência: Ronaldo Dias (Fábrica, São Paulo); restauração analógica, transferência digital, processamento pelo Sonic Solutions, masterização: Mark Holland (Jam Productions, Dallas, Texas); direção de arte: Carlos Baptistella, Tadeu Valério; produção artística e executiva: Zuza Homem de Mello; produção fonográfica: Velas.
A coletânea foi disponibilizada também em volumes avulsos e com outras capas, vendidos separadamente.

ELIS AO VIVO. Velas, 1995.
1. Como nossos pais (Belchior)
2. Travessia (Milton Nascimento, Fernando Brant)
3. Morro velho (Milton Nascimento)
4. Romaria (Renato Teixeira)
5. A dama do apocalipse (Nathan Marques, Crispin del Cistia)
6. Colagem (Cláudio Lucci)
7. Madalena (Ivan Lins, Ronaldo Monteiro de Souza)
8. Qualquer dia (Ivan Lins, Vitor Martins)
9. Cadeira vazia (Lupicínio Rodrigues, Alcides Gonçalves)
10. Vida de bailarina (Américo Seixas, Dorival Silva)
11. Triste (Tom Jobim)
12. Dois pra lá, dois pra cá (João Bosco, Aldir Blanc)
13. O mestre-sala dos mares (João Bosco, Aldir Blanc)
14. Transversal do tempo (João Bosco, Aldir Blanc)
15. Cartomante (Ivan Lins, Vitor Martins)

Álbum traz o registro do show que Elis Regina realizou para lançar o disco Elis, de 1977, em que apresentaria, dentre outras canções, Romaria. Participações especiais de Ivan Lins, João Bosco, Renato Teixeira, Cláudio Lucci e Grupo Água.
Ficha técnica: produção fonográfica: Velas; produção executiva: José Amâncio; produção artística: Zuza Homem de Mello; direção musical: César Camargo Mariano; restauração e remasterização pelos sistemas Cedar e Sonic Solutions: Cia de Áudio, SP; engenheiros de som: Micca Griecca, Carlos Freitas, Ricardo Cavalheira; finalização e mixagem: César Camargo Mariano, Steve Boyer; capa e supervisão gráfica: Neusa Costa; fotos e efeitos gráficos: Marcos Santilli.
Músicos: baixo: Luizão Maia, Wilson Gomes; bateria: Dudu Portes, Toninho Pinheiro; guitarra: Crispin del Cistia, Helio Delmiro, Nathan Marques; teclados: César Camargo Mariano, Crispin del Cistia.
Grupo Água: flauta: Marcio Werneck, Sergio Mineiro; percussão: Dudu Portes; viola: Carlão; violão: Renato Teixeira; voz: Carlão, Renato Teixeira, Sergio Mineiro. Lançado apenas em CD.

ELIS VIVE. WEA, 1998.
1. Eu, hein, Rosa! (João Nogueira, Paulo César Pinheiro)
2. Cai dentro (Baden Powell, Paulo César Pinheiro)
3. Basta de clamares inocência (Cartola)
4. Comadre (João Bosco, Aldir Blanc)
5. Conversando no bar (Fernando Brant, Milton Nascimento)
6. Corsário (João Bosco, Aldir Blanc)
7. Um por todos (João Bosco, Aldir Blanc)
8. As aparências enganam (Tunai, Sérgio Natureza)
9. Essa mulher (Joyce, Ana Terra)
10. Agora tá (Tunai, Sérgio Natureza)
11. Lembre-se (Tunai, Sérgio Natureza)
12. Onze fitas (Fátima Guedes)
13. Menino (Milton Nascimento, Ronaldo Bastos)
14. O bêbado e a equilibrista (João Bosco, Aldir Blanc)
15. Mundo novo, vida nova (Gonzaguinha)
16. Ponta de areia (Fernando Brant, Milton Nascimento)
17. Fé cega, faca amolada (Milton Nascimento, Ronaldo Bastos)
18. Maria, Maria (Milton Nascimento, Fernando Brant)
19. Moda de sangue (Jerônimo Jardim, Ivaldo Roque)

Gravação inédita realizada no Palácio do Anhembi, São Paulo, em 1979.

Ficha técnica: direção musical: César Camargo Mariano; baixo: Nenê; bateria: Luís Moreno; guitarra: Crispin del Cistia, Ricardo Silveira; percussão: Chacal; teclados: César Camargo Mariano, Crispin del Cistia; violão, viola: Ricardo Silveira; som: Rogério Costa; auxiliar técnico: Totinho; iluminação: Oswaldo Mendes; luz: Paulo Pupulin; realização: Trama; fotos: Frederico Mendes; projeto gráfico: A. Deliperi; coordenação gráfica: Silvia Panella; remasterização: Carlos Freitas, Danilo Tevis (ia de Áudio). Lançado apenas em CD.

COMPACTOS SIMPLES

COMPACTO NÃO NUMERADO. Continental, s/d.
Lado A: Dá sorte (Eleu Salvador)
Lado B: Sonhando (Dreamin') (Barry de Vorzon, Ted Ellis/ Versão: Juvenal Fernandes)

COMPACTO N° 33224. Continental, s/d.
Lado A: Poema (Fernando Dias)
Lado B: Las secretárias (Pepe Luis/ Versão: Martha de Almeida)

COMPACTO N° 365068. Companhia Brasileira de Discos/ Philips, s/d.
Lado A: Menino das laranjas (Théo)
Lado B: Sou sem paz (Adylson Godoy)

COMPACTO N° 365083. Companhia Brasileira de Discos/ Philips, s/d.
Lado A: Arrastão (Edu Lobo, Vinícius de Moraes)
Lado B: Aleluia (Edu Lobo, Ruy Guerra)

COMPACTO N° 365111. Elis Regina e Zimbo Trio. Companhia Brasileira de Discos/ Philips, s/d.
Lado A:
Zambi (Edu Lobo, Vinícius de Moraes)
Lado B:
1. Esse mundo é meu (Sérgio Ricardo, Ruy Guerra)
2. Resolução (Edu Lobo, Luiz F. Freire)

COMPACTO N° 365137. Companhia Brasileira de Discos/ Philips, 1966.
Lado A: Canto de Ossanha (Baden Powell, Vinícius de Moraes)
Lado B: Rosa morena (Dorival Caymmi)
Gravado ao vivo no Teatro Record de São Paulo.

COMPACTO N° 7004. Fábrica de Discos Rozenblitz Ltda/ Artistas Unidos, s/d.
Lado A: Ensaio geral (Gilberto Gil)
Lado B: Jogo de roda (Edu Lobo, Ruy Guerra)
Orquestra da TV Record: direção: Ciro Pereira.

COMPACTO N° 365159. Companhia Brasileira de Discos/ Philips, 1966.
Lado A: Upa, neguinho (Edu Lobo, Gianfrancesco Guarnieri)
Lado B: Tristeza que se foi (Adylson Godoy)

COMPACTO N° 365204. Companhia Brasileira de Discos/ Philips, 1966.
Lado A: Saveiros (Dorival Caymmi, Nelson Motta)
Lado B: Canto triste (Edu Lobo, Vinícius de Moraes)

COMPACTO N° 365225. Companhia Brasileira de Discos/ Philips, 1967.
Lado A: Travessia (Milton Nascimento, Fernando Brant). 2° lugar nacional do 2° Festival Internacional da Canção Popular.
Lado B: Manifesto (Guto, Mariozinho Rocha)

COMPACTO N° 365229. Companhia Brasileira de Discos/ Philips, 1968.
Lado A: Yê-melê (Luiz Carlos Vinhas, Chico Feitosa)
Lado B: Upa, neguinho (Edu Lobo, Gianfrancesco Guarnieri)
Gravado ao vivo no Festival do MIDEM, em Cannes, França.

COMPACTO N° 365234. Companhia Brasileira de Discos/ Philips, 1968.
Lado A: Samba da bênção (Baden Powell, Vinícius de Moraes/ Versão: Pierre Barouh). Gravado ao vivo no Teatro Olympia, Paris, em março de 1968.
Lado B: Canção do sal (Milton Nascimento)

COMPACTO N° 365242. Companhia Brasileira de Discos/ Philips, 1968.
Lado A: Lapinha (Baden Powell, Paulo César Pinheiro)
Lado B: Cruz de cinza, cruz de sal (Walter Santos, Tereza Souza)

COMPACTO N° 365266. Companhia Brasileira de Discos/ Philips, 1968.
Lado A: Casa forte (Edu Lobo)
Lado B: Memórias de Marta Sare (Edu Lobo, Gianfrancesco Guarnieri)

COMPACTO N° 365291, TABELINHA PELÉ X ELIS. Companhia Brasileira de Discos/ Philips, 1969.
Lado A: Perdão, não tem (Edson Arantes do Nascimento)
Lado B: Vexamão (Edson Arantes do Nascimento)

COMPACTO N° 6069035. Companhia Brasileira de Discos/ Philips, 1972.
Lado A: Águas de março (Tom Jobim)
Lado B: Entrudo (Carlos Lyra, Ruy Guerra)

COMPACTO NÃO NUMERADO. WEA/ Elektra, 1979.
Lado A: O bêbado e a equilibrista (João Bosco, Aldir Blanc)
Lado B: As aparências enganam (Tunai, Sérgio Natureza)

COMPACTO N° 12056. WEA/ Elektra, 1980.
Lado A: Alô, alô marciano (Rita Lee, Roberto de Carvalho)
Lado B: No céu da vibração (Gilberto Gil)
Direção musical, arranjos e regência: César Camargo Mariano; produção: Guti.

COMPACTO N° 006420207. EMI-Odeon, 1980.
Lado A: Se eu quiser falar com Deus (Gilberto Gil)
Lado B: O trem azul (Lô Borges, Ronaldo Bastos)

COMPACTO N° 4016150 – Elis Regina – A primeira e última gravação de sua maravilhosa carreira. Som Livre, 1982.
Lado A: Me deixas louca (Armando Manzanero/ Versão: Paulo Coelho). Última gravação feita por Elis Regina em setembro de 1981.
Lado B: Baby face (Davis, Akst/ Versão: Fred Jorge). Com orquestra de Severino Filho.

COMPACTOS DUPLOS

COMPACTO N° 440690. Elis Regina e Jair Rodrigues. Companhia Brasileira de Discos/ Philips, 1966.
Lado A:
1. Pot-pourri: O morro não tem vez (Tom Jobim, Vinícius de Moraes)/ Feio não é bonito (Carlos Lyra, Gianfrancesco Guarnieri)/ Samba do carioca (Carlos Lyra, Vinícius de Moraes)/ Esse mundo é meu (Sérgio Ricardo, Ruy Guerra)/ A felicidade (Tom Jobim, Vinícius de Moraes)/ Samba de negro (Roberto Corrêa, Sylvio Son)/ Vou andar por aí (Newton Chaves)/ O sol nascerá (a sorrir) (Cartola, Elton Medeiros)/ Diz que fui por aí (Zé Keti, H. Rocha)/ Acender as velas (Zé Keti)/ A voz do morro (Zé Keti)/ O morro não tem vez (Tom Jobim, Vinícius de Moraes)

Lado B:
1. Deus com a família (César Roldão Vieira)
2. Ué (Osmar Navarro, Alcina Maria)

COMPACTO N° 440692. Companhia Brasileira de Discos/ Philips, 1966.
Lado A:
1. Menino das laranjas (Théo de Barros)
2. Último canto (Francis Hime, Ruy Guerra)

Lado B:
1. Preciso aprender a ser só (Marcos Valle, Paulo Sérgio Valle)
2. João Valentão (Dorival Caymmi)

COMPACTO N° 441403 – ELIS E OS FESTIVAIS. Companhia Brasileira de Discos/ Philips, 1966.
Lado A:
1. Saveiros (Dori Caymmi, Nelson Motta)
2. Jogo de roda (Edu Lobo, Ruy Guerra)

Lado B:
1. Ensaio geral (Gilberto Gil)
2. Canto triste (Edu Lobo, Vinícius de Moraes)

COMPACTO N° 441421 – ELIS EM PARIS. Companhia Brasileira de Discos/ Philips, 1968.
Lado A:
1. Deixa (Baden Powell, Vinícius de Moraes)
2. A noite do meu bem (Dolores Duran)

Lado B:
1. Noite dos mascarados (Chico Buarque). Elis Regina e Pierre Barouh.
2. Tristeza (Haroldo Lobo, Niltinho)

Arranjos de orquestra: Eumir Deodato.

COMPACTO N° 441453. Companhia Brasileira de Discos/ Philips, 1969.
Lado A:
1. Andança (Danilo Caymmi, Edmundo Souto, Paulinho Tapajós)
2. Samba da pergunta (Pingarrilho, Marcos Vasconcellos)
Lado B:
1. O sonho (Egberto Gismonti)
2. Giro (Antônio Adolfo, Tibério Gaspar)

COMPACTO N° 441473. Companhia Brasileira de Discos/ Philips, 1970.
Lado A:
1. Madalena (Ivan Lins, Ronaldo Monteiro de Souza)
2. Fechado pra balanço (Gilberto Gil)
Lado B:
1. Falei e disse (Baden Powell, Paulo César Pinheiro)
2. Vou deitar e rolar (Baden Powell, Paulo César Pinheiro)

Ficha técnica: direção da produção: Nelson Motta; arranjos: Erlon Chaves, Chico Morais; estúdio: CBD; técnicos de gravação: Ary Carvalhaes, João Moreira; layout: Aldo Luiz.

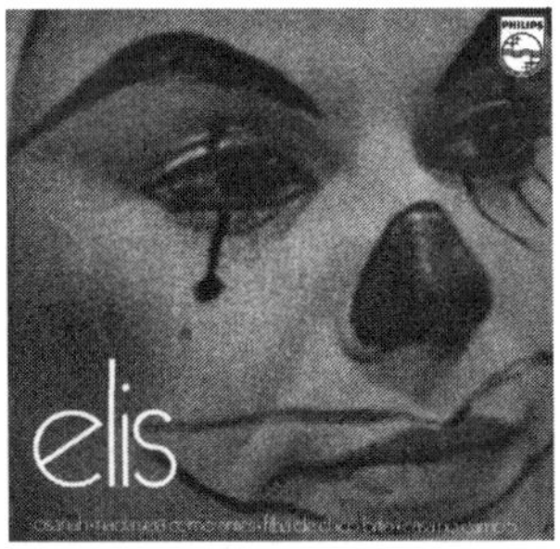

COMPACTO N° 6245007. Companhia Brasileira de Discos – Phonogram/ Philips, 1971.
Lado A:
1. Osanah (Tony Osanah)
2. Nada será como antes (Milton Nascimento, Ronaldo Bastos)
Lado B:
1. A fia de Chico Brito (Francisco Anysio)
2. Casa no campo (Zé Rodrix, Tavito)

Ficha técnica: direção de produção e estúdio: Roberto Menescal; técnicos de gravação: Mazola e Toninho; técnico de corte: Joaquim; estúdio: Phonogram; arranjos: César Camargo Mariano.

COMPACTO N° 6245016. Companhia Brasileira de Discos – Phonogram/ Philips, 1972.
Lado A:
1. Águas de março (Tom Jobim)
2. Atrás da porta (Chico Buarque, Francis Hime)
Lado B:
1. Bala com bala (João Bosco, Aldir Blanc)
2. Vida de bailarina (Américo Seixas, Dorival Silva)

Ficha ténica: direção de produção: Roberto Menescal; assistente de produção: Sepé; técnicos de gravação: Ary, Toninho, João; estúdios: Phonogram; arranjos: César Camargo Mariano.

COMPACTO N° 6245043. Companhia Brasileira de Discos – Phonogram/ Philips, 1975.
Lado A:
1. Dois pra lá, dois pra cá (João Bosco, Aldir Blanc)
2. O mestre sala dos mares (João Bosco, Aldir Blanc)
Lado B:
1. Amor até o fim (Gilberto Gil)
2. Na batucada da vida (Ary Barroso, Luiz Peixoto)

Ficha técnica: diretor de produção: Mazola; diretor musical: César Camargo Mariano; técnico de gravação: Zorro; estúdio: Sonima – São Paulo; arranjos: César Camargo Mariano; corte: Joaquim Figueira.

COMPACTO N° 6245066. Companhia Brasileira de Discos – Phonogram/ Philips, 1976.
Lado A:
1. Como nossos pais (Belchior)
2. Um por todos (João Bosco, Aldir Blanc)
Lado B:
1. Fascinação (F. D. Marchetti, M. de Feraudy/ Versão: Armando Louzada)
2. Velha roupa colorida (Belchior)

COMPACTO N° 6245129 – 4 SUCESSOS - ELIS REGINA. Polygram/ Philips, 1982.
Lado A:
1. Atrás da porta (Chico Buarque, Francis Hime)
2. Águas de março (Tom Jobim)
Lado B:
1. Casa no campo (Zé Rodrix, Tavito)
2. Romaria (Renato Teixeira)

Compacto sem ficha técnica.

PARTICIPAÇÕES DE ELIS EM OUTROS LPs,
com gravações inéditas que não foram lançadas em seus álbuns de carreira:

A BOSSA NO PARAMOUNT. RGE, 1965.
Música: Terra de ninguém (Marcos Valle, Paulo Sérgio Valle). Com Elis Regina e Marcos Valle.

Álbum gravado em 1964. Produção de Walter Silva. Lançado em CD em 1989.

VIVA O FESTIVAL DA MÚSICA POPULAR BRASILEIRA. Fábrica de Discos Rozenblitz Ltda/ Artistas Unidos, 1966.
Músicas:
Ensaio geral (Gilberto Gil)
Jogo de roda (Edu Lobo, Ruy Guerra)

Gravado ao vivo no Teatro Record de São Paulo, em 1966.
Ficha técnica: produção: Bernardo Sondermann; direção artística: Roberto Côrte Real.

FESTIVAL DOS FESTIVAIS. Companhia Brasileira de Discos/ Philips, 1966.
Músicas:
Saveiros (Dorival Caymmi, Nelson Motta)
Canção de não cantar (Dori Caymmi, Nelson Motta)
Jogo de roda (Edu Lobo, Ruy Guerra)

GAROTA DE IPANEMA, TRILHA SONORA DO FILME. Companhia Brasileira de Discos/ Philips, 1967.
Música: Noite dos mascarados (Chico Buarque). Com Elis Regina e Chico Buarque.

3º FESTIVAL DA MÚSICA POPULAR BRASILEIRA. Companhia Brasileira de Discos/ Philips, 1967.
Música: O cantador (Dori Caymmi, Nelson Motta)

I FESTIVAL UNIVERSITÁRIO DE MÚSICA POPULAR BRASILEIRA. Companhia Brasileira de Discos/ Philips, 1968.
Música: Um novo rumo (Arthur Verocai, Geraldo Flach)

I BIENAL DO SAMBA. Companhia Brasileira de Discos/ Philips, 1968.
Música: Lapinha (Baden Powell, Paulo César Pinheiro)

O CONJUNTO DE ROBERTO MENESCAL. Companhia Brasileira de Discos/ Forma, 1969.
Música: Depois da queda (Roberto Menescal, Ronaldo Bôscoli)

OS MAIORES SAMBAS-ENREDO DE TODOS OS TEMPOS. Companhia Brasileira de Discos - Phonogram/ Philips, 1971.
Música: Exaltação a Tiradentes (Estanislau Silva, Décio Antonio Carlos, Penteado)

OS MAIORES SAMBAS-ENREDO DE TODOS OS TEMPOS, VOL. 2. Companhia Brasileira de Discos - Phonogram/ Philips, 1972.
Música: Alô... alô... taí Carmen Miranda (Maneco, Wilson Diabo, Heitor)

PHONO-73 - O CANTO DE UM POVO. Gravadora: Companhia Brasileira de Discos/ Philips, 1973.
Músicas:
É com esse que eu vou (Pedro Caetano)
Ladeira da preguiça (Gilberto Gil). Com Elis Regina e Gilberto Gil.

Lançado em CD duplo e DVD pela gravadora Universal.

COMPACTO DUPLO N° 6245040 – Lupiscínio Rodrigues na interpretação de Caetano Veloso, Elis Regina, Gal Costa e Gilberto Gil. Companhia Brasileira de Discos/ Philips, 1974.
Música: Cadeira vazia (Lupicínio Rodrigues, Alcides Gonçalves)

MÚSICA POPULAR DO SUL, VOL. 1. Marcus Pereira, 1975.
Músicas:
Boi barroso (Folclore gaúcho)
Alto da bronze (Paulo Coelho, Plauto, Azambuja)
Porto dos casais (Jayme Lewgoy Lubianca)
Os homens de preto (Paulo Ruschel)

Lançado em CD em 1994.

O GRITO, TRILHA SONORA DA NOVELA. Som Livre, 1975.
Música: Um por todos (João Bosco, Aldir Blanc)
Versão diferente da lançada em Falso brilhante, feita para a trilha sonora da novela Roque Santeiro, proibida de ir ao ar pela censura em 1975.

Lançado em CD em 2001, na série Campeões de Audiência.

CLUBE DA ESQUINA 2. MILTON NASCIMENTO. EMI-Odeon, 1978.
Álbum duplo.
Música: O que foi feito devera (de Vera) (Milton Nascimento, Fernando Brant). Com Elis Regina e Milton Nascimento.

Lançado em CD em 1988.

ADONIRAN BARBOSA. EMI-Odeon, 1980.
Música: Tiro ao Álvaro (Adoniran Barbosa, Osvaldo Molles). Com Elis Regina e Adoniran Barbosa.

A ARCA DE NOÉ. Ariola, 1980.
Música: A corujinha (Toquinho, Vinícius de Moraes)

Lançado em CD em 1993.

RAUL ELLWANGER. WEA, 1980.
Música: O pequeno exilado (Raul Ellwanger). Com Elis Regina e Raul Ellwanger.

OS BORGES. EMI-Odeon, 1980.
Música: Outro cais (Marilton Borges, Duca Leal). Com Elis Regina e Os Borges.

ADONIRAN BARBOSA – DOCUMENTO INÉDITO. Estúdio Eldorado/ EMI-Odeon, 1984.
Músicas:
Elis recebe Adoniran Barbosa: Saudosa maloca (Adoniran Barbosa)/ Luz da Light (Adoniran Barbosa)/ Prova de carinho (Adoniran Barbosa, Hervê Cordovil)/ As mariposa (Adoniran Barbosa)/ Um samba no Bexiga (Adoniran Barbosa)/ Bom dia tristeza (Adoniran Barbosa, Vinícius de Moraes)/ Trem das onze (Adoniran Barbosa). Com Elis Regina, Adoniran Barbosa e Mario.
Faixa extraída do programa O Fino da Bossa que posteriormente seria incluída no álbum Elis Regina – No fino da Bossa. Ao vivo, Vol. 3.

Também lançado em CD.

COLETÂNEAS DE DESTAQUE

ELIS REGINA E SEUS AMIGOS EM ENCONTROS HISTÓRICOS. Polygram/ Fontana, 1981.
Lado A:
1. Pot-pourri: O morro não tem vez (Tom Jobim, Vinícius de Moraes)/ Feio não é bonito (Carlos Lyra, Gianfrancesco Guarnieri)/ Samba do carioca (Carlos Lyra, Vinícius de Moraes)/ Esse mundo é meu (Sérgio Ricardo, Ruy Guerra)/ A felicidade (Tom Jobim, Vinícius de Moraes)/ Samba de negro (Roberto Corrêa e Sylvio Son)/ Vou andar por aí (Newton Chaves)/ O sol nascerá (a sorrir) (Cartola, Elton Medeiros)/ Diz que fui por aí (Zé Keti, H. Rocha)/ Acender as velas (Zé Keti)/ A voz do morro (Zé Keti)/ O morro não tem vez (Tom Jobim, Vinícius de Moraes). Com Elis e Jair Rodrigues.
2. Só tinha de ser com você (Aloysio de Oliveira, Tom Jobim). Com Elis e Tom Jobim.
3. Noite dos mascarados (Chico Buarque). Com Elis e Pierre Barouh.
4. Louvação (Gilberto Gil, Torquato Neto). Com Elis e Jair Rodrigues.
5. These are the songs (Tim Maia). Com Elis e Tim Maia.

Lado B:
1. O barquinho (Roberto Menescal, Ronaldo Bôscoli). Com Elis e Toots Thielemans.
2. Ladeira da preguiça (Gilberto Gil). Com Elis e Gilberto Gil.
3. Perdão, não tem (Edson Arantes do Nascimento). Com Elis e Pelé.
4. Águas de Março (Tom Jobim). Com Elis e Tom Jobim.
5. Zambi (Edu Lobo, Vinícius de Moraes). Com Elis e Zimbo Trio.

ELIS REGINA CARVALHO COSTA – POR UM AMOR MAIOR. Polygram/ Philips, 1982. Caixa com 4 LPs
Disco 1 - Porta para o infinito
Lado A:
1. Arrastão (Edu Lobo, Vinícius de Moraes)
2. Tem mais samba (Chico Buarque)
3. "Té" o sol raiar (Baden Powell, Vinícius de Moraes). Com Elis e Zimbo Trio.
4. Ensaio geral (Gilberto Gil)
5. Águas de Março (Tom Jobim). Com Elis e Tom Jobim.
6. Madalena (Ivan Lins, Ronaldo Monteiro de Souza)
7. O mestre-sala dos mares (João Bosco, Aldir Blanc)

Lado B:
1. Lapinha (Baden Powell, Paulo César Pinheiro)
2. Tiradentes (Estanislau Silva, Mano Décio da Viola)

3. Bala com bala (João Bosco, Aldir Blanc)
4. Vou deitar e rolar (Quaquaraquaquá) (Baden Powell, Paulo César Pinheiro)
5. Falei e disse (Baden Powell, Paulo César Pinheiro)
6. Deixa (Baden Powell, Vinícius de Moraes)
7. Amor até o fim (Gilberto Gil)

Disco 2 - Por um amor maior

1. A volta (Roberto Menescal, Ronaldo Bôscoli). Com Elis e Toots Thielemans.
2. Último canto (Francis Hime, Ruy Guerra)
3. Modinha (Tom Jobim, Vinícius de Moraes). Com Elis e Tom Jobim.
4. Canção do amanhecer (Edu Lobo, Vinícius de Moraes). Com Elis e Zimbo Trio.
5. Canto triste (Edu Lobo, Vinícius de Moraes)
6. De onde vens (Dory Caymmi, Nelson Motta)
7. Atrás da porta (Chico Buarque)

Lado B:

1. Pra dizer adeus (Edu Lobo, Torquato Neto)
2. Estrada do sol (Tom Jobim, Dolores Duran)
3. Morro velho (Milton Nascimento)
4. Cais (Milton Nascimento, Ronaldo Bastos)
5. Mucuripe (Belchior, Fagner)
6. Pois é (Tom Jobim, Chico Buarque). Com Elis e Tom Jobim.
7. Por um amor maior (Francis Hime, Ruy Guerra)

Disco 3 - Parando o tempo

Lado A:

1. Travessia (Fernando Brant, Milton Nascimento)
2. Conversando no bar (Fernando Brant, Milton Nascimento)
3. Bom tempo (Chico Buarque)
4. Noite dos mascarados (Chico Buarque). Com Elis e Chico Buarque.
5. Saveiros (Dori Caymmi, Nelson Motta)
6. O cantador (Dori Caymmi, Nelson Motta)
7. Cabaré (João Bosco, Aldir Blanc)

Lado B:

1. Dois pra lá, dois pra cá (João Bosco, Aldir Blanc)
2. Chovendo na roseira (Tom Jobim). Com Elis e Tom Jobim.
3. Boto (Tom Jobim, Jararaca)
4. Boa palavra (Caetano Veloso)
5. Cinema Olympia (Caetano Veloso)
6. Chegança (Edu Lobo, Oduvaldo Vianna). Com Elis e Zimbo Trio.
7. Corrida de jangada (Edu Lobo, Capinan)

Disco 4 - Viagem a Ixtlan

Lado A:

1. Querelas do Brasil (Maurício Tapajós, Aldir Blanc)
2. João Valentão (Dorival Caymmi)
3. Carinhoso (Pixinguinha, João de Barro)
4. A noite do meu bem (Dolores Duran)

5. Saudosa maloca (Adoniran Barbosa)
6. Folhas secas (Guilherme de Brito, Nelson Cavaquinho)
7. Vida de bailarina (Américo Seixas, Dorival Silva)

Lado B:

1. Aquarela do Brasil (Ary Barroso)/ Nega do cabelo duro (David Nasser, Rubens Soares)
2. Maria Rosa (Lupicínio Rodrigues, Alcides Gonçalves)
3. Na batucada da vida (Ary Barroso, Luiz Peixoto)
4. Da cor do pecado (Bororó)
5. Cadeira vazia (Lupicínio Rodrigues, Alcides Gonçalves)
6. Romaria (Renato Teixeira)
7. Boa-noite, amor (José Maria de Abreu, Francisco Matoso)

ELIS REGINA INTERPRETA JOÃO BOSCO E ALDIR BLANC. Polygram/ Fontana, 1983.

Lado A:

1. Dois pra lá, dois pra cá (João Bosco, Aldir Blanc)
2. Bala com bala (João Bosco, Aldir Blanc)
3. Um por todos (João Bosco, Aldir Blanc)
4. O cavaleiro e os moinhos (João Bosco, Aldir Blanc)
5. Ou bola ou búlica (João Bosco, Aldir Blanc)
6. Cabaré (João Bosco, Aldir Blanc)

Lado B:

1. O mestre-sala dos mares (João Bosco, Aldir Blanc)
2. O caçador de esmeralda (Aldir Blanc, Cláudio Tolomei, João Bosco)
3. Violeta de Belford Roxo (João Bosco, Aldir Blanc)
4. Transversal do tempo (João Bosco, Aldir Blanc)
5. Caça à raposa (João Bosco, Aldir Blanc)
6. Agnus sei (João Bosco, Aldir Blanc)

NADA SERÁ COMO ANTES – ELIS INTERPRETA MILTON NASCIMENTO. Polygram/ Fontana Especial, 1984.

Lado A:

1. Nada será como antes (Milton Nascimento, Ronaldo Bastos)
2. Morro velho (Milton Nascimento)
3. Cais (Milton Nascimento, Ronaldo Bastos)
4. Credo (Milton Nascimento, Fernando Brant)
5. Conversando no bar (Milton Nascimento, Fernando Brant)

Lado B:

1. Travessia (Milton Nascimento, Fernando Brant)
2. Caxangá (Milton Nascimento, Fernando Brant)
3. Vera Cruz (Márcio Borges, Milton Nascimento)
4. Canção do sal (Milton Nascimento)
5. Ponta de areia (Milton Nascimento, Fernando Brant)

Lançado em CD em 1998.

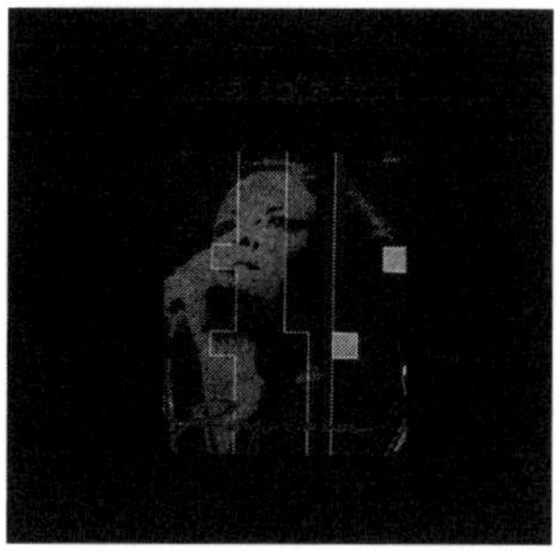

WEA COLLECTION – ELIS REGINA. WEA, 1990. Caixa plástica com 4 LPs.

Disco 1

Lado A:

1. Abertura (César Camargo Mariano).
2. Arrastão (Edu Lobo, Vinícius de Moraes). Elis Regina com participação especial de Tambatrio.
3. Lapinha (Baden Powell, Paulo César Pinheiro)
4. Terra de ninguém (Marcos Valle, Paulo Sérgio Valle)
5. Menino (Milton Nascimento, Ronaldo Bastos)
6. Aos nossos filhos (Ivan Lins, Vitor Martins)

Lado B:

1. O primeiro jornal (Sueli Costa, Abel Silva)
2. O bêbado e a equilibrista (João Bosco, Aldir Blanc)
3. Canção da América (Milton Nascimento, Fernando Brant). Participação especial de Boca Livre.
4. Conversando no bar (Fernando Brant, Milton Nascimento)
5. Redescobrir (Luis Gonzaga Júnior)

Faixas extraídas dos discos Saudade do Brasil e Elis, essa mulher. Todas as músicas produzidas por Guti e César Camargo Mariano, exceto O bêbado e a equilibrista, produzida por Mazola.

Disco 2

Lado A:

1. Sabiá (Tom Jobim, Chico Buarque)
2. Mundo novo, vida nova (Gonzaguinha)
3. Aquarela do Brasil (Ary Barroso)
4. O que foi feito devera (Milton Nascimento, Fernando Brant)

Lado B:

1. Na baixa do sapateiro (Ary Barroso)
2. Corcovado (Tom Jobim). Jam session com a participação de Hermeto Pascoal.
3. Garota de Ipanema (Tom Jobim, Vinícius de Moraes). Participação de Hermeto Pascoal.
4. Asa branca (Luiz Gonzaga, Humberto Teixeira). Participação de Hermeto Pascoal.

Faixas do lado B extraídas do disco Elis Regina - Montreux Jazz Festival. Músicas do lado A produzidas por Guti e César Camargo Mariano, do lado B por André Midani e Guti.

Disco 3

Lado A:

1. Essa mulher (Joyce, Ana Terra)
2. As aparências enganam (Tunai, Sérgio Natureza)
3. Moda de sangue (Jerônimo Jardim, Ivaldo Roque)
4. Beguine dodói (João Bosco, Aldir Blanc, Cláudio Tolomei)
5. Basta de clamares inocência (Cartola)

Lado B:

1. Presidente bossa-nova (Juca Chaves)
2. Onze fitas (Fátima Guedes)
3. Bolero de Satã (Guinga, Paulo César Pinheiro)
4. Pé sem cabeça (Danilo Caymmi, Ana Terra)
5. Altos e baixos (Sueli Costa, Aldir Blanc)

Músicas extraídas dos discos Elis, essa mulher e Saudade do Brasil. Todas as faixas produzidas por Mazola, exceto a de número 3 do lado A, e 1 e 2 do lado B, produzidas por Guti e César Camargo Mariano.

Disco 4
Lado A:
1. Alô, alô marciano (Rita Lee, Roberto de Carvalho)
2. Eu, hein, Rosa! (João Nogueira, Paulo César Pinheiro)
3. Cai dentro (Baden Powell, Paulo César Pinheiro)
4. Agora tá (Tunai, Sérgio Natureza)
5. Marambaia (Henricão, Rubens Campos)

Lado B:
1. Cobra criada (João Bosco, Paulo Emilio)
2. Madalena (Ivan Lins, Ronaldo Monteiro de Souza)
3. Ponta de areia (Fernando Brant, Milton Nascimento)
4. Upa, neguinho (Edu Lobo, Gianfrancesco Guarnieri)

Faixas do lado A produzidas por Guti e César Camargo Mariano, com exceção das de número 2 e 3, produzidas por Mazola. Todas extraídas dos discos Elis, essa mulher e Saudade do Brasil. Músicas do lado B produzidas por Guti e André Midani, provenientes do álbum Elis Regina – Montreux Jazz Festival.

ELIS - SÉRIE GRANDES NOMES. Polygram/ Philips, 1994. Caixa com 4 CDs.
CD 1
1. Lunik 9 (Gilberto Gil)
2. Lapinha (Baden Powell, Paulo César Pinheiro)
3. Arrastão (Edu Lobo, Vinícius de Moraes)
4. Canção do sal (Milton Nascimento)
5. Último canto (Francis Hime, Ruy Guerra)
6. Viramundo (Gilberto Gil, Capinan)
7. Giro (Antonio Adolfo, Tibério Gaspar)
8. Menino das laranjas (Théo de Barros)
9. Samba do perdão (Baden Powell, Paulo César Pinheiro)
10. Corrida de jangada (Edu Lobo, Capinan)
11. Canto de Ossanha (Baden Powell, Vinícius de Moraes)
12. Casa forte (Edu Lobo)
13. Récit de Cassard (do filme Les parapluies de Cherbourg) (J. Demy, Michel Legrand)

CD 2
1. De onde vens (Dory Caymmi, Nelson Motta)
2. Aquarela do Brasil (Ary Barroso)/ Nega do cabelo duro (David Nasser, Rubens Soares)
3. These are the songs (Tim Maia). Com Elis e Tim Maia.
4. Golden slumbers (John Lennon, Paul McCartney)
5. As curvas da estrada de Santos (Roberto Carlos, Erasmo Carlos)
6. Cinema Olympia (Caetano Veloso)
7. Bicho do mato (Jorge Benjor)
8. Black is beautiful (Marcos Valle, Paulo Sérgio Valle)
9. Frevo (Tom Jobim, Vinícius de Moraes)
10. Vou deitar e rolar (Quaquaraquaquá) (Baden Powell, Paulo César Pinheiro)

11. Madalena (Ivan Lins, Ronaldo Monteiro de Souza)
12. Ela (Aldir Blanc, César Costa Filho)
13. Bala com bala (João Bosco, Aldir Blanc)
14. 20 anos blue (Sueli Costa, Vitor Martins)

CD 3

1. Atrás da porta (Chico Buarque)
2. Casa no campo (Zé Rodrix, Tavito)
3. Folhas secas (Guilherme de Brito, Nelson Cavaquinho)
4. Na batucada da vida (Ary Barroso, Luiz Peixoto)
5. Ponta de areia (Fernando Brant, Milton Nascimento)
6. Nada será como antes (Milton Nascimento, Ronaldo Bastos)
7. Meio de campo (Gilberto Gil)
8. Amor até o fim (Gilberto Gil)
9. Ladeira da preguiça (Gilberto Gil)
10. O mestre-sala dos mares (João Bosco, Aldir Blanc)
11. Dois pra lá, dois pra cá (João Bosco, Aldir Blanc)
12. Águas de março (Tom Jobim). Com Elis e Tom Jobim.
13. Pois é (Tom Jobim, Chico Buarque). Com Elis e Tom Jobim.
14. Fascinação (Fascination) (F. D. Marchetti, M. de Feraudy/ Versão: Armando Louzada)

CD 4

1. Como nossos pais (Belchior)
2. Quero (Thomas Roth)
3. Querelas do Brasil (Maurício Tapajós, Aldir Blanc)
4. Velha roupa colorida (Belchior)
5. Gracias a la vida (Violeta Parra)
6. Caxangá (Milton Nascimento, Fernando Brant)
7. Morro velho (Milton Nascimento)
8. Meio-termo (Lourenço Baeta, Cacaso)
9. Eu, hein, Rosa! (João Nogueira, Paulo César Pinheiro)
10. As aparências enganam (Tunai, Sérgio Natureza)
11. Unencounter (Canção da América) (Milton Nascimento, Fernando Brant)
12. Corcovado (Tom Jobim)
13. Saudosa maloca (Adoniran Barbosa)
14. Me deixas louca (Armando Manzanero/ Versão: Paulo Coelho)

Coletânea com livreto ilustrado de 32 páginas e minibiografia em português e inglês escrita por Maria Amélia Rocha Lopes.

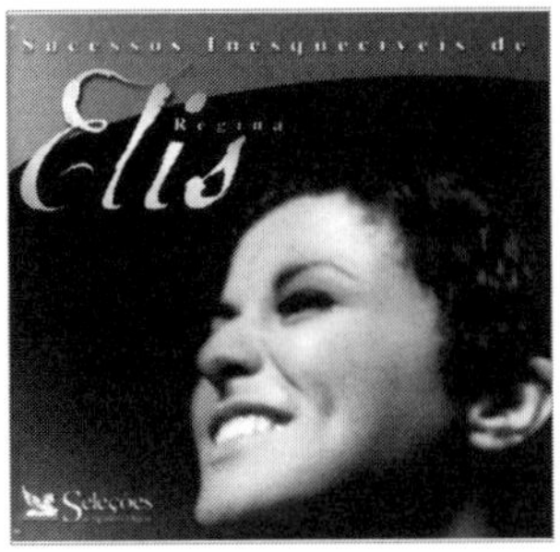

SUCESSOS INESQUECÍVEIS DE ELIS REGINA – Seleções do Reader's Digest. Universal Music/ Mercury Records, 2001. Caixa com 5 CDs.

CD 1 - Nasce uma estrela
1. Arrastão (ao vivo) (Edu Lobo, Vinícius de Moraes)
2. Upa, neguinho (Edu Lobo, Gianfrancesco Guarnieri)
3. Corrida de jangada (Edu Lobo, Capinan)
4. Casa forte (Edu Lobo)
5. Canto de Ossanha (Baden Powell, Vinícius de Moraes)
6. Andança (Danilo Caymmi, Edmundo Souto, Paulinho Tapajós)
7. Vida de bailarina (Américo Seixas, Dorival Silva)
8. Reza (Edu Lobo, Ruy Guerra)
9. Da cor do pecado (Bororó)
10. Vera Cruz (Márcio Borges, Milton Nascimento)
11. Zazueira (Jorge Benjor)
12. Black is beautiful (Marcos Valle, Paulo Sérgio Valle)
13. Vou deitar e rolar (Quaquaraquaquá) (Baden Powell, Paulo César Pinheiro)
14. Ladeira da preguiça (Gilberto Gil)

CD 2 - Elis romântica
1. Me deixas louca (Me vuelves loco) (Armando Manzanero/ Versão: Paulo Coelho)
2. Preciso aprender a ser só (Marcos Valle, Paulo Sérgio Valle)
3. Carinhoso (Pixinguinha, João de Barro)
4. É com esse que eu vou (Pedro Caetano)
5. Você (Roberto Menescal, Ronaldo Bôscoli)
6. Modinha (Tom Jobim, Vinícius de Moraes)
7. Cais (Milton Nascimento, Ronaldo Bastos)
8. Na batucada da vida (Ary Barroso, Luiz Peixoto)
9. Boa-noite, amor (José Maria de Abreu, Francisco Matoso)
10. O que tinha de ser (Tom Jobim, Vinícius de Moraes)
11. Samba do perdão (Baden Powell, Paulo César Pinheiro)
12. Folhas secas (Guilherme de Brito, Nelson Cavaquinho)
13. Pra dizer adeus (Edu Lobo, Torquato Neto)
14. Estrada do sol (Tom Jobim, Dolores Duran)

CD 3 – Grandes sucessos
1. Aprendendo a jogar (Guilherme Arantes)
2. Casa no campo (Zé Rodrix, Tavito)
3. Fascinação (F. D. Marchetti, M. de Feraudy/ Versão: Armando Louzada)
4. Madalena (Ivan Lins, Ronaldo Monteiro de Souza)
5. Nada será como antes (Milton Nascimento, Ronaldo Bastos)
6. O mestre-sala dos mares (João Bosco, Aldir Blanc)
7. Travessia (Fernando Brant, Milton Nascimento)
8. Me deixa em paz (Ivan Lins, Ronaldo Monteiro de Souza)
9. Romaria (Renato Teixeira)
10. Atrás da porta (Chico Buarque)
11. Canção do sal (Milton Nascimento)
12. Dois pra lá, dois pra cá (João Bosco, Aldir Blanc)

13. Cartomante (Ivan Lins, Vitor Martins)
14. Redescobrir (Luis Gonzaga Júnior)

CD 4 – Sambas e outras bossas

1. O barquinho (Roberto Menescal, Ronaldo Bôscoli)
2. Saudosa maloca (ao vivo) (Adoniran Barbosa)
3. Falei e disse (Baden Powell, Paulo César Pinheiro)
4. Bala com bala (João Bosco, Aldir Blanc)
5. Amor até o fim (Gilberto Gil)
6. Meio de campo (Gilberto Gil)
7. Marcha da quarta-feira de cinzas (ao vivo) (Carlos Lyra, Vinícius de Moraes)
8. O rancho da goiabada (ao vivo) (João Bosco, Aldir Blanc)/ Construção (Chico Buarque)
9. Morro velho (Milton Nascimento)
10. Dinorah, Dinorah (Ivan Lins, Vitor Martins)
11. Conversando no bar (Milton Nascimento, Fernando Brant)
12. 20 anos blue (Sueli Costa, Vitor Martins)
13. Aquarela do Brasil (Ary Barroso)/ Nega do cabelo duro (David Nasser, Rubens Soares)
14. Sinal fechado (ao vivo) (Paulinho da Viola)

CD 5 – Elis total

1. Alô, alô marciano (Rita Lee, Roberto de Carvalho)
2. O bêbado e a equilibrista (João Bosco, Aldir Blanc)
3. Como nossos pais (Belchior)
4. Ponta de areia (Fernando Brant, Milton Nascimento)
5. Caxangá (Milton Nascimento, Fernando Brant)
6. Querelas do Brasil (ao vivo) (Maurício Tapajós, Aldir Blanc)
7. Agnus sei (João Bosco, Aldir Blanc)
8. Velha roupa colorida (Belchior)
9. Águas de março (Tom Jobim)
10. Menino das laranjas (Théo de Barros)
11. O que foi feito devera (de Vera) (Milton Nascimento, Fernando Brant)
12. These are the songs (Esta é a canção) (Tim Maia)
13. Aquele abraço (ao vivo) (Gilberto Gil)
14. Tiro ao Álvaro (Adoniran Barbosa, Osvaldo Molles)

Incluso na coletânea, um livreto com minibiografia de Elis, trechos da entrevista concedida a Fernando Faro no programa MPB Especial da TV Cultura de 1973, depoimentos de amigos e músicos sobre a cantora, mais comentários e letras das músicas dos 5 CDs.

ELIS - 20 ANOS DE SAUDADE. Universal, 2002. Álbum duplo.

CD 1

1. Saveiros (Dorival Caymmi, Nelson Motta)
2. Canção de não cantar (Dori Caymmi, Nelson Motta)
3. Jogo de roda (Edu Lobo, Ruy Guerra)
4. Canto triste (Edu Lobo, Vinícius de Moraes)
5. O cantador (Dori Caymmi, Nelson Motta)
6. Noite dos mascarados (Chico Buarque). Com Elis e Chico Buarque.
7. Lapinha (Baden Powell, Paulo César Pinheiro)
8. Um novo rumo (Arthur Verocai, Geraldo Flach)
9. Yê-melê (Luiz Carlos Vinhas, Chico Feitosa)
10. Upa, neguinho (Edu Lobo, Gianfrancesco Guarnieri)
11. Samba da bênção (Samba saravah) (Baden Powell, Vinícius de Moraes/ Versão: Pierre Barouh)
12. Depois da queda (Roberto Menescal, Ronaldo Bôscoli)
13. Perdão, não tem (Edson Arantes do Nascimento)
14. Vexamão (Edson Arantes do Nascimento)

CD 2

1. Deixa (Baden Powell, Vinícius de Moraes)
2. A noite do meu bem (Dolores Duran)
3. Noite dos mascarados (Chico Buarque). Versão em francês. Com Elis Regina e Pierre Barouh.
4. Tristeza (Haroldo Lobo, Miltinho)
5. Verão vermelho (Nonato Buzar)
6. Osanah (Tony Osanah)
7. A fia de Chico Brito (Francisco Anysio)
8. Entrudo (Carlos Lyra, Ruy Guerra)
9. Exaltação a Tiradentes (Estanislau Silva, Décio Antonio Carlos, Penteado)
10. Alô... alô... taí Carmen Miranda (Maneco, Wilson Diabo, Heitor)
11. Cadeira vazia (Lupicínio Rodrigues, Alcides Gonçalves)
12. Canto de Ossanha (Baden Powell, Vinícius de Moraes)
13. Rosa morena (Dorival Caymmi)
14. Carlos Cará (João do Vale, José Cândido, Renato Côrte Real). Versão humorística de Carcará.

Lançada no 20º aniversário de morte de Elis, a coletânea agrupou, em formato digital, raridades anteriormente lançadas somente em compactos ou LPs de outros artistas e coletâneas em vinil, já descritos acima.

ELIS REGINA - PARTICIPAÇÃO ESPECIAL. Universal, 2004.

1. Águas de março (Tom Jobim). Com Elis e Tom Jobim.
2. O que foi feito devera (de Vera) (Milton Nascimento, Fernando Brant). Com Elis e Milton Nascimento.
3. These are the songs (Esta é a canção) (Tim Maia). Com Elis e Tim Maia.
4. Ladeira da preguiça (Gilberto Gil). Com Elis e Gilberto Gil.
5. Louvação (Gilberto Gil, Torquato Neto). Com Elis e Jair Rodrigues.
6. Noite dos mascarados (Chico Buarque). Com Elis e Chico Buarque.
7. Corcovado (Tom Jobim). Com Elis e Tom Jobim.
8. Você (Roberto Menescal, Ronaldo Bôscoli). Com Elis e Toots Thielemans.
9. Perdão, não tem (Edson Arantes do Nascimento). Com Elis e Pelé.

10. Zambi (Edu Lobo, Vinícius de Moraes). Com Elis e Zimbo Trio.
11. Minha namorada (Carlos Lyra, Vinícius de Moraes)/ Eu sei que vou te amar (Tom Jobim, Vinícius de Moraes)/ A volta (Roberto Menescal, Ronaldo Bôscoli)/ Primavera (Carlos Lyra, Vinícius de Moraes). Com Elis e Jair Rodrigues.
12. Soneto da separação (Tom Jobim, Vinícius de Moraes). Com Elis e Tom Jobim.

Coletânea que registra as parcerias célebres entre Elis Regina e convidados.

ELIS REGINA - SAMBA, JAZZ E BOSSA. Universal, 2005. Álbum duplo.

CD 1

1. Vou deitar e rolar (Quaquaraquaquá) (Baden Powell, Paulo César Pinheiro)
2. Ou bola ou búlica (João Bosco, Aldir Blanc)
3. Me deixa em paz (Ivan Lins, Ronaldo Monteiro de Souza)
4. Canto de Ossanha (Baden Powell, Vinícius de Moraes)
5. Roda (Gilberto Gil, João Augusto)
6. Meio de campo (Gilberto Gil)
7. Samba em paz (Caetano Veloso)
8. Aviso aos navegantes (Baden Powell, Paulo César Pinheiro)
9. Corrida de jangada (Edu Lobo, Capinan)
10. Bicho do mato (Jorge Benjor)
11. Noves fora (Fagner, Belchior)
12. Bala com bala (João Bosco, Aldir Blanc)
13. Fechado pra balanço (Gilberto Gil)
14. Madalena (Ivan Lins, Ronaldo Monteiro de Souza)

CD 2

1. Só tinha de ser com você (Aloysio de Oliveira, Tom Jobim)
2. Você (Roberto Menescal, Ronaldo Bôscoli)
3. Watch what happens (Michel Legrand, Norman Gimbel)
4. Alô... alô... taí Carmen Miranda (Maneco, Wilson Diabo, Heitor)
5. Aquele abraço (Gilberto Gil)
6. Zazueira (Jorge Benjor)
7. Ladeira da preguiça (Gilberto Gil)
8. Menino das laranjas (Théo de Barros)
9. Upa, neguinho (Edu Lobo, Gianfrancesco Guarnieri)
10. Até aí morreu Neves (Jorge Benjor)
11. Bonita (Tom Jobim)
12. Amor até o fim (Gilberto Gil)
13. "Té" o sol raiar (Tempo feliz) (Ao vivo) (Baden Powell, Vinícius de Moraes)
14. Vou deitar e rolar (Quaquaraquaquá) (Quaquaraquaquá mix) (Baden Powell, Paulo César Pinheiro/ Remix: DJ Zé Pedro)

No livreto que acompanha a coletânea, comentários sobre as faixas e letras das músicas.

PÉROLAS RARAS - ELIS REGINA. Universal, 2006.

1. Arrastão (Edu Lobo, Vinícius de Moraes)
2. Ensaio geral (Gilberto Gil)
3. Travessia (Fernando Brant, Milton Nascimento)
4. O cantador (Dori Caymmi, Nelson Motta)
5. Menino das laranjas (Théo de Barros)
6. Jogo de roda (Ao vivo) (Edu Lobo, Ruy Guerra)
7. É com esse que eu vou (Ao vivo) (Pedro Caetano)
8. Ladeira da preguiça (Gilberto Gil)
9. A coruja (Corujinha) (Vinícius de Moraes, Toquinho)
10. Terra de ninguém (Ao vivo) (Marcos Valle, Paulo Sérgio Valle)
11. Black is beautiful (Ao vivo) (Marcos Valle, Paulo Sérgio Valle)
12. El niño de las naranjas (Menino das laranjas) (Théo de Barros)
13. Soy sin paz (Sou sem paz) (Adylson Godoy)
14. Ensaio geral (ao vivo) (Gilberto Gil)

Idealizada por Rodrigo Faour, coletânea agrupa faixas que antes só haviam sido lançadas em vinil.

OUTRAS COLETÂNEAS (LANÇADAS ORIGINALMENTE EM VINIL)

Elis Regina – Série autógrafos de sucesso. Companhia Brasileira de Discos/ Philips, 1970.

Ellis Regina. CBS/ Okeh, 1971. Lançado em CD em 1994.

Elis Regina – Série autógrafos de sucesso n° 2. Companhia Brasileira de Discos - Phonogram/ Fontana, 1973.

A arte de Elis Regina. Companhia Brasileira de Discos - Phonogram/ Fontana, 1975. Álbum duplo.

O melhor de Elis. Polygram/ Fontana Especial, 1979.

Elis – Vento de maio. EMI-Odeon, 1983. Lançado em CD em 1994.

O prestígio de Elis Regina. Polygram/ Fontana, 1983.

A arte maior de Elis Regina. Polygram/ Fontana Especial, 1983.

Elis vive. Opus-Video e Fonográfica/ Elenco, 1984. Álbum duplo.
A bossa maior de Elis Regina. Opus Video e Fonográfica Ltda, 1985.

Personalidade – Elis Regina. Polygram/ Philips, 1987. Lançado simultaneamente em CD, com duas músicas a mais: Romaria e Vou deitar e rolar (Quaquaraquaquá).

Presença de Elis Regina e Maysa. CBS, 1988. Álbum duplo (o disco 1 com músicas de Elis Regina, o 2, de Maysa). Lançado simultaneamente em CD. Em 1991, foi relançado, porém em CD simples, com os dois volumes separados.

Fascinação - O melhor de Elis Regina. Polygram/ Philips, 1988. Álbum duplo. Lançado simultaneamente em CD, porém com as faixas em outra ordem.

Elis e Jair – Dois na bossa. Polygram/ Laser, 1990. Lançado também em CD, no mesmo ano.

Elis (é) Regina. Continental, s/d.

COLETÂNEAS LANÇADAS SOMENTE EM CD

Personalidade, Vol. 2 – Elis Regina. Polygram/ Philips, 1992.

Mestres da MPB – Elis Regina. WEA, 1992.

Elis por ela. WEA, 1992. Lançado simultaneamente em CD, tendo esse último duas faixas adicionais.

Elis Regina – Minha História. Polygram/ Philips, 1993.

Elis – O Mito. Som Livre, 1993.

Elis Regina – Arquivo especial. Warner Music, 1995. Álbum duplo.

Mestres da MPB Vol. 2 – Elis Regina. WEA, 1995.

Eternamente Elis. WEA, 1996. Álbum duplo

Coleção obras-primas – Elis Regina. Polygram, 1996.

Elis Regina – Brilhantes. Sony Music/ Columbia, 1996.

O melhor de Elis Regina – 2 é demais! Warner Music, 1996. Coletânea reúne músicas dos títulos Elis, essa mulher e Saudade do Brasil.

Os grandes da MPB – Elis Regina. Polygram, 1996. Coletânea lançada com fascículo das Edições del Prado.

Performance – Elis Regina. EMI, 1996.

Elis Regina – MPB no JT. Velas, 1997. Coletânea encartada com fascículo da série MPB no JT, do Jornal da Tarde. Músicas extraídas do CD Elis ao vivo, de 1995.

Grandes mestres da MPB – Elis Regina. WEA, 1997.

Grandes mestres da MPB – Elis Regina 2. WEA, 1997.

Preferência nacional – Elis Regina. Copacabana, 1997.

Millennium – Elis Regina. Polygram/ Mercury Records, 1998.

Música! – O melhor da música de Elis Regina. Warner Music, 1998.

Brilhantes – Elis Regina – Grandes sucessos. Sony Music/ Columbia, 2000.

Elis Regina – Enciclopédia musical brasileira. Warner Music, 2000.

Elis – Os sonhos mais lindos. Universal, 2000.

Elis Regina – Pérolas. Som Livre, 2000.

O melhor de 2 – Elis Regina, Antonio Carlos Jobim. Gravadora: Universal/ Mercury, 2000. Álbum duplo (um CD com músicas de Elis Regina, e outro, de Antonio Carlos Jobim).

Elis Regina – Grandes sucessos. Sony Music/ Columbia, 2001.

Elis Regina – Sem limite. Universal, 2001. Álbum duplo.

Warner 25 Anos – Elis Regina. Warner Music, 2001.

Elis Regina – Gold. Universal, 2002.

Elis – Perfil. Som Livre, 2003.

Retratos – Elis Regina. EMI, 2003.

Essential Brazil: Elis Regina. EMI, 2004.

I love MPB – Amor até o fim. Elis Regina. Universal, 2004.

Elis revisitada. Suingando de Elis, Como e por quê 1969 a Elis 1974. Universal/ Dubas, 2005.

Novo millennium – Elis Regina. Universal, 2005.

Warner 30 anos – Elis Regina. Warner Music, 2006.

Elis Regina – Coleção obras-primas. Polygram/ Mercury Records, s/d.

XXI Vinteum – Elis Regina – 21 grandes sucessos. Sony Music/ Columbia, s/d.

DVDS

ELIS REGINA – MPB ESPECIAL – 1973. Trama, 2004.
1. Doente morena (Duda, Gilberto Gil)
2. Ladeira da preguiça (Gilberto Gil)
3. Boa noite, amor (José Maria de Abreu, Francisco Matoso)
4. Preciso aprender a ser só (Marcos Valle, Paulo Sérgio Valle)
5. Upa, neguinho (Edu Lobo, Gianfrancesco Guarnieri)
6. Formosa (Baden Powell, Vinícius de Moraes)
7. Estrada do sol (Tom Jobim, Dolores Duran)
8. Pout-pourri: Vou deitar e rolar (Quaquaraquaquá) (Baden Powell, Paulo César Pinheiro)/ Aviso aos navegantes (Baden Powell, Paulo César Pinheiro)
9. 20 anos blue (Sueli Costa, Vitor Martins)
10. Atrás da porta (Chico Buarque)
11. Canção do sal (Milton Nascimento)
12. Cais (Milton Nascimento, Ronaldo Bastos)
13. É com esse que eu vou (Pedro Caetano)
14. General da banda (José Alcides, Satiro de Melo, Tancredo Silva)
15. Águas de março (Tom Jobim)
16. Meio de campo (Gilberto Gil)
17. Folhas secas (Guilherme de Brito, Nelson Cavaquinho)

Ficha técnica: direção: Fernando Faro; A&R: JMB; produtores executivos: André Szajman, João Marcello Bôscoli. Programa produzido pela Fundação Padre Anchieta – TV Cultura. DVD dirigido por João Marcello Bôscoli. O DVD também foi lançado em caixa que reúne os especiais de Gal Costa, Tim Maia, Tom Zé e Baden Powell, realizados para a TV Cultura.

ELIS REGINA CARVALHO COSTA – SÉRIE GRANDES NOMES TV GLOBO. Trama/ Som Livre, s/d.
1. Abertura: Arrastão (Edu Lobo, Vinícius de Moraes)
2. Querelas do Brasil (Maurício Tapajós, Aldir Blanc)
3. Agora tá (Tunai, Sérgio Natureza)
4. Alô, alô marciano (Rita Lee, Roberto de Carvalho)
5. Essa mulher (Joyce, Ana Terra)
6. Atrás da porta (Chico Buarque)
7. Cadeira vazia (Lupicínio Rodrigues, Alcides Gonçalves)
8. Conversando no bar (Fernando Brant, Milton Nascimento)
9. O bêbado e a equilibrista (João Bosco, Aldir Blanc)
10. Aos nossos filhos (Ivan Lins, Vitor Martins)
11. Modinha (Tom Jobim, Vinícius de Moraes)
12. Rebento (Gilberto Gil)
13. Aquarela do Brasil (Ary Barroso)
14. O que foi feito devera (Milton Nascimento, Fernando Brant)
15. Redescobrir (Luis Gonzaga Júnior)

Ficha técnica
Músicos: teclado, arranjos: César Camargo Mariano; teclado de apoio: Sérgio Henriques; trompete: Nonô Camargo; trompete: Cláudio Faria; sax tenor: Octavio Bangla; percussão: Don Chacal; sax alto, flautas, clarineta: Paulo Garfunkel; flau-

tas: Chiquinho Brandão; guitarra, violão: Nathan Marques; baixo, violão: Kzam Gama; trombone: Bocato; bateria: Picolé; sax tenor: Lino Simão.

Coro e bailarinos: Albino Sare, Brasília, Jorge Bueno, Jorge Deffune, Luiz Antonio Marigo, Regina Machado, Serjão, Valtinho Anastácio.

Equipe de produção: produção: Maria Carmem Barbosa; assistente de direção: João Paulo Carvalho; roteiro: Luiz Carlos Maciel; figurinos: Marília Carneiro; som: Emiliano Costa Neto e Eugênio Carvalho; iluminação: Peter Gasper e Henrique Leiner; cenário: Mario Monteiro e Raul Travassos; equipe de criação: Luiz Carlos Maciel, Guto Graça Mello e Daniel Filho; produção musical: Guto Graça Mello; arranjos e regência: César Camargo Mariano.

Programa dirigido por Daniel Filho para a série Grandes nomes da TV Globo. Nos extras do DVD, uma entrevista com o diretor.

CAIXAS ESPECIAIS

ELIS – TRANSVERSAL DO TEMPO. Universal, 1998.

Caixa com os 21 CDs que Elis lançou pelo selo Philips, desde Samba – eu canto assim (1965) até Elis Especial (1979). A caixa traz ainda um livreto bilíngüe com breve biografia da cantora.

Ficha técnica: projeto: Polygram; idealização: Carlos Alberto Sion; texto: Tárik de Souza; projeto gráfico: Pós Imagem Design; direção de arte: Ricardo Leite, Rafael Ayres; design gráfico e concepção da embalagem: Fabiana Prado; finalização: Cristina Cruz, Carmen Torras; fotos: Arquivo Polygram (D.R.), Veneziano, Paulo Salomão (Abril Imagens); coordenação gráfica: Gê Alves Pinto, Geysa Adnet; tradução para inglês: Paulo Henriques Brito; produção da embalagem: Tátil Design; fotolitos: Sulamérica Estúdio Gráfico; impressão: Matiz Gráfica e Editora.

ESPECIAL 60 ANOS – ELIS. Trama, 2005.

Lata que comemora os 60 anos de nascimento de Elis Regina, com DVD Elis Regina – MPB especial – 1973, CD remasterizado e DVD áudio Elis & Tom, mais uma camiseta com a foto que estampa a capa do DVD MPB especial.

Caixa não contém ficha técnica, mas somente os produtos inclusos.

ELIS REGINA CARVALHO COSTA. Trama/ Som Livre, s/d.

Caixa que inclui o DVD Elis Regina Carvalho Costa – Série grandes nomes TV Globo, uma cartela de ímãs de geladeira e uma camiseta. Caixa sem ficha técnica.

Discografia atualizada até o ano de 2006.

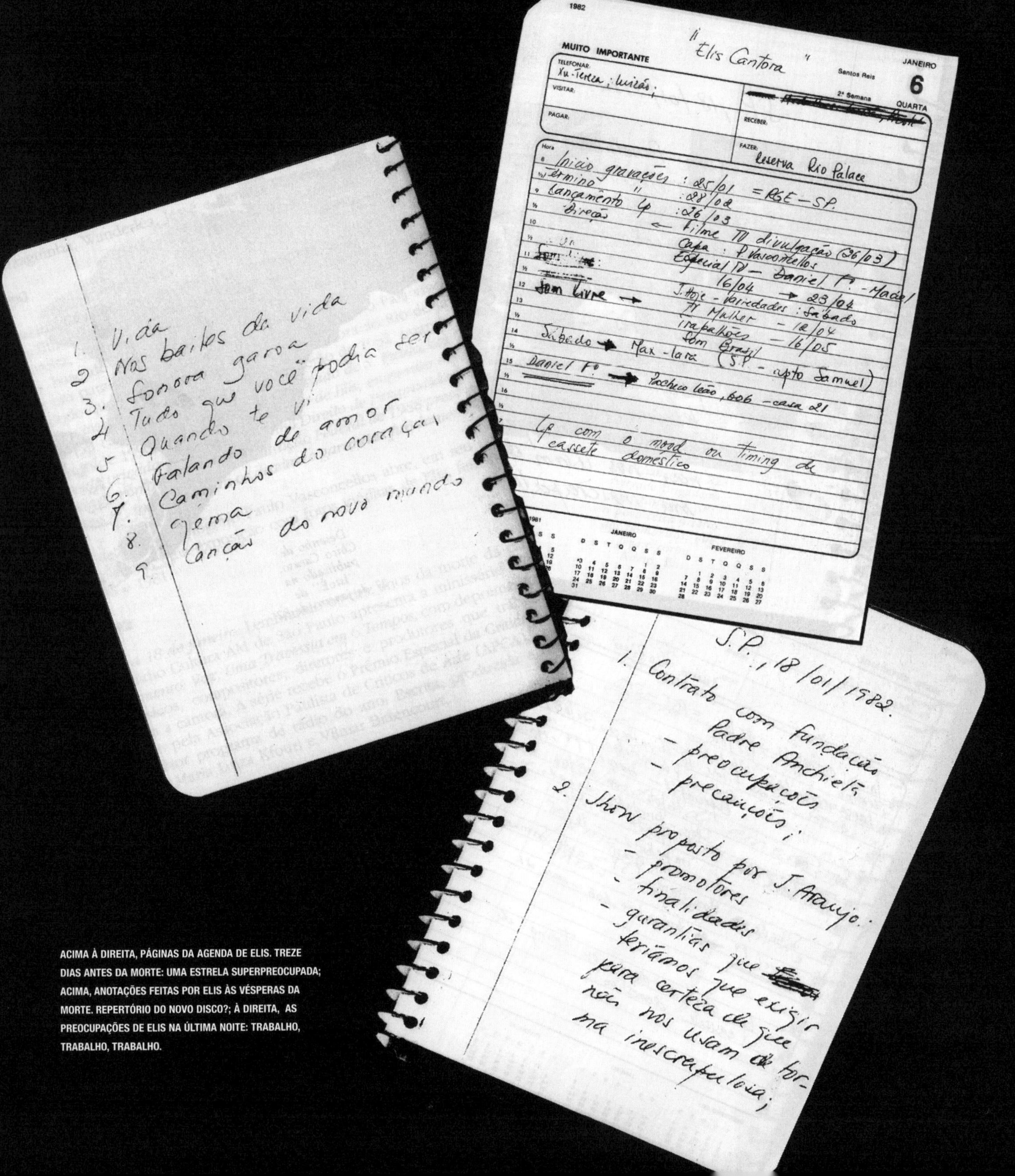

ACIMA À DIREITA, PÁGINAS DA AGENDA DE ELIS. TREZE DIAS ANTES DA MORTE: UMA ESTRELA SUPERPREOCUPADA; ACIMA, ANOTAÇÕES FEITAS POR ELIS ÀS VÉSPERAS DA MORTE. REPERTÓRIO DO NOVO DISCO?; À DIREITA, AS PREOCUPAÇÕES DE ELIS NA ÚLTIMA NOITE: TRABALHO, TRABALHO, TRABALHO.

CONHEÇA A HISTÓRIA DESTAS CHARGES NA PÁGINA 136.

Henfil APRESENTA COM TRISTEZA N'ALMA
CABÔCO MAMADÔ
E SEU FANTÁSTICO CEMITÉRIO DOS MORTOS-VIVOS
VOCÊS HUMORISTAS SÃO ENGRAÇADOS! QUEREM SER GUARDA-MORAL DE TODO MUNDO!
ELIS REGINA
MAS DONA ELIS...
NÃO QUEREM QUE NÓS CANTORES FAÇAMOS CONCESSÕES...
ELIS REGINA
PODEM ME CHAMAR DE ELIS REGENTE DE COMERCIAS SILVA! MAS
VOCÊS ACHAM QUE EU NÃO PRECISO DESTE DINHEIRO PRA VIVER?
RENDO!!! NÃO PRECISO NÃO...
ACABE COM ESTA AGONIA CABÔCO MAMADÔ! ME REINCARNE LOGO!
ELIS REGENTE REINCARNE CUM SILVÉRIO BLOCH REIS NO PASSADO!
GENIAL! NO PASSADO SEREI O GRANDE MAURICE CHEVALIER!
QUE ANO ESTAMOS CABÔCO MAMADÔ?
15 DE JANEIRO DE 1945, NESTE ANO MAURICE CHEVALIER, CONVIDADO POR HITLER FAZIA UM SHOW NA ALEMANHA!

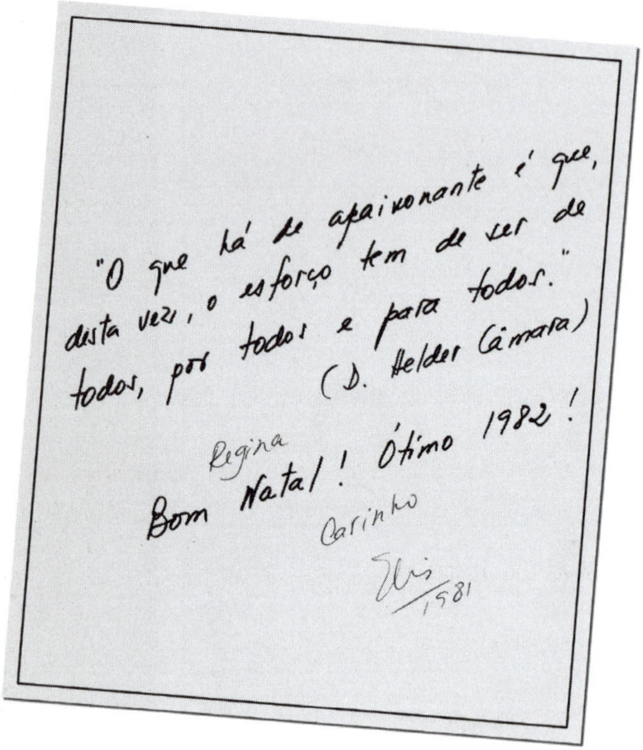

"O que há de apaixonante é que, desta vez, o esforço tem de ser de todos, por todos e para todos."
(D. Helder Câmara)

Regina
Bom Natal! Ótimo 1982!
Carinho
Elis
1981

Agradecimentos

Dona Ercy, Rogério Carvalho Costa (in memorian), Biba Carvalho Costa, Zói, Luis Celso, Lu, Ana Emilia, Justo Echeverria, Clara Echeverria, Joana Alegre, Bárbara Almeida, Zuba Coutinho, Teresa Cavalleiro, Acyr, Maria Rosa Fonseca, Toninho Neves, Arnaldo Lico, Cecília Assef, João Leão, Zuza Homem de Mello, Leonardo Netto, Wagner Baldinato, Suely Aguiar, Maria Elisa, Rick, Thales, Antonio Fernando, Ana Lúcia Novaes (in memorian), Roberto Menescal, Suzana e Chiodi, Abelardo, Laura (in memorian), Mônica e Patrícia (Figueiredo), Celina Silva, Walter Silva, Natan Marques, Rita Lee, Roberto de Carvalho, Amilton Carvalhal, Reinaldo Moraes, Sérgio Pompeu (in memorian), Luisinho, Isadora, Sonia Dorothy, Miguel, Ruy do Dedoc, Fernando Nuno, Esníder, René, Marta Góes, Geraldo Mayrink, Helena, Silvio Lancelotti, Paulo César Pereio, Ciça Guimarães, Luiza Amaral Kfouri (in memorian), César Giobbi, Mara Ziravello, Cynthia de Almeida, Rosângela Petta, Marcelo Ayres, Fran, Cidinha Oliveira, Nilson Garcia, Patrícia Hargreaves, José Maria dos Santos, José Carlos Costa Netto, Luciana Rangel, Heitor Paixão e Eliana Sá, Bizuka, Marta Alves, Luis Raul Zapata Contreras, Aline Sultani, Sérgio Rodrigues, Lula Vieira e Pedro Almeida.

E especialmente, a Hamilton Almeida Filho (in memorian), Maria Luiza Kfouri, José Marcio Penido, Nirlando Beirão e Marta Rocha.

Bibliografia

CASTRO, Ruy. *Chega de Saudade*. Companhia das Letras, 1990.

KIECHALOSKI, Zeca (1984) Elis Regina. Col. Esses Gaúchos. Porto Alegre: Tchê! 101p.

KFOURI, Maria Luiza. *Discografia original de Furacão Elis*. 1985.

MACIEL, Luiz Carlos e Ângela Chaves. *Eles e Eu, Memórias de Ronaldo Bôscoli, Chaves*. Editora Nova Fronteira, 1994.

MIELE, Luiz Carlos. *Poeira de Estrelas*. Ediouro, 2006.

MOTTA, Nelson. *Noites Tropicais*. Editora Objetiva, 2000.

RIBEIRO, Solano. *Prepare Seu Coração, a história dos grandes festivais*. Geração Editorial, 2003.

SILVA, Walter. *Vou te contar, histórias de música popular brasileira*. F-QM Editores Associados, 2002.

CONSULTAS A JORNAIS E REVISTAS:

Veja, Isto É, Manchete, Pais e Filhos, Ele e Ela, Amiga.
O Estado de S. Paulo, Folha de S.Paulo, Folhetim, Folha da Tarde, Jornal do Brasil, O Globo.

RÁDIOS E TVS:

Rádio e Televisão Cultura de São Paulo, TV Record, TV Globo, Rádio e TV Bandeirantes.

Créditos fotográficos

ABRIL IMAGENS:
Adhemar Veneziano (45, 46, 71, 156, 157); Amiucci Gallo (191, 194); Antonio Andrade (76); Arnaldo Silva (188); Carlos Namba (7); Dario de Freitas (141, 142, 143); Fernando Pimentel (11, 16, 160); Iugo Koyama (171, 179, 184); J. Ferreira da Silva (17, 113, 114, 138, 149); Joel Maia (119, 164, 165); Leonardo Costa (79, 91); Marcos Santili (101); Paulo Salomão (8, 9, 15, 31, 32, 33, 37, 57, 58, 109, 117, 120, 128, 173); Pedro Martinelli (13, 14) e Silvio Ferreira (3).

AGÊNCIA O GLOBO:
53 e 67.

CEDIDOS PELO AUTOR:
244 e 245.

ARQUIVOS DE FAMÍLIA:
19, 21, 22a-b, 25a-d, 26a-b e 28, 81.

MIGUEL BENEVIDES:
1, 155, 180, 182 e 193.

REPRODUÇÕES DE DISCOS E IMPRESSOS:
66, 72, 75, 82, 87, 98, 105, 123, 125, 144, 166, 176, 196/197;
discografica 199-242.

SOUZA FIGUEIREDO:
50.

Todos os esforços foram feitos para creditar devidamente os detentores dos direitos de imagens utilizadas neste livro, eventuais omissões ou créditos errados não foram intencionais e serão devidamente solucionadas nas próximas edições, bastando que os proprietários contatem os editores.

Este livro foi composto em Helvética e
impresso pela Ediouro Gráfica em fevereiro de 2007.